¿Testigos o **Protagonistas**?

Claves para desarrollar la **Creatividad**

Alejandra Benitez

ELHILODARIADNA

¿Testigos o Protagonistas?

Claves para desarrollar la Creatividad

SOLARES
DEL
TALAR
BS. AS.
OCTUBRE 2011

EL HILO DE ARIADNA

Primera edición: septiembre de 2010

silke@silke.com.ar
ww.silke.com.ar

abcreativa@gmail.com
www.abcreativa.com.ar

Av. Madero 900, piso 28
C1106ACV, Buenos Aires, Argentina

ISBN: 978-987-23546-0-2

Benitez, Alejandra / Silke
¿Testigos o protagonistas? : Claves para desarrollar la creatividad / Alejandra Benitez y Silke. - 1ª ed. - Buenos Aires : El Hilo de Ariadna, 2010.
352 p. : il. ; 17x24 cm.

ISBN 978-987-23546-0-2

1. Filosofía de las Artes. I. Silke II. Título
CDD 701

Diseño de interior: Sophie le Comte
Diseño de tapa: Marcos Irigaray
Ilustraciones de interior: Silke
Locutor del CD: Adrián Perez Bavasso

Se terminó de imprimir en Talleres Gráficos Porter,
Plaza 1202, Ciudad de Buenos Aires, Argentina.

Impreso en Argentina. *Printed in Argentina*

Hecho el depósito que marca la ley 11.723

Índice

Parte 2
La creatividad transversal a la vida

Palabras a los lectores

Les damos la bienvenida a estas páginas destinadas a guiarlos hacia el reconocimiento de sus talentos y a alentarlos a ponerlos en acción. En ellas ofrecemos un enfoque práctico sobre cómo desarrollar el potencial creativo y un encuadre conceptual con intención de acercarlos a la esencia y valor de la creatividad.

Este libro ha sido concebido como un recorrido en el que todos pueden participar, para que personas de todas las edades, actividades y perfiles puedan descubrir un mundo lleno de posibilidades. El contenido se presenta por capítulos independientes, lo que posibilita leerlo por bloques o por temas. De este modo, cada lector según sus inclinaciones, puede elegir el recorrido para llegar a los puntos de su interés. La lectura secuencial ofrece, por su parte, la posibilidad de familiarizarse con los temas, relacionarlos con mayor facilidad y crecer con ellos. Sus capítulos conforman una secuencia de explicaciones, reflexiones y ejemplos nacidos de nuestra experiencia profesional y personal. Los temas se desarrollan combinando conceptos y ejemplos para hacerlos más accesibles.

Elegimos como tema central **la creatividad** —sus elementos constitutivos, sus contenidos, su materialización—, destacando el valor de ser "uno mismo" y de poder elegir en cada momento el propio camino. Todo el contenido apunta a mostrar la magnitud de su poder transformador, de su capacidad de poner color, sabor, música y calidez a la vida de todos los días; e ingenio, originalidad, novedad y pasión a las diversas actividades y ámbitos en los que participamos.

La creatividad brota de nuestra esencia y está condicionada por la estructura física, emocional, psíquica y espiritual de cada uno. Indagamos en sus fuentes y observamos sus mecanismos. Por eso se presentan diversos abordajes y se señalan opciones que pueden enriquecer el modo de transitar el camino elegido por cada uno.

Nos detenemos en los miedos y emociones que pueden debilitarnos o hacernos retroceder frente a los desafíos. A ellos les dedicamos un tiempo de reflexión, pensando en quienes se sienten detenidos pero desearían ponerse en marcha. Sabemos que la decisión de querer "ser creativo" predispone la mente y el corazón para alcanzar metas más allá de lo esperado. La apertura y el asombro crean atajos que nos conducen más directamente a las fuentes de nuestra creatividad.

Los primeros capítulos conforman una base sólida para los que se inician. Para quienes conocen el tema o para los que ya son creativos, pueden ser un repaso de lo conocido desde una perspectiva original. Se incluyen ejemplos reales y situaciones imaginarias, y se invita en todo momento a ser parte, a reconocer y cultivar este don, y a encontrar la propia manera de ser creativo. Ofrecemos numerosos ejercicios como camino práctico para vivenciar los contenidos, puesto que hay un abismo entre tener la información y poder actuar. Ejercitar lo aprendido y perseverar en la práctica de la creatividad nos abre a su poder transformador. Al término de la primera parte, se presenta una síntesis de las técnicas más difundidas.

La segunda parte está dedicada específicamente a la **creatividad en acción**, haciendo hincapié en su aplicación en contextos diversos. Se profundiza en áreas puntuales: las **organizaciones** y la **ciencia**, donde se generan situaciones para reflexionar sobre lo que sucede o nos sucede en esos ámbitos con relación a la creatividad, hasta culminar en las **expresiones plenas de creatividad** contenidas en el **arte**.

La imagen de una semilla y su potencialidad como futura planta o árbol con sus flores y sus frutos propone una sencilla metáfora de lo que este libro desea alentar. Una semilla contiene en potencia la totalidad de la futura planta, sin embargo, si no la plantamos, permanece encerrada en su cáscara: bien protegida, pero con el riesgo latente de caducar. Al permanecer como semilla no enfrentará peligros ni riesgos, pero tampoco logrará nada. Recién al plantarla y regarla tendrá la posibilidad de germinar y crecer, aunque esto implique exponerla a ciertas amenazas como ser pisada, ser comida o secarse. En la vida de cada uno también existe esta posibilidad de crecimiento y desarrollo. Todos nacemos con la potencialidad de sacar de nosotros lo mejor, de combinar lo conocido de un modo diferente para descubrir y crear algo nuevo. Plantar y cuidar nuestra semilla abre la oportunidad de desarrollar nuestro potencial pleno, desplegar flores, frutos y finalmente multiplicarnos en nuevas semillas.

Lo que queremos "ser" en la vida es la fuerza que hace germinar nuestra semilla. ¿No sería magnífico ayudarla a crecer?

¿Cómo empezó esta historia?

Hace un par de años, en una mañana tibia de abril surgió la idea de escribir juntas una síntesis de lo vivido y aprendido en torno a la creatividad.

Al principio y por unos largos meses, compartimos un interrogante típico: ¿tiene sentido sumar un libro más sobre creatividad? Sin embargo, esta pregunta desaparecía rápidamente bajo el torrente de ideas que desbordaban en las charlas semanales. Desde que comenzamos las primeras conversaciones nos ganó el entusiasmo y la pasión. En poco tiempo nos dimos cuenta de que le dábamos significados muy similares a la joya interna que destacaba Silke y a los recursos interiores de los que hablaba Alejandra. Las coincidencias, la novedad y los aportes de cada una se transformaron en descubrimientos y aprendizajes que borraron los límites entre lo "tuyo" y lo "mío". Ambas sabemos que el contenido de este libro, que fue madurando en el silencio interior y durante cada encuentro, no nos pertenece, sino que es parte de un conocimiento asimilado, construido y compartido que queremos que llegue a muchos más.

A medida que los diversos temas salían a la luz, fueron incontables los momentos maravillosos de toma de conciencia, de darnos cuenta que habíamos sentido, experimentado o detectado aspectos similares del proceso creativo. Aunque la experiencia de cada una se había desarrollado en ámbitos totalmente disímiles, ambas reconocíamos que la esencia creativa siempre proviene de la misma fuente. Con el tiempo y ya en el proceso de escritura, las vivencias y experiencias individuales se fueron entretejiendo hasta alcanzar una trama única con distintas densidades. Creemos haber logrado una trama colorida pero de ninguna manera pareja. Hay puntos desarrollados con diferente nivel de detalle. No buscamos decir la última palabra en la materia, sino proponer una secuencia de temas sobre ese "ser creativo" que vive en cada uno y que "es" cada uno cuando se pone en acción.

La experiencia de escribir sobre creatividad nos deja como saldo la convicción de que es un tema cuyos límites son difíciles de establecer y, tal vez, innecesarios, porque su esencia reside en la riqueza interior de cada persona, que es dinámica y se manifiesta en perspectivas siempre diversas.

En un marco de gran respeto y deslumbramiento frente a las posibilidades magníficas que brinda la creatividad, deseamos fervientemente que estos capítulos los alienten a crecer y a dar muchos frutos, como una semilla que recibe agua y nutrientes.

¡Se los ofrecemos desde el corazón!

Agradecimientos

Queremos hacer público nuestro agradecimiento a Cecilia Rey Saravia, Luz Zaldívar, Roberto Glorioso, Magdalena Irigaray, Julio Penna, Diana Álvarez, Florencia Güiraldes, Rosmarie von der Goltz, Diego Tomás Aguiló y a Ana María Benitez por sus oportunas observaciones y comentarios que inspiraron el replanteo de algunos temas o la manera de expresarlos. A todos ellos muchísimas gracias.

A María Soledad Costantini, a la editorial El Hilo de Ariadna y a Carla Blanco por su apoyo para que este libro sea hoy una realidad.

Parte I

Claves para desarrollar la creatividad

Capítulo 1

Los secretos de nuestra joya interna

Espejo y resonancia

Escenarios para el descubrimiento

El despertar de los talentos
Preparando el descubrimiento

Ejercicio de exploración
En imágenes

Vivir la creatividad

1

¡Existir, ser persona, vivir plenamente, qué gran oportunidad! Cada día es una ocasión para vivir, sentir y gozar de todo lo que somos y podemos llegar a ser.

Los primeros pasos de este camino se recorren escuchando y dando lugar a nuestros anhelos. Éstos nos ayudan a descubrir quiénes somos. Todos nacemos con anhelos, deseos profundos sin rostro ni forma, que encierran la potencialidad de lo que podemos ser o estamos llamados a ser, pero que aún desconocemos. Ellos se manifiestan como una fuerza que puja desde adentro, que nos inquieta e incomoda; son pedidos del alma.

Durante el transcurso de la vida van surgiendo desde lo más íntimo de nuestro ser. Si aprendemos a escucharnos podremos descubrirlos y develar su sentido profundo. Muchas veces por comodidad, presiones diversas o miedo hacemos de cuenta que no existen, los ignoramos, no los escuchamos ni los queremos ver. Pero los anhelos están allí, alumbrando mensajes que buscan un espacio para expresarse. Quieren ser reconocidos, vistos, tomados en cuenta, vividos.

Algunas personas tapan sus demandas con hiperactividad, otras con dejadez, abulia o indiferencia. Hay también quienes eligen liberarlos usando drogas, pero, de ese modo, se pierden la posibilidad de escucharlos y darles una respuesta libre y consciente. Si no atendemos a nuestros anhelos, si no les damos su espacio, pueden manifestarse negativamente. Pueden convertirnos en caracteres difíciles, exteriorizarse en rabietas, enfermedad, cinismo, soberbia, agresión o depresión. Nada de esto aporta ni enriquece a la persona, ¿verdad?

Por el contrario, esforzarse por descubrir su rostro, su identidad, es aceptar su existencia como balizas de un camino hacia la plenitud. Abrirse a vivir lo que piden los anhelos y disfrutar de un contacto fluido con ellos nos permite soñar, imaginar, fantasear. Cada anhelo convertido en sueño deja al descubierto nuevas facetas de nuestra interioridad. Atreverse a imaginar, a soñar algo concreto pone en funcionamiento un mecanismo que sirve para descubrir nuevos aspectos y potencialidades de nuestra persona. Si podemos soñar algo es porque tenemos cierto potencial para concretarlo. Es por eso que expresarlos e integrarlos a la vida permiten alcanzar un yo más pleno y muchos momentos de felicidad.

Junto a estos profundos anhelos, inconscientes, existe nuestra **joya interna**, la fuente de nuestra creatividad. Todos nacemos con un tesoro oculto. Ella es la llave para desplegar, desarrollar y realizar nuestros anhelos. Allí viven el talento, la riqueza interior, la sabiduría inconsciente. Allí anidan también nuestros recursos interiores que sustentan y expresan nuestra creatividad: intuición, pasión, curiosidad, imaginación, fantasía, memoria, percepción, habilidad para divergir y converger, capacidad para entender lo complejo y lo diverso.

Hay una combinación de recursos interiores que es única para cada persona y con ella interpreta y responde a los desafíos. Para cada persona su modo particular de ser creativo es la expresión de su propia joya interna. Ella hace a su individualidad y moldea su identidad. Es esa riqueza interior —descubierta, elaborada y desarrollada— la que permite identificar y alcanzar nuestros sueños.

La intención principal de estos capítulos es ayudar a descubrir qué es lo que cada uno tiene para expresar. Se trata de abrir un camino hacia y desde nuestro mundo interno con la convicción de que somos libres para desarrollarnos plenamente.

Las técnicas creativas que proponemos a lo largo de este libro son algunos de los caminos posibles, amplios, generosos y maravillosos que nos permiten conectarnos con estos aspectos íntimos, a veces ocultos, pero con una presencia fuerte y demandante. Ellas nos ayudan a darnos cuenta de nuestro potencial y a descubrir las condiciones que necesitamos para desplegarlo. A través de ejercicios precisos nos proponemos contribuir al despertar de la creatividad, a que cada uno se fascine con sus recursos y pueda afirmar los rasgos distintivos de su persona, aquellos con los que puede construir el camino hacia sus sueños.

Descubrir la creatividad es la forma sana y coherente de conectarnos con nuestro potencial interno. Desarrollar la creatividad es uno de los caminos que permite materializar los anhelos y accionar nuestra capacidad de transformar la realidad. Nos transporta a ese estado pleno que posibilita vivir la vida desde la conciencia, desde el corazón, el compromiso y la espontaneidad.

Espejo y resonancia

El mundo exterior funciona como espejo de nuestros dones, gustos, inclinaciones y preferencias. Y a la vez nosotros somos como un espejo de lo externo. Lo interno se atrae con lo externo y viceversa. Cada faceta de nuestra "joya interna" se despierta a modo de espejo y resonancia al ser motivados desde afuera. Todo lo que nos rodea y atrae espeja, de algún modo, la versatilidad de nuestra alma. Aquello que nos llama la atención del entorno, lo que nos fascina, lo que resuena en nosotros, lo que nos inspira, tiene que ver con lo que somos y con nuestro potencial de realización.

Para hallar qué es lo que se esconde en nuestro interior y cuál es nuestro potencial creativo es necesario disponernos y sensibilizarnos a percibir las señales, prestar atención a lo que nos rodea y detectar lo que eso despierta en cada uno. Estos reflejos nos sugieren por dónde bucear en nuestro interior para descubrir los secretos de nuestra vocación y de nuestro propósito en la vida. Nos ayudan a develar con sensibilidad quiénes podemos llegar a ser. Esta resonancia crea las condiciones apropiadas para cultivar las semillas del mundo interior. Proporciona el espacio para que nuestros talentos puedan brotar, crecer, desplegarse y fructificar.

Escenarios para el descubrimiento

Descubrir los anhelos es un proceso permanente que se desarrolla a lo largo de toda la vida. Las etapas en las que se hace un balance personal pueden convertirse en grandes oportunidades para continuar develando el misterio que somos. En ellas se combinan distintas percepciones de logros e insatisfacciones que marcan el camino del crecimiento. Tenemos muy presente, por ejemplo, la experiencia de Manuel, un hombre en sus cincuenta que, empujado por una crisis familiar y profesional, comenzó a investigar su riqueza interior. El primer descubrimiento fue, ¡oh, sorpresa!, que gran parte de su vida había procurado hacer las cosas que los demás consideraban correctas para él, por lo que en las grandes decisiones de su vida no se había escuchado para nada y las había tomado en función de los demás. El darse cuenta de esto provocó una revolución interna que no podía calmar. Por suerte, llegaron unas vacaciones forzadas, lejos de su mundo cotidiano, en las que se dio permiso para que su mente y su corazón se conectaran con personas y temas nuevos que resonaban en su interior. Temas y personas que le producían curiosidad, emoción y que lo inspiraron para hacer algo distinto, o lo de siempre, pero de un modo diferente.

Un nuevo mundo asomó para Manuel. En su interior encontró sueños dormidos. Dejó brotar nuevas capacidades y se reencontró con otras que había olvidado. Esto dio un nuevo impulso a sus relaciones familiares y profesionales.

Creó y desarrolló un nuevo modo de trabajar, de querer y de vivir. Gracias a esta apertura, su vida cambió favorablemente.

Esta experiencia como tantas otras nos convencieron de **que lo que uno es, se va moldeando en un diálogo abierto con la vida**. Que podemos aprender y crecer todos los días, permaneciendo atentos a las oportunidades y que este aprendizaje solamente se interrumpe cuando uno mismo se cierra y decide que ya no quiere seguir cambiando o que no tiene nada más que aprender. Entonces se oscurecen los espejos y se acallan las resonancias...

El despertar de los talentos

Todos nacemos con miles de aptitudes que salen a la luz en la medida en que las reconocemos, fomentamos y ejercitamos. Sin embargo quedan muchos talentos en la penumbra, a la espera del espejo y la resonancia que los ponga sobre el escenario para ser tenidos en cuenta y trabajados. Para que esto pueda suceder, hay que estar atento a lo que acontece, ponerse en situaciones nuevas y abrirse a lo desconocido. El mundo como espejo está repleto de información sobre nosotros, sobre lo que somos y lo que podríamos ser. Por eso los invitamos a mirar y escuchar el mundo y las personas que los rodean con atención y amplitud.

El encuentro significativo con otra persona es otro escenario posible para descubrirnos. A través del diálogo nos enriquecemos identificando o afirmando nuevas facetas. Las ideas y sentimientos compartidos ahondan los conocimientos y enriquecen la experiencia. Producen, además, una liberación de energía creadora, porque cada persona tiene la capacidad de inspirar en el otro nuevas ideas y nuevos modos de ser y hacer. Esto es lo que multiplica la creatividad en grupo. El otro actúa como espejo de lo que mostramos y de lo que somos. Si estamos abiertos y sensibles tal vez podamos descubrir lo que las otras personas ven en uno de valioso y las oportunidades que descubren ocultas en el contexto, que no alcanzamos a ver.

Preparando el descubrimiento

Cuando queremos predisponernos específicamente a este proceso sutil y potente a la vez, tanto en forma individual como grupal, necesitamos libertad interna, atención y una dosis de autoconfianza.

Para transitar esta experiencia es recomendable atender a una serie de pasos.

En primer lugar, debemos elegir el lugar y el momento adecuado. Se requiere un espacio donde se dé un clima de serenidad y seguridad, donde nos sintamos contenidos, pues al abrir la sensibilidad, también aparece la vulnerabilidad. Es sumamente importante no sentirse juzgados, criticados o demasiado exigidos, y debemos tener cuidado de no convertirnos nosotros mismos en los peores jueces de nuestros descubrimientos.

Una vez logrado, habrá que observar con atención lo que nos rodea, siempre con una actitud abierta al asombro; dejar que nos impacte cada objeto, cada situación, atendiendo a las señales, al diseño, los colores, la música, los silencios, los mecanismos que mueven o impulsan los objetos o las conductas, las características y mensajes de quienes nos rodean, los diferentes oficios o profesiones, los materiales, etc.; darnos permiso para vivenciar, sin prejuicios, lo que sucede y abrirnos a las cosas o hechos que nos resuenan; simplemente observar y experimentar qué sensación se produce en nuestro cuerpo y si despierta alguna emoción. Preguntarse: ¿resulta placentero, me atrae, me conmueve? Si aparecen sensaciones espontáneas, si descubrimos que esto o aquello me atrae o fascina, estamos frente a una resonancia. Entonces, ¡es parte mía!

Para ofrecerles un camino todavía más concreto, compartimos una técnica basada en el principio de "la realidad como espejo" que resulta eficaz para conocerse, para conocer a otra persona o identificar nuevas experiencias que desearíamos vivenciar.

Ejercicio de exploración
En imágenes

Este ejercicio se puede hacer individualmente o en grupo. El objetivo es utilizar imágenes para expresar algo sobre cada uno; quién es, su mirada sobre el mundo o cualquier otro aspecto que quiera develar o profundizar.

Nos preparamos para trabajar poniendo a disposición varias revistas con abundantes imágenes, así como también adhesivos, marcadores, tijeras y hojas en blanco (n° 6).

Cada persona elige su material y espontáneamente selecciona aquellas imágenes que le atraen y las recorta, de acuerdo a la consigna pautada. Una vez que cada uno tiene su pila de imágenes recortadas, las organiza libremente sobre su hoja, privilegiando la intuición por sobre la razón. Una vez ubicadas y cuando las imágenes han encontrado su lugar definitivo, las pega armando un collage. Mira el resultado, lo disfruta. En una segunda mirada se concentra en lo inesperado buscando qué le revela ese juego de imágenes. ¿Qué dice esta composición sobre sí mismo?, ¿qué resuena en su interior?, ¿qué le aporta de nuevo?

Cuando se organiza como un trabajo grupal, después de realizado el collage, se levantan los participantes y recorren el lugar observando los resultados de las demás personas. En este recorrido notarán las grandes diferencias que hay entre unos y otros. Cada uno retorna a su lugar, vuelve a mirar su propio trabajo, observa las figuras, los espacios vacíos y la forma en que ubicó las diferentes imágenes. Luego deja que su mente y su corazón se llenen con los ecos y reflejos que surgen comparativamente de las otras figuras. Finalmente se hace las mismas preguntas: "¿qué me dice esta composición sobre mí?, ¿qué resuena en mí?, ¿qué me aporta de nuevo?, ¿cuáles son los colores que predominan?". (Esta última información puede resultar útil para cuando desarrollemos más adelante el tema del color.) Con esta actitud es posible que, desde otra perspectiva, vea en su trabajo nuevos elementos reveladores.

Al finalizar se puede dedicar un tiempo para intercambiar observaciones y compartir reflexiones sobre lo realizado y vivenciado. Se podría crear un segundo momento donde se intercambian las hojas para que el otro observe y perciba qué es lo que le resuena mirando esas imágenes y descubrir así si hay algo propio en las imágenes ajenas.

Espejo y resonancia son caminos que contribuyen a develar los secretos que encierran nuestros recursos interiores. Cada uno de nosotros nació con dones y cualidades particulares. A priori no existe uno mejor que otro. Cada uno es único como lo son sus huellas digitales. La joya expresa nuestro potencial vital y creativo. ¡A descubrirlo y disfrutarlo!

Vivir la creatividad

Tener claro que cada uno tiene posibilidades, que ningún camino está cerrado, nos acerca a entender la creatividad como forma de vida.

Vivir la creatividad es:

- abrirse a la riqueza interior
- atender sus señales y mensajes
- utilizar el talento y el poder de crear
- estar abierto a los estímulos externos y a sus resonancias
- desplegar y entrenar nuestro potencial intelectual, emocional y espiritual
- probar, jugar, trabajar y corregir
- asumir el riesgo de equivocarse para volver a aprender
- fallar para ajustar
- ensayar hasta encontrar la forma propia y personal de la joya interna.

La actitud creativa es una disposición interior al asombro, a lo nuevo, a buscar más allá de lo evidente, a no conformarse con un "no" como respuesta. Es estar dispuesto a desplegar los talentos, a buscar y abrir nuevos caminos, a reconocer y generar oportunidades, a transformar lo negativo en positivo. ¡Vivir una vida creativa depende de uno mismo!

Cuando se vive la creatividad al igual que el amor, la energía y el placer recorren el cuerpo, y la alegría nos llena el espíritu. Por eso la invitación es a desarrollar y disfrutar esa capacidad de transformar la vida y el futuro.

Capítulo 2

¿Qué es creatividad?

Creatividad es un **don**, una cualidad y un manantial de energía con poder transformador que da riqueza y sentido a la vida.

Como don amplía nuestras posibilidades porque nos habilita para transformar nuestra realidad. Al combinarse con otros talentos, abre espacios para el descubrimiento y propone nuevas formas de acción. Fluye por dentro de cada persona de un modo diferente. A veces, con la fuerza de un río subterráneo; otras, como un volcán. Nos vincula al mundo y a los otros, de un modo nuevo cada vez. Nos hace libres; nos hace únicos, como el amor.

Como cualidad, se desarrolla y refuerza con la ejercitación continua. Surge de la libertad interior y se expresa en los sentimientos, pensamientos y acciones. Su presencia activa puede darle un salto cualitativo a la vida porque amplía la mirada más allá de lo evidente. Su ejercicio nos ayuda a ser más plenos. En cada persona difiere su grado de desarrollo. En este proceso, las diferencias surgen de la condición natural, de la combinación de talentos que cada uno trae al nacer, y de la manera en que cada cual la cultiva y entrena.

Más allá de las diferencias, la contribución individual es indispensable pues cada uno ocupa un lugar irreemplazable en el Universo. Este concepto lo expresa Martha Graham de un modo muy claro:[1] *Hay una vitalidad, una fuerza vital, una energía, que se traducen a través de ti en acción, y como hay un solo tú en todos*

[1] Agnes De Mille, *Dance to the Piper*, Columbus Books, 1952.

los tiempos, esta expresión es única. Y si la bloqueas nunca existirá a través de otro medio y se perderá.

La oportunidad para desplegar nuestra creatividad nos espera a la vuelta de cada esquina. La imaginación, la fantasía, la intuición, la percepción, la curiosidad, entre otras, son las habilidades naturales que participan en cada acto creativo. Convocarlas y ejercitarlas en toda ocasión oportuna nos ayuda a desarrollarla y aplicarla.

En general, la experiencia indica que los actos creativos suceden sin mayor explicación. Se los asocia con la espontaneidad y la improvisación. Surgen como actos muchas veces efímeros y brillantes a la vez, en los que se conjuga inspiración, un contexto favorable y, ocasionalmente, alguna técnica. En efecto, la **creatividad espontánea** está llena de frescura que nace de la mirada atenta y de la intuición. Se trata de un acto original, expresión del talento creativo, que no sigue reglas, ni pasos. Sin embargo, puesto que se apoya a la vez en la improvisación y en el conocimiento, puede contener en germen o plenamente una idea superadora, original o genial.

Creatividad guiada

En la experiencia profesional hemos comprobado que estos chispazos son poco frecuentes y que hay elementos, situaciones y técnicas que ayudan a convocar la creatividad de un modo más consciente. Se podría hablar de una **creatividad guiada** capaz de movilizar y encauzar el talento, la pasión y las ganas de crear. Ella moviliza un conjunto de capacidades que crecen con el entrenamiento, con la práctica continua y usa elementos del pasado, del presente y del futuro para desplegar toda su potencialidad.

Desde esta perspectiva "ser creativos" es una opción. Podemos decidir ser creativos. Cuando nos disponemos a ello, adoptamos una actitud atenta a las oportunidades y abierta al asombro. Incluye trabajar conscientemente en el desarrollo de nuestras capacidades. Requiere, además, una dosis de coraje para correr riesgos y aceptar los errores.

Cuando se despierta esta fuerza creativa, sin importar el motivo, provoca una liberación de energía, de sinceridad, de entusiasmo. Nos abre al humor y al juego que nos conectan con nuestro niño interior. La palabra entusiasmo deriva de una palabra griega que significa "lleno de *theos*" (lleno de Dios). La creatividad tiene la cualidad de influir positivamente en los estados de ánimo. A nivel de la química cerebral, se produce una mayor cantidad de dopamina y serotonina. Esto explica que en la práctica logremos una mayor concentración, experimentemos un aumento en la fuerza física y mental, y sintamos una sensación de placer más intensa. También en este proceso creativo se despierta la pasión al incluir los sentimientos y la libertad. Nos da fuerza para resignificar lo conocido, aventurarnos a explorar lo desconocido y contagia alegría al imaginar metas y futuros apasionantes.

Ejercitando la creatividad de modo permanente, las habilidades se transforman en destrezas. Al combinarlas con el conocimiento y la experiencia crean una fuerza poderosa para enfrentar cada situación que nos propone la vida: resolver un problema, concretar un sueño, cambiar de perspectiva, ampliar la comprensión de una situación, generar o descubrir alternativas y oportunidades, crear algo, realizar un proyecto, transformar algo que ya existe, superar limitaciones, enfrentar injusticias y miles de situaciones más.

El proceso creativo

La creatividad además de ser don es **proceso.** Es el camino que va desde la idea a la acción y que nos permite exteriorizar lo que tenemos dentro. Una parte de este proceso es consciente y otra inconsciente. Combina información, conocimiento y técnica con los recursos interiores. El proceso creativo según Ripke[2] consiste en abandonar las vías conocidas o rutinarias y buscar soluciones en la diversidad que, de no concretarse, se las llevaría el viento. Su propósito es lograr un resultado, una forma de materializar la idea creativa.

Para ilustrar cómo sucede el proceso creativo y el efecto enriquecedor de incorporar conocimientos, estímulos y técnicas creativas, se puede utilizar como analogía el ciclo natural de metamorfosis de la mariposa. Desde los estadios iniciales hasta alcanzar su tamaño definitivo como oruga o gusano, su principal actividad es comer y dormir. Según la especie, el proceso de metamorfosis varía en tiempos y modalidad. Llegado el punto de máximo crecimiento se distancia del lugar donde creció en busca de uno más apropiado para completar las últimas etapas de su metamorfosis. Ya no necesita alimentarse. Comienza la elaboración de la seda que la va a envolver. En la muda final aparece la pupa que, después de unos días de silencio y maduración interior, da lugar a la mariposa. Llegado el momento rompe la crisálida, despliega sus alas y las va moviendo para fortalecerlas hasta que está lista para volar.

De modo similar, el creativo se nutre de todo lo que aprende, ve, oye, percibe a través de sus sentidos, de lo que le aportan su curiosidad, su riqueza interna y el mundo exterior. En el proceso va cambiando su forma, madura. Se mezclan el conocimiento y las destrezas adquiridas con la dedicación y la ejercitación. Su potencial interno de ver, sentir y oír se enriquece cuando su fantasía, su imaginación y su intuición toman forma y se concretan. Allí, en la intimidad de su ser, sucede una metamorfosis. Se genera algo nuevo, algo diferente; de modo similar al gusano, todo lo recibido se amalgama con lo que él es. Mientras madura, es posible que sienta la necesidad de abandonar los lugares donde hizo sus

[2] Gustav Ripke, *Kreativität und Diagnostik,* Lit Verlag, Münster, 2005.

primeras experiencias para encontrar lugares nuevos donde expresarse. Cuando la mariposa nace y la vemos volar, produce admiración y alegría. Así sucede con la creatividad: una vez que sale a la luz una idea nueva, toma forma y se concreta; algo nuevo se manifiesta para que otros puedan participar en ella.

En el proceso creativo es vital ejercitar la apertura mental y la espontaneidad, aceptar la emoción, liberarse de los impedimentos para poder recibir el potencial de información oculto en cada hecho o en cada experiencia. Esto nos permite ampliar nuestros propios límites. Para accionar y dar plenitud al potencial creativo es necesario estar siempre atentos, conectados con nuestro mundo interior y con el entorno. Tanto el movimiento que genera la actitud proactiva, como el silencio del ocio creativo, alimentan el motor que impulsa y da forma al proceso creativo. A lo largo de este proceso nos vamos a encontrar con situaciones que ponen a prueba nuestros modelos mentales, que manifiestan sus consecuencias y que plantean la necesidad de sobrepasar sus límites. Aceptar esa tensión es parte del desafío.

El camino

El proceso creativo tiene distintos modos de transitarse. En ocasiones, por un juego de coincidencias azarosas descubrimos que un hecho cotidiano puede tener un nuevo sentido o que algo que se realiza todos los días se puede encarar de un modo nuevo. Aquí es la casualidad la que nos proporciona una mirada fresca y pone en movimiento nuestra habilidad de comprender y transformar lo conocido en algo novedoso o diferente. Las ideas llegan aparentemente por casualidad y las aprovechamos para renovar nuestra perspectiva personal o profesional.

Otras veces, el proceso creador es intencional, parte de una búsqueda consciente. En estos casos resulta muy conveniente aplicar herramientas que permitan modificar conscientemente los puntos de vista, multiplicar ideas, dar nuevos impulsos o lograr nuevas conexiones y nuevas respuestas. La creatividad como proceso intencional implica, entre otras formas posibles, la exploración de lo inédito e inexistente siguiendo un camino pautado (técnica). En este caso la técnica es un medio práctico para revelar el potencial de un elemento o de una situación. Ofrece vías de expresión para las ideas que anidan tanto en la conciencia y en el inconsciente. Las hace presente para que los demás puedan participar en ellas.[3] Al principio las técnicas nos marcan límites estrechos, nos dominan. Pero cuando la destreza avanza, las incorporamos, nos apropiamos de las técnicas y podemos expresarnos desde las entrañas, desde nuestro centro, desde lo más profundo. Así se supera el riesgo de que las limitaciones de las técnicas interrumpan el clima creativo. ¡Aprendamos técnicas!

---

[3] Este tema se amplía en el capítulo 10.

Hay una técnica sencilla que se suele denominar "lista de atributos"[4] o "técnica del elemento faltante", que consiste en armar una lista de los atributos del producto o servicio. Luego se elimina uno de ellos y se deja que la mente descubra algo nuevo: una forma de reemplazarlo, nuevas conexiones, la potencialidad de esa nueva situación. Veamos un ejemplo clásico. A partir del concepto de "restaurante tradicional", confeccionamos el listado que incluiría todos los elementos que lo caracterizan: espacio cerrado, mesas, sillas, comida, mozos, personal de cocina, etc. Elegimos para suprimir un par de elementos, por ejemplo, mesas y sillas. Tendríamos el germen del concepto de *delivery*. Si suprimiéramos los mozos, nos encontraríamos quizá, con el concepto de autoservicio. Como ésta, existen muchas otras técnicas que se aplican para estimular la aparición de nuevas ideas.

Para avanzar en el proceso creativo hay que estar atentos, utilizar las técnicas cuando resulten pertinentes y tener siempre a mano diversos elementos para atrapar las ideas, porque, frecuentemente, una idea desplaza a la anterior y corremos el riesgo de perderla. Sugerimos, cuando aparecen, escribirlas, bocetarlas, plasmarlas de alguna manera, de modo que estén disponibles cuando las necesitemos.

La creatividad como resultado

El proceso creativo desemboca finalmente en una **obra o producto** que es el resultado concreto de una idea original que fue pulida y perfeccionada.

Las expresiones de la creatividad humana emergen del hacer, del sentir y del pensar. La creatividad atraviesa todas las actividades, el arte, las ciencias, los negocios, las distintas profesiones, la cultura y los hechos de la vida cotidiana. Se la puede encontrar en un chiste, en la manera de organizar un viaje, en una receta de cocina, en la crianza de los hijos. Los atributos esenciales a reconocer son básicamente la originalidad y la novedad. Obviamente no todas las expresiones o hechos creativos tienen la misma importancia; no es lo mismo un descubrimiento que beneficia a millones de personas que una comida que hizo feliz a una familia. Hay productos que tienen un valor enorme para la humanidad pero pequeño para una persona y hay otros que carecen de valor para la humanidad pero significan mucho para una sola persona. Su importancia relativa no le quita mérito, pero clarifica su relevancia.

La búsqueda de respuestas a demandas existentes o futuras ha dado lugar a la aparición de millones de inventos e innovaciones a lo largo de la historia. Las diferentes vacunas, el telescopio, el alfiler, la birome, el auto, un sacacorchos, el satélite o la producción de objetos en general, han surgido muchas veces como respuestas a necesidades observadas.

[4] Es una versión simplificada de otra técnica denominada Análisis morfológico.

La creatividad guarda relación con la cultura y los gustos de cada época y con una percepción colectiva de su utilidad o valor, a veces, muy difícil de explicar. Cada época tiene sus símbolos y sus héroes, sus creencias y sus mitos que hacen que una multiplicidad de respuestas resulten apropiadas, otras exitosas y otras pasen totalmente desapercibidas. En arte o ciencia, en tecnología o en las diversas manifestaciones productivas abundan los ejemplos de productos, inclusive obras de arte, que fueron totalmente ignoradas cuando no despreciadas al momento de su creación y que luego lograron el debido reconocimiento. La historia de las obras de Van Gogh o de Gustav Klimt, los inicios de la computadora o del teléfono y otros tantos ejemplos, sirven para ilustrar la dificultad de apreciación. Que algo sea creativo no implica su inmediata aceptación.

Punto de partida

En el recorrido que les proponemos, irán descubriendo que dentro y fuera de cada uno existen factores que condicionan el desarrollo de la creatividad. Pueden tanto estimularla como frenarla. Se frena por los miedos al error, la falta de libertad interna, la autocrítica, la rigidez, la falta de conocimiento, las creencias de la época y muchos otros factores. Se estimula con la libertad interna, el trabajo grupal, la soltura, la espontaneidad, la flexibilidad, la curiosidad, el ánimo de innovación, los desafíos, las técnicas y destrezas apropiadas, las restricciones... dependiendo de cómo se las perciba.

La creatividad cobra impulso y dinamismo cuando uno se entrega con el corazón y participa en la acción con entusiasmo y pasión. Por eso, al profundizar más adelante en estos poderosos ingredientes, les acercaremos diversos ejercicios que ayudan a atenuar lo negativo y, a la vez, a pulir y ejercitar todo aquello que la hace florecer.

Diversidad en la unidad

El ser humano en su diversidad es una unidad, en la cual interactúan el corazón, el cerebro, los sentidos, la mente y los siete vórtices energéticos. Y hay algo más que se suma, una "chispa vital" que es difícil de describir y que nos conecta con el Creador. Actúan en conjunto y funcionan de manera combinada como soporte y fuente de nuestra creatividad. Son una feliz conjunción de ingredientes, que hacen de humus fértil para que nazcan y crezcan las ideas. Conocer mejor cada elemento facilita entender la función que cumple cada uno en el proceso creativo.

Al indagar en la relación entre la creatividad y el **corazón** encontramos que, más allá de su definición fisiológica, es el nombre que la sabiduría antigua y la popular dan al reservorio de saberes que guarda la esencia de los misterios del tiempo y del espacio. Es un inmenso motor humano... ¡con tantos aspectos aún desconocidos! Sabemos que tiene un rol fundamental en el acto creativo. Aporta los sentimientos y emociones perdurables, y brinda certezas que potencian la síntesis de la sabiduría que vamos acumulando a través de la vida.

Con relación a la creatividad, mencionamos luego al **cerebro**,[5] masa gris que encierra todavía muchos misterios. Se reconocen en su estructura dos hemisferios que albergan al pensamiento lógico y al creativo. Con sus dos hemisferios, izquierdo y derecho, contribuye al mundo de las ideas. El mayor énfasis lo pondremos en el hemisferio derecho, que se vincula con la capacidad de imaginar, fantasear e intuir. Allí se despliega y nutre la creatividad.

Nuestros **cinco sentidos**[6] son el vehículo natural para detectar y percibir el mundo sensible. Tomar conciencia de nuestros sentidos posibilita abrirnos a la información que nos aportan sobre nosotros mismos y lo que nos rodea. Permiten que todo lo que se puede ver, oír, tocar, gustar u olfatear se haga parte de nosotros mismos. Así podemos disfrutar tanto de lo evidente como de lo profundo, sutil e inmaterial. O sea, de todo lo que el mundo sensible tiene para ofrecernos. Cuando aprendemos a usarlos más plenamente a través de la ejercitación, nos permiten ampliar y profundizar la percepción del mundo, con lo cual ésta se vuelve más rica y nos abre más opciones para hacer y para crear. Los sentidos son fuente inagotable para la creatividad.

Los **siete chacras**[7] son vórtices o remolinos de energía, invisibles al común de los ojos pero que todos tenemos. Están ubicados a lo largo de la columna vertebral, nuestro eje, y vibran en colores y sonidos diferentes. Se corresponden con distintas glándulas. Cada color y cada sonido son vehículo de percepciones y emociones profundas que alimentan nuestra creatividad.

Fuentes de la creatividad

Nuestra mente y nuestro corazón nos aportan **los sueños, la intuición**, **la inspiración**, **la imaginación**, **la fantasía** como recursos poderosos que nos permiten traspasar los límites de lo conocido y así acercarnos al mundo de las musas.[8] Si bien los enunciamos como conceptos diferentes, actúan combinados y los límites entre ellos no son definidos. En la práctica se mezclan tanto que a veces es difícil individualizar su contribución al hecho creativo. Se interrelacionan con fluidez, multiplicando su potencial creativo. Cuanto más interrelacionados están, más potente es el resultado.

[5] Ver capítulo 4.
[6] Ver capítulo 7.
[7] Ver capítulo 6.
[8] Ver nota 1 al final del libro.

Sueños

Con la palabra "**sueños**" nos referimos a las representaciones mentales que surgen espontáneamente cuando estamos dormidos. Los sueños suceden en otra dimensión, son un estado donde podemos sobrepasar los límites del tiempo y del espacio. En ellos vivenciamos una amplitud que en la vigilia, despiertos, nos es casi imposible alcanzar. Nos acercan simbólicamente a nuestros aspectos conocidos y a los que permanecen ocultos. El nexo entre el mundo que percibimos despiertos y el que habitamos en nuestros sueños nos permite acceder a más recursos creativos.

La propuesta de profundizar en el mundo de los sueños e incorporar su significado a la vida consciente, produce inquietud y expectativa porque supone recorrer un camino hacia nuestro interior, nuestro inconsciente, rico en imágenes y propuestas. Todo sueño representa simbólicamente a la totalidad de la persona, lo que es y su relación con sus circunstancias. Por eso lo que soñamos tiene que ver indefectiblemente con uno mismo. La posibilidad de recordar los sueños y de integrarlos conscientemente nos amplía los límites de lo conocido y hace crecer la inventiva, la imaginación y nos da la posibilidad de descubrir y aceptar sus mensajes. Tenemos la posibilidad de revalorizar estos maravillosos sucesos oníricos y aprovechar los nuevos conocimientos que nos acercan.

Según Fariba Bogzaran,[9] "*Hay una conexión poderosa entre la mente creativa y la mente que sueña*". Esta mente pone al descubierto conexiones neuronales, comunicación de emociones, reacciones físicas y momentos de iluminación. Muchos de nuestros actos creativos son expresión de momentos de brillantez ocurridos mientras dormimos. Recordamos el insólito ejemplo contado por el ex-Beatle Paul Mc Cartney, quien escuchó la música de la canción "Yesterday" mientras dormía. Al despertar creyó que era una melodía que había oído en otro lado, pero finalmente se convenció de que era absolutamente original y novedosa. La melodía le llegó como un regalo de sus sueños.[10]

Los sueños aparecen como imágenes dinámicas y son vías de acceso a nuestro ser íntimo, que pueden convertirse además en un agente de cambio. Tomar conciencia de los sueños ofrece una nueva percepción de nuestra persona, de los conflictos o problemas que enfrentamos, y de sus soluciones.

A pesar de que muchas personas insisten en que no sueñan, todos soñamos cuando dormimos; lo que ocurre es que cuando despertamos a veces no recordamos nada. Su negación proviene, tal vez, del escaso valor que se le atribuye. Los sueños son considerados generalmente como hechos sin importancia, como un sinónimo de "divague" o de algo que "no tiene ningún sentido", sin embargo son parte de nuestra vida. Dejarlos de lado es desperdiciar una de las fuentes más valiosas

[9] Fariba Bogzaran, "Mente soñadora, mente creativa", en SHIFT, Revista del Institute Noetic Sciencies, marzo-mayo de 2005, n° 6.

[10] "Welt am Sonntag", diario semanal alemán, 9 de septiembre 2007, nº 36.

que alimenta y enriquece la creatividad. Por eso nuestra propuesta es valorarlos e integrarlos conscientemente a la vida.

Un modo de entrenar el recuerdo de los sueños es: antes de acostarse, dejar papel y lápiz al alcance de la mano y al despertarse anotar todo lo que recuerdan. Deben hacerlo en esos primeros momentos en los cuales no se sienten plenamente conscientes —estado alfa— Algunas veces el recuerdo será débil y se presentará como flashes, pero otras será más fuerte y será posible recordar historias completas o una mayor cantidad de detalles. Centrando nuestra atención en ellos, poco a poco vamos a ser capaces de recordarlos, cada vez con mayor claridad.

El sueño puede contener claves para resolver situaciones o problemas. Cuando necesiten una respuesta, encontrar una variante o resolver un problema específico, hagan la prueba; analicen el tema detalladamente antes de acostarse y duérmanse con el deseo de lograr una mayor comprensión o pidan que el sueño les revele un camino o una solución. A la mañana siguiente, antes de levantarse, repasen los sueños y anoten todo lo que recuerden. Seguramente algo valioso rescatarán. Es probable que al recordar el sueño e interpretar su mensaje simbólico se sorprendan al dar con una buena pista o con la respuesta que estaban buscando.

Los mensajes contenidos en los sueños se pueden presentar en imágenes comprensibles o expresarse mediante símbolos, como en el ejemplo siguiente. Se cuenta que Friedrich August Kekulé tuvo su sueño en el cual vio los átomos danzando en trayectorias que se enroscaban como si fueran serpientes. De pronto, una de aquellas formas reptilianas, dice Kekulé, "*se mordió su propia cola y toda la estructura se retorció burlonamente ante mis ojos; como herido por un rayo, desperté*". Con este sueño recibió la respuesta que estaba buscando sobre la estructura cíclica del benceno. Años después de esta experiencia Kekulé aconseja: "*Aprendamos a soñar, caballeros, y así quizás conozcamos la verdad...*".[11]

Las diferentes culturas asignan a los sueños diverso valor y significado. Para los antiguos egipcios, al igual que para los griegos, los sueños tenían un valor premonitorio. Según los chamanes siberianos,[12] cada persona tiene varias almas y cada una de ellas está íntimamente conectada con aspectos específicos de la persona. Al dormirnos, dos de ellas suelen alejarse del cuerpo y al regresar traen sueños que varían según la experiencia hecha, pero que siempre tienen relación con quien sueña.

La riqueza del lenguaje simbólico, aun cuando resulte compleja, consiste en revelar un mapa de nuestra multidimensional cualidad de "ser". Los sueños iluminan ámbitos de nuestro interior que de otro modo quedarían en la penumbra. Esa nueva información agrega lucidez porque aprendemos más sobre nosotros o entendemos mejor lo que nos sucede. Esto nos da flexibilidad para examinar,

[11] Norman L. Allinger, *Química orgánica*, Revaté, Barcelona, 1984, p.1391.

[12] Daan van Kampenhout, *La sanación viene desde afuera,* Alma Lepik Editorial, Bueno Aires, 2004.

reconsiderar, cambiar o modificar las decisiones o las conductas en la medida en que ya no resulten útiles. La capacidad de entender los sueños ayuda a completar el conocimiento sobre nuestra persona. Asimismo, unir lo consciente con lo inconsciente nos da la materia prima para nuestra actividad creativa. ¡Demos a los sueños el valor que les corresponde y aprendamos a usarlos a nuestro favor!

Intuición

La intuición procede de la profundidad de lo que somos y condensa el conocimiento, consciente o inconsciente, que poseemos. Se manifiesta como flashes repentinos de iluminación. Con la intuición aparece un saber nuevo que se anticipa al pensamiento. Logra conexiones inesperadas vinculando conceptos indiferentes entre sí o que jamás hubiéramos relacionado. Acompaña ese momento una sensación de certeza.

Hay distintos planos en los que actúa la intuición pero esto no significa que actúen aisladamente. Como veremos más adelante, en muchas situaciones se complementan y potencian.

Distinguimos un plano **físico**, ligado a los instintos, donde la intuición reconoce que algo existe: peligro, sustento, cobijo. Son las intuiciones ligadas a la supervivencia. En momentos límites, la intuición ha salvado la vida a muchísimas personas. Son innumerables los ejemplos en este sentido. Recordamos aquí una anécdota real. En plena Segunda Guerra Mundial, una familia que huía de los rusos hacia el oeste, llegó a la ciudad de Dresde. Llegado este punto tenían que decidir en qué lugar iban a pedir refugio. Las opciones eran el cuartel militar o la población civil que, según los códigos de guerra, estaba menos expuesta a bombardeos. Sin embargo, la madre decidió refugiarse en el cuartel. Esa misma noche la población civil fue atacada cruelmente, pero la familia de nuestro relato quedó a salvo por una intuición acertada. Nadie comprende aún desde qué lugar se tomó esa decisión. Un ejemplo más cercano lo presenta la historia del señor Sommer que manejaba su auto por una calle angosta. A ambos lados había autos estacionados, o sea que sólo tenía visión hacia adelante. En un momento sin ningún motivo aparente frenó. Sorprendido por su propia reacción, miró la calle, esperó unos segundos y vio delante de su auto a un niñito que caminaba, tratando de cruzar la calle. Era evidente que recién estaba aprendiendo a caminar. ¡Maravillosa intuición!

Otro plano de la intuición es el **emocional**, ligado a los sentimientos o percepciones que involucran personas o relaciones. Esta intuición es la que está presente en relatos, donde alguien al mirar a una persona *supo al instante que era "esa"*. Son las famosas "razones del corazón" que la mente no alcanza a entender. ¿Les pasó alguna vez? Veamos otro ejemplo bastante común, el de las madres que anticipan sucesos o perciben situaciones en la vida de los hijos, sin necesidad de que ellos les cuenten nada. O el caso de una persona, a la que no conocemos profundamente, que se acerca para compartir un proyecto. Nuestro corazón nos dice que con ella podemos hacer un buen equipo. A lo largo del tiempo se confirma que nuestra intuición estaba acertada.

Un tercer plano de la intuición es el **racional**, vinculado al conocimiento y a la experiencia. Se manifiesta cuando frente a incógnitas, hechos sin explicación, planteos sin solución aparente, etc. nos revela en un instante, desde lo profundo y sin que medie la razón, lo esencial de la respuesta. Emerge espontáneamente, acompañada de un sentimiento de certeza. Este es un tipo de intuición frecuente en el mundo del arte y de la ciencia.

Como decíamos más arriba, en muchas situaciones los distintos planos no se pueden separar. En la tarea del artista están presentes tanto el conocimiento como el corazón y las emociones. Muchos artistas crean dejando fluir su intuición. Permiten que entre sus manos y el material se produzca una simbiosis de la que surge la obra. Es un trabajo que crece sin un objetivo claro. La intuición ayuda a descartar lo que no pertenece a esa obra y profundiza lo que pide más espacio. La mente interviene a posteriori del hecho intuitivo. La razón juzga luego si lo creado es valioso o si hay que modificarlo. En estos casos, sin la intuición no se hubiese creado nada, aquí los planos no operan aisladamente sino en conjunto.

La intuición cumple también una función destacada en la actividad científica. Pese a no ser un conocimiento racional, la intuición —como es sabido— participa e influye en la manera en que se construye el conocimiento científico y los desarrollos tecnológicos. Ella trae a la luz ideas que sintetizan saberes que no están disponibles en ese momento para la mente racional y llega, muchas veces, acompañada de una sensación visceral intensa. En estos casos, si bien la persona que tiene una intuición puede relacionar ese conocimiento o información con experiencias previas, por lo general es incapaz de entender o explicar por qué, en ese instante, llega a una determinada conclusión. En esos momentos se siente una inquietud inicial, una emoción que acompaña el instante de claridad y luego un sentimiento de absoluta certeza.

La intuición es un estado que antecede al pensamiento y que se vincula al hemisferio derecho. Cuando la intuición se ensambla con la habilidad visionaria, crece su alcance y puede dar origen a proyectos revolucionarios de grandes dimensiones o impacto.

Muhammad Yunus, fundador del Grameen Bank eligió un camino fuera de lo común prestando dinero a segmentos pobres de la población con escasos recursos: los microcréditos. Hoy esa experiencia se ha difundido en todo el mundo. Su intuición fue que estas personas, fundamentalmente mujeres, iban a responder con fidelidad a la ayuda recibida. Revolucionó el concepto de garantía permitiendo que los mismos deudores garantizaran entre sí sus créditos y acertó. Los creadores de la moda constituyen otro ejemplo interesante de visión e intuición, pero sus decisiones son menos duraderas. En la mayoría de los casos es la intuición la que percibe qué condiciones o características se van a imponer y el momento propicio para presentar un nuevo estilo o producto.

Los ejemplos anteriores ilustran la variedad y complejidad del concepto "intuición". Reconocidos expertos de la psicología nos ofrecen su propia síntesis.[13] Jagdish Parikh considera a la intuición como un "*...acceso a la reserva interna de pericia y experiencia acumulada durante años, y de la obtención de una respuesta, o de un impulso para hacer algo, o de una alternativa elegida entre varias. Todo ello sin ser consciente de cómo se obtiene*". Vaughan va un poco más lejos y asegura que "*la intuición nos permite recurrir a la enorme provisión de conocimientos de los que no somos conscientes, incluyendo no sólo todo lo que uno ha experimentado o aprendido intencionada o subliminalmente, sino también la reserva infinita del conocimiento universal, en la que se superan los límites del individuo*".

La intuición hace puente entre los pensamientos y los sentimientos, lo consciente y lo inconsciente, lo inteligente y lo ingenuo, el pasado y el futuro. Por eso, la intuición puede ser un detonante de la actividad creativa. En algunos ambientes de falsa racionalidad, es tratada peyorativamente porque sus aportes no se pueden sustentar en una explicación lógica y por eso resulta menos confiable. Cuando se reconoce que los aportes de la intuición son complementarios a los de la razón se mejora visiblemente la capacidad de interpretar situaciones y de tomar decisiones. Peter Senge[14] comenta que negar esta complementariedad sería como pretender caminar con una sola pierna o mirar con un solo ojo (cuando se tienen dos). La intuición es más importante de lo que creemos... es un recurso interior que proporciona mayor claridad a nuestra mirada.

Inspiración

La musa presenta crudos estallidos de inspiración, resplandores y momentos de improvisación en los que el arte simplemente fluye...

Stephen Nachmanovitch

El término viene de "*in spiritu*". En latín "soplo, aire", por lo tanto "inspirar" sería "soplar adentro de algo". La inspiración es como un soplo al oído de palabras con un poder creador; es una emoción que en un instante da pleno significado a una situación. La inspiración es una manifestación que abre repentinamente las puertas a pensamientos, sentimientos y visiones que piden ser expresados, sugiere contenidos y los convierte en materia prima valiosa de una obra o proyecto. Es una mirada que proyecta luz sobre una parte de la realidad, realzando su significado. Si bien es cierto que la inspiración acude a la mente sin

[13] Philipp Lersch, *La estructura de la personalidad,* Scientia, Barcelona, 8va ed., 1971.

[14] Ver nota 4 al final del libro.

previo aviso, el observar nuestro propio proceso creativo nos da la oportunidad de analizar las situaciones y elementos que ayudan a la aparición de nuevas ideas. De alguna manera nos ayuda a convocar nuestras propias musas.

La musa es como una voz viva, que resuena en nuestro interior y nos dicta palabras o ideas que parecen salidas de la nada. Una palabra, una emoción, un sentimiento, un recuerdo, una persona, una melodía, un perfume o un sabor, un poema, pueden abrir un torrente de nuevas conexiones que ayudan a que florezcan las ideas en germen y se plasmen en una nueva creación. La inspiración activa nuestra joya interna y sugiere contenidos y elementos abundantes para la obra o proyecto que deseamos realizar. La inspiración sucede con el beso de las musas, según la mitología griega. En la Grecia Antigua la inspiración era muy valorada, se la reconocía y personificaba en musas inspiradoras, diosas dedicadas a las artes y las ciencias del espíritu. Los griegos clásicos reconocían en la inspiración una divinidad, el aliento de un dios. Según ellos, cada rama del arte y la ciencia tenía su musa.[15]

No hay un control consciente sobre la inspiración: ella se presenta de modo espontáneo, puede acudir a nosotros en cualquier momento. Por lo general, nos sorprende en lugares donde nuestra mente vaga relajada (la ducha es un lugar típico donde suelen ocurrírsenos muchas ideas). Cuando manejamos o durante un viaje también son momentos propicios en los que nos pueden sorprender chispazos creativos. Los espacios despejados dan a la mente la posibilidad de vagar sin límites cuando se extienden hasta el horizonte, sin barreras ni distracciones cercanas. Cada persona tiene que encontrar su contexto ideal. Algunos necesitarán envolverse en el silencio para encontrarse con las ideas, otros enfrentarse a una hoja o tela en blanco con el desafío de llenarla de palabras o de imágenes. Otros necesitarán crear un momento plácido, de libertad interior, disfrutando una copa de champagne. Imponerse límites físicos y de tiempo, trabajar bajo presión, con máxima concentración, son otros recursos usuales a los que podemos recurrir. Prepararse para convocar a la inspiración requiere, entre otras cosas, identificar anticipadamente lugares o situaciones donde nos hemos sentido libres para volar y recurrir conscientemente a ellos. Los ejercicios de visualización son óptimos para convocar a la inspiración. Cuando la inspiración sucede, en lo posible, debemos aprovechar el trance creativo. Si en ese momento no podemos materializarlo, al menos sería importante registrar, en un papel o boceto, las ideas que aparecen para intentar retomarlas más adelante.

A lo largo de la historia, el mundo ha sido testigo de inspiraciones geniales que alumbraron ideas y obras que aún hoy perduran. La inspiración del genio, igual que la inspiración de cualquiera de nosotros, es un chispazo que revela ámbitos profundos del inconsciente. Durante el proceso creativo su presencia dota de alas a la imaginación y puede, con ella, alcanzar un momento cumbre.

[15] Ver nota 1 al final del libro.

Imaginación y fantasía

La **imaginación** alude a la capacidad de pensar en imágenes o de representar a través de ellas experiencias, emociones o sueños. Se nutre de las percepciones sensoriales que se combinan con sentimientos, creencias y emociones. Cuando se habla de una persona "con imaginación", se refiere a su capacidad de crear imágenes ya sean visuales, auditivas, olfativas, gustativas o kinestésicas. La materia prima de la imagen son algunos elementos de la realidad interna o externa, que se interpretan o relacionan de modo original. La imaginación es un hecho fecundo porque, en sus distintos lenguajes, aporta estímulos para que la mente de cada uno decodifique el mensaje a su manera; también actúa como disparador de nuevas ideas. Las múltiples formas de representar estas imágenes estimulan permanentemente la aparición de nuevas manifestaciones. Así una idea fertiliza a la otra.

Las artes convencionales proveen diferentes lenguajes de expresión, aunque no son los únicos. En la antigüedad, el trabajo del artista consistía en representar fielmente paisajes, personajes o sucesos. Sin embargo, era inevitable que cada artista tiñera la obra con su imaginación, desde su propia emocionalidad. Y esto finalmente es lo que la hacía y hace única. Hoy esta expresión no reconoce límites.

El bailarín o el actor encarnan otro lenguaje que utiliza el cuerpo y el movimiento como forma de expresar esas imágenes. El cuerpo en reposo o en movimiento, la voz, los silencios o los gestos sirven para alumbrar ideas, situaciones, acciones o acontecimientos que pueden o no haber sucedido, o también para interpretar de un modo nuevo el hecho o la idea original.

La imaginación, en otras ocasiones, nos da una visión anticipada de lo que podría suceder o podríamos lograr; rescata el valor de cosas o situaciones no evidentes. Se cuenta que Miguel Ángel recuperó un pedazo de mármol que su dueño estaba por desechar porque había visto allí un ángel atrapado que tenía que liberar.

Así como el recuerdo permite conservar el pasado, la imaginación es un puente atemporal, entre lo que es y su potencial de ser.

La **fantasía** es la facultad humana que puede inventar sin límites, sin lógica, sin pautas y con total exuberancia. Posee un mayor alcance que la imaginación. Puede generar espacios y mundos que no guardan relación con la realidad. La fantasía hace volar la imaginación y la lleva a espacios y tiempos inexistentes, aún no creados, llenos de riqueza creativa, donde todo es posible, hasta lo inimaginable. Estas características se plasman en las diferentes manifestaciones del arte como en los relatos fantásticos, las películas fantásticas o la pintura fantástica, para mencionar algunas de estas formas.

La fantasía y la imaginación amplían considerablemente nuestro potencial de recursos, nos permiten traspasar los límites de lo conocido e instalarnos en el plano creativo. La fantasía contiene el impulso apasionado propio de la creación. Recibe los ecos de anhelos y ansias, vivencias y sueños, cuya intensidad y persistencia transmutan y se expresan en magia, delirio, utopías que traspasan los límites del tiempo y del espacio.

Es increíble cómo, en la vida diaria, muchas veces se escucha hablar despectivamente de estos conceptos. *"Ah, es sólo una fantasía", "lo que pasa es que es muy imaginativo"*, o *"y bueno, fue sólo un sueño"*. Éstas son expresiones peyorativas muy frecuentes con consecuencias negativas y fulminantes para la creatividad. Las actitudes negativas o despectivas surgen de no comprender el valor de una idea fantasiosa o de no saber cómo plasmarla. Los excesos de fantasía incomprendidos suelen provocar frustración y enojo, nos desmoralizan y encierran.

La fantasía imaginativa hace de nexo entre el pasado, el presente y el futuro; amplía la dimensión espacial y puede expresarse en formas increíblemente variadas. Hay muchos ejemplos en la literatura en los que la fantasía imaginativa de los autores resultó ser con el tiempo una anticipación del futuro. Antes de que la ciencia y el hombre lo plasmaran en artefactos y productos de la tecnología, Da Vinci exploraba los medios con los que el hombre podría volar. Julio Verne nos invitaba a recorrer, en su célebre libro, miles de leguas bajo el mar en un submarino hecho de metal y propulsado por una energía nueva, en una época donde todavía se navegaba a vela y las embarcaciones comenzaban a funcionar con calderas de vapor. Este autor anticipó en sus obras la comunicación inalámbrica, la llegada a la luna, la llegada del polo sur, el láser y muchos inventos más. Más tarde, en los años 50, Ray Bradbury preanunciaba la existencia de las pantallas interactivas, la clonación y las supercomputadoras presentes en todos los momentos de la vida. Hoy, como él anticipaba, muchos de estos elementos se hicieron realidad.

¿Cómo convocarlas?

En la práctica, podemos convocar la imaginación y la fantasía utilizando y sumando estímulos y técnicas creativas como las que proponemos a lo largo de este libro. Puesto que las formas fantásticas traspasan el mundo de lo conocido, si aparecen en nuestra mente, es importante **no ponerles límites** y dejar que crezcan a la dimensión en que se proyectan. Es indispensable **mantener una actitud abierta** y estar dispuestos a **postergar el juicio** hasta obtener un gran caudal de ideas. Todas las ideas deben ser tomadas en cuenta, ninguna debe ser descartada a priori para lograr una mayor cantidad de opciones. Una vez que se tiene ideas claras, que se ha podido discernir cuáles no son útiles en ese momento, hay que continuar desarrollando las más valiosas hasta que alcancen su máximo potencial. Si quedan ideas que no pueden ser usadas en ese momento, sugerimos guardarlas o reservarlas para cuando llegue la oportunidad o la circunstancia propicia.

Valorar y sumar

La invitación es a soñar, a imaginar y fantasear para descubrir y ampliar el mundo de lo posible. La frase tan popular *"No hay que cruzar el puente hasta llegar a él"* recomienda no adelantarse a los acontecimientos. Sin embargo, ese enfoque se desvirtúa en la experiencia creativa. Las personas que lograron destacarse son aquellas que cruzaron el "puente" con su imaginación mucho antes de haber llegado a él y antes de que lo hicieran los demás. Por eso es tan importante revalorizar estos conceptos, estas cualidades y habilidades innatas que todas las personas tenemos en nuestro interior. En el proceso de concretar una idea, la fantasía también puede aplicarse a la planificación (fantasía planificadora). En ese caso nos ayuda a construir el camino que va del presente al futuro, de lo real a lo irreal. Son las grandes visiones las que impulsan grandes empresas o grandes proyectos.

Sin embargo, las grandes visiones no son tan comunes. A veces una racionalidad excluyente, o sea, pensar que sólo existe lo que podemos entender, ver o tocar, nos vuelve insensibles a la riqueza de nuestra joya interna y deja a la creatividad sin cultivar, sin desarrollar, desperdiciada. Se clausuran los canales creativos y se secan las fuentes de inspiración y no vemos la potencialidad de lo que tenemos frente a nosotros. Este enfoque restringido empobrece la comprensión del mundo.

Si a ese mundo, que nos llega por el intelecto, le agregamos conscientemente sentimientos, emociones, imaginación, fantasía, intuición, percepción y sueño, se amplía y puede enriquecer todos los ángulos de nuestra existencia. Acostumbramos a buscar las soluciones en el afuera, pero todo este tesoro está esperando en nuestro interior. Este potencial, con sólo ser valorado, comienza a revelarse y destrabarse; es imperioso prestarle atención. Al abrirnos, incorporar y valorizar estos aspectos nuestros, nunca perdemos, siempre ganamos. Con la aceptación y la inclusión de estas capacidades podemos desplegarnos como seres humanos más plenos. Queda el camino abierto para utilizarlas en cualquier momento y para que la inspiración suceda. ¡Encendamos la imaginación y la fantasía!

Introducción a la ejercitación

Los ejercicios que siguen están diseñados para alentar la fantasía, para disparar la imaginación y la intuición y fortalecer la capacidad de soñar. La parte práctica de este libro incluye ejercicios de visualización "con ojos cerrados" y otros llamados "con ojos abiertos", que requieren menor ambientación y pueden realizarse en cualquier momento y lugar que uno crea apropiados. Al igual que las visualizaciones, durante estos ejercicios es indispensable disfrutar la libertad creativa y tener el deseo de descubrir y conectarse con todo el potencial.

Una manera de predisponerse para los ejercicios consiste en elegir una de las siguientes frases, la que nos resuene, volver a leerla y repetirla profundizando en su sentido:

- *"Yo quiero vivenciar fantasías, sueños y dejar fluir mi imaginación. Esto me amplía y me centra a la vez".*
- *"Yo presto atención a mis fantasías, sueños, intuiciones y a mi imaginación, las observo conscientemente y las registro con dedicación".*
- *"Yo valoro el caudal de intuición, fantasía e imaginación que poseo y deseo ampliarlos para ser más creativo".*

Ejercicios de imaginación

A continuación se ofrecen ejercicios sencillos que sirven para entrenar conscientemente nuestra capacidad de imaginar.

Telekinesia masiva

Sin razón aparente, en la ciudad comienzan a multiplicarse la cantidad de personas capaces de mover objetos con la mente (telekinesia).

Identifique al menos cinco situaciones en la que esta alteración afectaría las conductas habituales de la ciudad.

Imagine y describa qué nuevas conductas o hábitos tienen probabilidad de surgir a partir de este hecho. Intente imaginar las situaciones con todos sus detalles.

Describa qué situaciones positivas y negativas puede acarrear esta nueva habilidad.

Elija una de estas situaciones e imagine:

a) en caso de ser positiva, la mejor manera de aprovecharla

b) en caso de ser negativa, por lo menos una solución a la dificultad que se plantea.

Cambio de época

Este ejercicio propone viajar en el tiempo, entre el momento actual y el pasado en el marco de un lugar histórico. La idea es jugar con la imaginación y convertir un lugar elegido —museo, castillo, fortaleza, un viejo bar, una biblioteca pública, etc.— en un escenario de época. Para ello se toma el momento en que ese lugar estuvo en su apogeo y se recrean imaginariamente situaciones y personajes que hubieran existido en ese momento. Luego se lo contrasta con el momento actual.

Es un ejercicio ideal para realizar cuando nos encontramos físicamente en un lugar histórico, o con cierta tradición. Una vez allí se trasladan imaginariamente al momento de su mayor esplendor. Dejen que los conocimientos y recuerdos de esa época afloren. Si no, acudan a su imaginación e invéntenlos.

Observen detenidamente cómo fue construido, cómo eran las personas que lo habitaban en aquellos tiempos, cómo se vestían, cómo se expresaban, qué hacían. Luego, conscientemente se vuelven parte de la vida y el entorno, se convierten en uno más de los protagonistas de ese lugar y de esa época. Imaginan con total libertad quiénes son y qué rol desempeñaban. Se sienten en consonancia e integrados en la vida de aquel tiempo. Desde el lugar de participante observan el entorno: ¿qué lengua se hablaba?, ¿qué ruidos o sonidos se escuchaban?, ¿qué aromas había?, ¿cómo se desarrollaba la vida en aquel entonces?, ¿cuáles eran las prioridades?, ¿cuáles, sus preocupaciones? Durante un tiempo prudente dejen que las imágenes mentales armen una película de la cual son uno de los actores.

Luego cambian rotundamente de época. Pasan al momento presente, ponen toda la atención en el análisis racional del hoy. Observen cómo se vive ahora en ese lugar histórico. Se detienen a observar quiénes son los visitantes actuales, cómo se visten, cómo actúan, qué ruidos o sonidos se escuchan hoy día. ¿Hablan por celular? ¿Visten ropa deportiva o trajes? ¿Llevan anteojos? ¿Se escuchan ruidos de vehículos? Registren minuciosamente lo que sucede a su alrededor.

Después de un cierto tiempo vuelvan al momento histórico y permanezcan allí mientras puedan mantener vivo el interés. Luego retornan al presente. Pueden repetir este viaje las veces que lo sientan oportuno. Así se va agilizando el paso de pasado a presente, de la imaginación a la realidad actual. Al principio tal vez cueste, pero notarán que con entrenamiento podrán pasar con mayor facilidad de una época a la otra. Éste es un excelente ejercicio para entrenar la imaginación, ejercitar la flexibilidad y ampliar la percepción.

Ejercicios para estimular la fantasía

Ubíquense en un lugar donde se sientan cómodos y libres para fantasear sin restricciones. La actividad se inicia con el relato de un cuento que deberán completar siguiendo los dictados de su fantasía. Una vez que ustedes se encuentren sumergidos en él, deberán continuar la trama hasta empalmar con las frases ya establecidas.

Relato 1

Estoy sumergido en el viento, vuelo como un barrilete siguiendo las corrientes de aire. Viajo rodeado de un cielo brillante que cambia de colores a cada instante y sugiere diferentes figuras. De repente atravieso un velo, por debajo se abre un mar inquieto que descansa al pie de un acantilado cuyas paredes, de colores insólitos, se diluyen en el agua. Al mismo tiempo, escucho sonidos intrigantes y desconocidos, chispazos de melodías que se hamacan en la profunda música del universo.

Me intriga cómo continuará este mundo debajo del agua. Me sumerjo confiado, siguiendo la fascinación y la curiosidad que me produce esta visión. Todo lo que veo bajo el agua es diferente a lo que conozco, los sonidos bailan por sí mismos, los colores tienen personalidad, son jocosos y disparatados. Más lejos, veo a los habitantes de este extraño lugar ....
....
....

Regreso lleno de euforia.

¡Qué maravillosa experiencia!
¿Qué nombre le pondría al cuento?

Relato 2. "Enigmas del ropero"

Hoy es un día especial, me encuentro muy animado y con muchas ganas de explorar lo desconocido. De repente, de la nada, aparece delante de mí un ropero viejísimo de mi bisabuela. Lo abro dominado por la curiosidad; allí aparecen colgados hermosos atuendos, vestidos, telas y tules de colores maravillosos. De todos, elijo el más intrigante para vestirme. Una túnica de una trama finísima, hecha con hebras adherentes, pero agradables al tacto; delicadas como telarañas inteligentemente enhebradas. Al sacarla del ropero, las hebras adquieren movimiento propio. Las acaricio y cada una vibra como un instrumento; juntas van creando los sonidos de una orquesta magnífica. Cuando suena, cada hilo se transforma en un río de colores tornasolados que oscilan entre cálidos y fríos, oscuros y claros, estridentes y tenues. El color y el sonido se deslizan por pendientes y valles que forman la tela al agitarse. La trama, sutil y transparente, realiza una danza propia en la que me quiero incluir. Por eso me cubro con ella, me siento maravillosamente y raro a la vez. Percibo que puedo ver otras realidades y lo más curioso es que me vuelvo parte de la trama y puedo flotar.

Miro el piso y de pronto lo rígido se vuelve suave, flexible y perfumado. El suelo se va desplegando como pétalos de una rosa gigante. Al levantarse, cada pétalo se hace traslúcido y me invita a atravesarlo; si quiero puedo traspasar pétalo por pétalo. Decido hacerlo. Con gran sorpresa descubro debajo de cada uno un mundo extraño y amable que me recibe y me incita a explorarlo. En el fondo aparece una misteriosa luz que lo ilumina todo y ....
....
....

Regreso lleno de euforia.

¡Qué maravillosa experiencia! ¿Qué es lo más insólito que les pasó? ¿Qué les regaló su fantasía?

Relato 3. "Cenizas insólitas"

Estoy sentado sobre las cenizas, ya frías, de una enorme hoguera. Aquí ardió durante varios días una gigantesca cápsula que contenía mensajes del futuro. Hasta donde alcanza la vista, la tierra está cubierta por un polvo gris blancuzco que brilla bajo el sol. Un viento helado remueve la superficie y contemplo cómo se desintegran los últimos mensajes. Cada trocito, al desintegrarse, produce una pequeña explosión que deja un perfume desconocido hasta el momento. Estoy fascinado con lo que veo.

Debajo de unas pequeñas piedras descubro trozos de un papel que no fue totalmente consumido por las llamas. Está muy borroso, apenas puedo leer en él unas pocas palabras: busca... triángulo... vos y lo nuevo... verdades...

Levanto la vista y veo aproximarse un grupo de gente con una marca en la frente ....

Miro a mi alrededor y descubro que una pequeña flor está naciendo.

....

.... del futuro.

¿De esta vivencia fantástica afloró algo hasta ahora inimaginable? El que lo desea puede enviarnos estos cuentos fruto de su fantasía a nuestro mail.

Ejercicios de intuición

A continuación, proponemos algunas actividades para ejercitar la intuición. Son tareas sencillas que se pueden realizar en distintos escenarios.

Diálogo desde la intuición

El ejercicio es grupal y se utiliza en situaciones donde las personas se ven por primera vez o no tienen entre ellas un conocimiento estrecho. En lo posible, el grupo debe ser de un número par. El grupo se divide y cada uno elige para trabajar a un compañero o compañera que no conoce. Una vez que las parejas están formadas, se sientan enfrentados a una distancia donde puedan observarse cómodamente.

Cada uno, mientras observa en silencio al otro, permite que su intuición actúe intentando descubrir cualidades, dones, talentos, inclinaciones, preferencias y otros rasgos de la personalidad de su compañero, que se registran por escrito. Al cabo de unos minutos, ambas personas se levantan y buscan un lugar donde puedan dialogar sin interferencias. Por turno, le cuenta al otro las percepciones y dictados de su intuición, permitiendo que su interlocutor pueda libremente afirmar o negar lo dicho. Asimismo puede compartir si descubrió algo nuevo de su personalidad que no hubiera tenido en cuenta o dado importancia hasta ese momento. La apertura y confianza de ambos son clave para enriquecer la experiencia. Luego se invierten los roles y la persona que escuchaba comparte lo que intuyó. Finalmente se reflexiona sobre lo que se aprendió de la experiencia.

Papelitos reveladores

El siguiente es una variante del ejercicio anterior dirigida a incentivar el conocimiento entre las personas y despertar la sensibilidad intuitiva en grupo.

Cada persona se cuelga del cuello una tarjeta con su nombre, y se equipa con papelitos en blanco y algo para escribir. Una vez que todos están preparados, comienza una caminata libre por el salón en la que cada uno irá observando a los demás. La idea del ejercicio es conectarse con la intuición, estar abierto y poder percibir las características o cualidades individuales de las demás personas. Si al cruzarse con una persona, su intuición le señala algo, inmediatamente lo anota en un papel junto con el nombre de la persona y lo guarda. Cada anotación se realiza en un papel distinto.

Después de un tiempo prudencial, todos toman asiento, en lo posible formando una ronda, y se presentan. A medida que cada uno cuenta quién es, los participantes que intuyeron algo sobre esa persona, le entregan el papelito correspondiente. Finalizada la presentación, cada uno lee para sí lo que le escribieron sus compañeros y, si lo desea, lo comparte con el grupo.

En el proceso de desarrollo de la intuición podemos utilizar encuentros casuales para estimularla o situaciones sobre las cuales anticipar su evolución futura. La idea es sintonizar con nuestro interior y dejar que surja la respuesta intuitiva desde el instinto, el corazón o la razón. También en ciertas situaciones el conocimiento intuitivo nos puede llegar desde planos espirituales que suponen una conexión con el Creador y con el universo.

Todos estos ejercicios son el principio de un camino para abrir espacios disponibles donde aguardan nuevos elementos enriquecedores de la labor creativa.

La interacción grupal como fuente de creatividad

La interacción se construye en un ida y vuelta de información, decisiones o acciones. En un grupo donde se da la conjunción de dos o más personas trabajando simultáneamente en algo común, se crea un campo propicio y fértil para el florecimiento de ideas innovadoras. La interacción bien orientada, amplía la imaginación, la fantasía, la inspiración, las ganas de soñar despiertos.

Existe un debate sobre si los resultados de la creatividad grupal son superiores a los de la individual.[16] Si bien no hay una opinión concluyente, lo que hemos comprobado en la práctica es que el número de ideas que se generan es mayor, sin duda, y que la calidad de las ideas resulta mejor cuando se dan ciertas condiciones de apertura, focalización y confianza en los integrantes del grupo. Por eso proponemos incluir la creatividad grupal en esta secuencia pues experimentamos que es otra fuente muy potente de creatividad.

---

[16] "Group Creativity" en: www.ideaconnection.com/articles

Reunirse para hacer un trabajo creativo en grupo[17] es muy enriquecedor y es otra manera válida para que aflore nuestro potencial. Al principio, cuando se propone el tema, tal vez cueste la libre expresión en grupo. Para incentivar el clima creativo, es bueno plantearlo desde el juego. De esa manera uno se afloja, se impiden los juicios prematuros y puede reinar la alegría. Una persona puede tener ideas, pero muchas personas pueden tener muchas más ideas. Las ideas o soluciones surgen desde el clima grupal apropiado. El trabajo resulta muy estimulante porque uno transmite su entusiasmo al otro, y es fructífero porque las ideas de unos sirven de estímulo y desencadenante para los otros. De esta manera se sobrepasan los límites individuales.

Como las personalidades y estilos son diferentes, también los aportes resultan diferentes y esto a veces genera carcajadas como también roces. Las miradas disímiles sobre un mismo tema pueden ser un trampolín para la fantasía imaginadora. Con la buena comunicación grupal, los aportes individuales y la "fertilización cruzada"[18] (construir sobre las ideas del otro) se agiliza el fluir de las ideas y se renuevan las fuentes de inspiración. Al combinar enfoques y recursos de diferentes personas se produce una fecundación de las ideas, uno da pista para el otro, se nutren mutuamente, logrando así resultados que cada uno solo difícilmente hubiera podido obtener.

Así como al principio hablábamos de espejo y resonancia[19] y de cómo una persona podía convertirse en fuente de inspiración para otra, el diálogo enriquecido por la coincidencia de objetivos hace que la posibilidad de resolver situaciones se amplíe enormemente. La suma de creatividades no es un resultado fijo, como 2+2, sino que puede crecer exponencialmente.

La creatividad grupal es un capital enorme que tenemos a disposición, pero su utilización tiene ciertas reglas para tener en cuenta. La **principal** quizá sea comprender que cuando hay una verdadera interacción no importa de quién es la idea inicial, sino la consistencia y originalidad de la idea final, fruto del aporte de todos. La **segunda** condición es que todos pueden contribuir, aun cuando no dominen el tema sobre el que se trabaja. Estas respuestas que surgen espontáneamente pueden aportar ideas porque provienen de otro enfoque que no está condicionado por un conocimiento específico. De esta manera se abren las puertas a la riqueza de lo diverso. La **tercera** es que incluya, en la medida de lo posible, hombres y mujeres de distintos perfiles, porque cada uno aporta una mirada diferente que enriquece el resultado. La **cuarta** es el respeto y paciencia en los períodos iniciales para no ahogar las ideas cuando todavía no han tomado forma. Es común en nuestra sociedad, pero se repite a escala mundial, que cuando surge una idea innovadora

---

[17] Ver capítulo 10.

[18] Técnica que promueve la generación de ideas a partir de las ideas del otro. Ver capítulo 10.

[19] Tema tratado en el capítulo 1.

sea bombardeada con frases que actúan como barreras o como disolventes de su potencial valor. Mark Twain decía: *"Toda persona es considerada loca cuando lanza una idea hasta que ésta ha probado su utilidad"*.

Las actividades grupales son una experiencia cotidiana, tanto en la intimidad de una casa, como en el trabajo, en la universidad, en un instituto, en una ONG o en un estudio de arte. En cada uno de estos espacios, cotidianamente, nos enfrentamos con situaciones que requieren una solución o un nuevo enfoque. El tener presente las cualidades creativas de los miembros del grupo permite que los problemas se visualicen como oportunidades y además se multipliquen las fuentes de ideas. La riqueza que encierran estos talentos, dones y habilidades, y su forma combinada de manifestarse, hace que sea muy importante valorar todas estas aptitudes con las que nacemos, ejercitarlas e integrarlas fluidamente en nuestras vidas. Las capacidades descriptas y su manifestación grupal son, sin duda, una vertiente que alimenta, nutre, refresca, impulsa y riega la vida.

Actitud y permiso

En cada situación que se presenta, la vida nos invita a ser protagonistas y a usar nuestra creatividad. Puede ser tanto un llamado desde nuestro interior como un pedido del exterior. En ambos casos, el cambio comienza en la profundidad de la persona, despertando nuevos brillos de su joya interna.

Una necesidad o un sueño pueden ser motivo para bucear en el interior de cada uno e identificar los recursos o talentos que se deben poner en marcha para darle respuesta o concretarlo. Nada se mueve sin una razón; el cambio puede iniciarse en la tensión que nace cuando la necesidad reclama un cambio o cuando se identifica un punto deseable en el futuro, distante y distinto del actual.

Ser creativo implica estar dispuesto al cambio. Pero muchas veces, lamentablemente, cuando el entorno, personas o circunstancias piden los cambios, replanteos de la rutina diaria o innovaciones, se activan los miedos. Se suele temer a los cambios porque ellos reclaman que modifiquemos porciones de nuestra vida a la que nos hemos acostumbrado. Pocas veces la incertidumbre de lo nuevo vence a la comodidad de quedarse quieto en lo conocido. Esto termina siendo una trampa para la innovación creativa. Afortunadamente, otras veces nos sentimos aliviados y felices cuando llega ese pedido de cambio que internamente estábamos deseando, pero que no nos animábamos o permitíamos. En esas ocasiones, darnos permiso nos alegra y nos abre a disfrutar la libertad de rearmar lo existente, de innovar, de poder pensar las cosas desde otro lugar.

El cambio requiere un planteo, una elección y la decisión de jugarnos por él. Son momentos en que las dudas pueden surgir. Los obstáculos que percibimos para crear o cambiar pueden partir de situaciones concretas o difusas. De igual modo, las razones para no darnos permiso pueden ser imaginarias o reales. Al darnos permiso, aceptar el cambio y hacer algo para concretarlo, dejamos atrás el rol de testigos abriendo la posibilidad de tocar nuestras propias notas, de dejar huellas al caminar, de crear nuestra leyenda personal. Nos convertimos en protagonistas.

Un camino para vencer esos obstáculos es conquistar la **confianza** en uno mismo. No hay que pretender ganarla de un golpe; la confianza en uno, así como el reconocimiento de los demás, se construye con pequeños actos. Esos actos, de consecuencias positivas, unos sobre otros, son los que edifican las grandes realizaciones.

Sucede que a veces carecemos de valor para dar los primeros pasos y nos paralizamos. Entonces, hay que alimentar nuestro **coraje** y valentía para traspasar el obstáculo interno o externo, concreto o difuso. Para superar un obstáculo, primero hay que reconocerlo; después, hay que entender su naturaleza, si es interno o externo, real o imaginado. Luego, imaginar el modo y la estrategia para sortearlo y reunir coraje y auto-confianza para actuar y sostener la decisión. La claridad del objetivo y la certeza del beneficio son los motores para lograr el cambio deseado.

Cuando llega un desafío, podemos predisponernos o no para hacer nuestro aporte. La **actitud** con que lo enfrentamos define gran parte del resultado. La actitud o disposición interior con la cual encaramos cada situación determina nuestra posibilidad de modificar la realidad y de poner la creatividad en acción. Esta actitud se enriquece cuando reconoce que hay una dimensión creativa en la que se pueden imaginar ideas para lograr resultados diferentes, en la que algo se puede agregar o modificar; pero esto requiere el darse permiso. Darse "**permiso**" es un aprendizaje que parte de cada uno; es cada uno el que decide apaciguar sus miedos, explorar y utilizar sus talentos, cuestionar lo establecido. Incluye la decisión de adoptar una actitud creativa o de no hacerlo.

Identificamos cuatro permisos básicos:

- permiso para abrirse a lo desconocido;
- permiso para desprenderse de aquellas certezas o miedos que nos inmovilizan;
- permiso para reconocer y agradecer los dones recibidos;
- permiso para vivenciar las emociones y compartir los afectos e incorporarlos al proceso creativo.

A continuación compartimos un texto de Graciela Astorga[20] que aporta nuevas dimensiones.

Tengo permiso para soñar.
Permiso para confiar.

[20] www.taquion.com.ar

Permiso para crear.
Permiso para ser quien soy.
Permiso para rescatar mis ideas.
Permiso para elegir.
Permiso para ser original.
Permiso para fluir con mi cuerpo.
Permiso para triunfar siendo yo misma.
Permiso para expresarme.
Permiso para vivir de lo que me gusta hacer.
Permiso para valorar todas mis elecciones.
Permiso para dejar mi huella en el mundo.
Permiso para mostrar mis singularidades.
Permiso para tener éxito en la vida.
Permiso para equivocarme.
Permiso para confiar en la guía del inconsciente.
Permiso para contagiar entusiasmo por mi proyecto.
Permiso para dar sentido a mi vida siguiendo mi sueño.
Permiso para tener una Misión en el mundo.
Permiso para vivir mi Leyenda Personal.

Para vivir este proceso, sensible e íntimo, es conveniente crear condiciones favorables que nos ayuden a ver lo diverso y lo distinto. Ser sinceros con nosotros mismos y escuchar el pedido interno nos hace libres para decidir cómo atender a nuestros deseos y anhelos y cómo responder a lo que nos viene desde afuera. Esto nos convierte en protagonistas y define la manera en que vivimos nuestra vida.

Capítulo 3

De la vivencia a la práctica

3

De la vivencia a la práctica

Condiciones básicas para desplegar la creatividad

Las condiciones básicas para desplegar la creatividad son: conocerse, identificar el propósito, animarse, permanecer abierto y flexible, usar las herramientas disponibles, confiar en el camino y perseverar.

Conocerse

Es alcanzar cierta claridad ante los siguientes interrogantes: ¿quién soy?, ¿de qué soy capaz?, ¿qué quiero para mí?, ¿qué necesito?, ¿qué soy capaz de dar?

Seamos jóvenes o adultos, por haber vivido y experimentado un sinfín de situaciones, hemos almacenado en nuestro interior una cantidad de información y experiencia que sutilmente nos influye y transforma. A medida que se toma conciencia de lo vivido aparecen más definidas las propias capacidades. Conocerse da un punto de partida realista para descubrir qué otras cosas o proyectos se podrían hacer o encarar o qué proyección se le podría dar a la vida.

Identificar el propósito

Significa encontrar la razón profunda por la que hacemos lo que hacemos. El propósito es aquello para lo cual sentimos que hemos sido creados. Significa descubrir algo donde volcar nuestra energía, pasión y talentos. El propósito crea afinidad y nos sintoniza con un “hacer” particular, con algo que nos llena el alma, que da paz. Se lo vive como una entrega y compromiso interno; actúa como una fuente permanente de motivación.

Cuando el propósito personal incluye al otro, las acciones no terminan en uno mismo, y esto lo convierte en un poderoso motor que impulsa a superar obstáculos. Un propósito que nos trasciende marca una distancia entre durar o vivir apasionadamente, entre resignarse o vivir lleno de esperanza. La combinación de autoconocimiento y propósito proporcionan la confianza necesaria para decidir y crear.

Animarse

En el camino hacia la creatividad los mayores obstáculos que se presentan surgen de uno mismo. Pueden ser el miedo a fracasar o al ridículo, la autocensura, la percepción limitada, el conformismo o la impaciencia, todo aquello que limite la aparición de nuevas ideas.[21] Es importante tener presente que la gente creativa registra un mayor número de fracasos que la gente que no pone su creatividad en juego. Esto es así porque hacen muchos más intentos y no necesariamente porque sean menos inteligentes o tengan menos conocimientos. Tenemos que estar dispuestos a arriesgar y decididos a aprender de nuestros errores.

Permanecer abierto y flexible

La apertura a lo nuevo o diferente y la disposición a aceptarlo son dos cualidades que enriquecen nuestra percepción y mirada sobre el mundo que conocemos. Para ello sugerimos: utilizar la intuición, permitirse ser curioso, ejercitar la capacidad para observar con precisión, interrogar, postergar el juicio, escuchar, imaginar y asociar. Todo esto aporta a la generación de ideas y alternativas.

Usar las herramientas disponibles[22]

En este camino están disponibles distintas herramientas y técnicas que ayudan a desplegar algunas de estas capacidades y permiten superar ciertas limitaciones impuestas por nuestros modelos mentales. El principal enemigo para lograr respuestas alternativas es quedarse atrapados en un único enfoque. El conjunto de herramientas trabaja estimulando el pensamiento divergente y posponiendo el juicio. Eso ayuda a encontrar nuevos puntos de vista, que estimulan la aparición de ideas y alternativas. Para seleccionar y concretar las ideas se pueden utilizar técnicas convergentes que proporcionan caminos para reducir opciones y facilitar la selección de las de mayor potencial en relación al objetivo fijado.

Confiar en el camino

Es perseguir una idea o una meta aceptando la incertidumbre como compañera. Es confiar en que las soluciones aparecerán a medida que vayan sur-

---

[21] El tema se aborda en el capítulo 11.

[22] Ver capítulo 10.

giendo los impedimentos o dificultades, porque creemos y nos apoyamos en la versatilidad de nuestras capacidades y recursos.

Perseverar

Es la actitud que nos permite sostener el esfuerzo hasta lograr el resultado deseado. La perseverancia es necesaria porque no siempre una buena idea se reconoce a primera vista y se requiere de mucha fortaleza y tiempo para llevarla a buen puerto. A veces al presentar una idea innovadora, pueden surgir imponderables como la oposición de terceros o la desvalorización de la propuesta en cualquiera de sus etapas. Otras veces, aún cuando se haya utilizado el sistema más riguroso para seleccionar y construir la mejor idea u opción, se cometen errores u omisiones y entonces es necesario volver a intentarlo. Esto nos confirma que recorrer este camino requiere de actitudes que ayuden a superar las adversidades. La perseverancia no puede faltar.

El camino hacia el logro parte de creer en el propio potencial y se continúa en la acción. La construcción de un futuro mejor depende en gran parte de cada uno y de sostener la creencia de que, a pesar de los riesgos y dificultades, la solución existe y que hay más de un camino para encontrarla.

Ser canal

Desde el nacimiento somos receptores de los estímulos de todo lo que nos rodea. Cada uno los percibe diferente, cada uno a su manera.

En nuestros primeros años, cuando somos niños, no tenemos filtros o condicionamientos de la mente racional. La riqueza de la información, potenciada con la imaginación y la fantasía, crea ideas o respuestas originales. Nos maravilla de los niños la naturalidad con que pueden percibir o recibir la información del universo sin juicios previos. A medida que crecemos, el conocimiento adquirido crea categorías que suelen limitar la percepción de la realidad que nos rodea. Por otra parte, ciertos sistemas de valores o los modelos mentales adquiridos nos alejan de nuestras cualidades originales al punto que a veces gran cantidad de información que es accesible, pasa totalmente inadvertida.

Para poder ser creativos es indispensable estar atentos y hacerse permeables a todo lo que está dentro y fuera de cada uno. A partir de esa apertura se puede reaprender la libertad y la espontaneidad de ser receptor. Conectarnos con "la fuente" posibilita que la información universal se vuelva "disponible". La meta sería recuperar la receptividad sin restricciones.

Actitud y postura corporal

La postura del cuerpo muchas veces es reflejo de los estados interiores. Se puede distinguir cuándo una persona está en posición de recibir y cuándo no lo está.

La persona que adopta una postura encorvada, según el lenguaje corporal (dibujo de la izquierda), refleja una carga emocional que lo aísla y por lo tanto difícilmente esté dispuesta a recibir. Por el contrario, la persona erguida, sentada sobre la silla o de pie (dibujo de la derecha), refleja una disposición atenta al entorno y por lo tanto, mejor dispuesta para recibir.

Así como la creatividad requiere una actitud mental positiva, abierta a lo nuevo y confiada en las propias posibilidades, en el plano físico una postura erguida nos ayuda a permanecer abiertos y receptivos para convertirnos en canal. La apertura y la postura corporal facilita el contacto entre las dimensiones interna o personal y externa o universal, y ayuda a comunicarnos e interrelacionarnos armónicamente. De este modo, cada uno puede, aunque sea un poquito, correr el velo de lo desconocido, abrirse para fluir con el universo y sentirse parte de él. La información y los estímulos los recibimos a través de nuestros sensores internos y externos, a través de instrumentos maravillosos como son nuestro cuerpo, nuestros sentidos, nuestra mente, nuestros chakras.[23] ¡Somos una gran unidad! El problema es que nuestro cerebro tiene mecanismos que actúan como filtro y que nos indican a qué prestarle atención, y a qué no. Cuando nos disponemos a la creatividad, debemos procurar que estos filtros se desactiven para dejar paso a información más rica y variada que la habitual. Esto implica suspender transitoriamente el juicio, vaciarnos de todos los pensamientos y despojarnos de los preconceptos para hacer espacio en nuestro interior a lo desconocido, a la diversidad y a lo sorprendente. De este modo nos disponemos a ser canal. Nuestra naturaleza humana participa de lo espiritual y de lo terrenal, por eso podemos actuar como canal. Si esto sucede tenemos la posibilidad de recibir multiplicidad de sensaciones, colores, sentimientos, imágenes, percepciones, escenas imaginarias, sonidos, ideas, a través de las que se manifiesta la totalidad. Sucede en estos casos que intuitivamente nos vamos quedando con lo que nos resuena interiormente, con lo que nos despierta la atención o nos atrae. Ser canal es abrir un diálogo distinto con el yo, diálogo no sólo con el presente y el pasado sino con el futuro, el entorno y con lo divino que habita en nosotros. Ser canal es hacer contacto con "la fuente". De este modo, el proceso creativo se enriquece, logra amplificarse y multiplicar las opciones significativamente; ¡nuestra creatividad crece!

---

[23] Ver capítulo 6.

Practicando la creatividad

Hay múltiples prácticas para activar nuestra creatividad. A lo largo de estos capítulos se incluirán algunas de ellas para que las conozcan y puedan experimentarlas. Hemos elegido la relajación y la visualización guiada como técnicas para muchos de los temas, porque descubrimos en ellas la posibilidad de incluir sentidos, hemisferios, chakras, memoria y sentimientos. Apoyándose en un breve relato, la visualización permite convocar los recursos interiores y hacerlos participar como disparadores del proceso creativo. Asimismo, activa nuestra condición de "canal", lo que permite un mayor acceso a saberes universales, difícilmente disponibles de otro modo.

A continuación se describen la relajación y la visualización guiada. Más adelante encontrarán otras propuestas de ejercitación concreta.

La relajación

La relajación es el paso previo obligado a la visualización. Se utiliza la respiración consciente como el vehículo para alcanzar los estados de distensión muscular y apaciguamiento de la mente, necesarios para entregarse profunda y confiadamente a esta experiencia. Esto se va aprendiendo muy de a poco, los progresos son lentos, pero es importantísimo seguirlos.

Cada inhalación es una expansión y cada exhalación, una contracción. Este proceso es similar a los ritmos del universo. Hay que tomar conciencia tanto de la inhalación como de la exhalación y de los momentos entre uno y otro. Aprender a sentir cómo la respiración recorre nuestro cuerpo. El recorrido a lo largo de la columna vertebral, nuestro eje físico, ayuda a la circulación de la energía. Para personas entrenadas en la meditación, los momentos que van entre inhalación y exhalación son momentos de extrema quietud, fértiles para recibir con mayor abundancia. La relajación incluye el enraizamiento, que consiste en tomar conciencia del cuerpo, de la silla o soporte sobre el cual estamos apoyados y del piso que nos sostiene. Una vez relajados y enraizados, estamos listos para abrirnos a la "fuente" y convertirnos en canal.

Ejemplo de una relajación

Cierro los ojos, respiro naturalmente y tomo conciencia de mi cuerpo (silencio), de los puntos de apoyo (silencio). Siento mi columna, mi eje, me estiro y lentamente acomodo las manos sobre el regazo. Tomo contacto con el piso, siento la gravedad de mi cuerpo como tiende hacia abajo, registro todo el peso de mi cuerpo. Inhalo (silencio), exhalo (silencio). Relajo todo el cuerpo paso a paso, desde los pies hasta la coronilla (silencio). Observo conscientemente mi respiración: inhalo (silencio), exhalo (silencio). Con cada respiración repaso las distintas partes del cuerpo (silencio). Con cada exhalación me aflojo un poco más. Inhalo, exhalo.

Aquí estoy, sentado, con la espalda erguida, pero sin tensiones. Percibo como mis pies descansan relajados en el piso, este piso, la Tierra, la Madre Tierra, la Pachamama, la Mater Prima, la materia prima, la que siempre me da piso, jamás me abandona, nunca me deja hundir, siempre me sostiene. A partir de esta seguridad puedo abrirme hacia arriba. En cada inhalación me abro un poco más hacia arriba, y en cada exhalación suelto tensiones y pensamientos. En cada inhalación abro algo más mis canales receptivos, soy canal y participo en toda la existencia, puedo canalizar (silencio). Me abro con toda confianza y fluyo en la totalidad del universo, expando mis límites sin ningún problema, hacia adentro y hacia fuera; puedo participar en todo lo que hay y en todo lo que existe. Siento que soy canal, donde todo fluye (silencio). Ahora pido que me sea revelado lo que hay para mí en el siguiente ejercicio. Respiro libremente.

Cuando se realiza la relajación se pueden realizar al principio movimientos que ayuden a imaginar que somos parte de un embudo que nos comunica con el universo. El siguiente texto puede servir de guía.

Abro los brazos y lentamente describo un círculo desde abajo hacia arriba, como abrazando la totalidad. Desde esta postura, separo los brazos formando un embudo o canal hacia el universo con las palmas mirando hacia arriba. Siento que soy canal. Luego bajo lentamente los brazos.

Otra manera de hacerlo es ensanchar imaginariamente nuestro eje usando la respiración. Recorremos nuestra columna vertebral, desde la coronilla hasta el coxis, hasta sentir que este eje se transforma en canal. Es cuestión de permitirse sentir que se disuelven nuestros límites acostumbrados.

Previo a cada visualización escucharán, en el CD que acompaña el libro, una relajación que los prepara para conectarse mejor con la experiencia. De acuerdo a la intensidad de la experiencia serán llevados por un camino de relajación más o menos detallado. A continuación proponemos una versión simplificada.

Relajación corta

Cierro los ojos, tomo contacto con el lugar que me sostiene. Si estoy sentado en una silla o en el piso tomo contacto con ellos. Acomodo el cuerpo y me relajo. Inhalo y exhalo profundamente aflojándome cada vez más. Siento el peso de mi cuerpo; estoy sereno (silencio), relajado. Inhalo y exhalo conscientemente (silencio). Poco a poco mis pensamientos se aquietan. Me siento cada vez más en armonía; estoy tranquilo; en cada inhalación me abro hacia arriba (silencio). Me puedo abrir a esta experiencia porque estoy bien arraigado hacia abajo (silencio). Me abro cada vez más, siento que estoy dispuesto a percibir, visualizar, sentir todo lo que se presente... percibo, veo y visualizo, no tengo límites, soy infinito. Inhalo y exhalo (silencio). Estoy conectado con el universo. Confiado me dispongo a recibir lo que me quiere revelar.

Ser canal no resulta fácil al principio. Pero con el tiempo, teniendo predisposición y una práctica continua se consigue "hacerse permeable" y receptivo.

¿Qué es una visualización?

Luego de la relajación estamos preparados para realizar la visualización.

La visualización es una técnica que permite crear o recrear en el interior de la persona experiencias de distintos niveles de profundidad. Ofrece un modo de despertar el maravilloso mundo que vive en nosotros, donde lo conocido y lo desconocido se manifiestan en diversidad de formas, sensaciones e imágenes visuales, auditivas o kinestésicas. Requiere disposición, confianza y un entrenamiento progresivo hasta adquirir cierta destreza.

La palabra visualización se asocia usualmente con imágenes, pero visualizar no quiere decir solamente *"ver con los ojos cerrados"* sino también formar escenas mentales a partir de percepciones, sensaciones o pensamientos sobre algo específico. Situados en los diferentes escenarios que propone el relato, se puede tomar conciencia de otras realidades de nuestra persona, de nuestra vida o de la influencia del entorno; nos conectamos plenamente con nuestro interior. En el proceso se vuelve consciente lo que tenemos dentro, de modo tal que luego se pueda expresar.

Hay varios modos de realizar una visualización: puede realizarse tanto en forma individual como grupal, con guía o sin ella, en silencio o escuchando música. La visualización puede ser "pasiva" cuando dejamos que las imágenes, vivencias o impresiones vengan libremente a nuestra mente. Una vez allí las reconocemos, las hacemos conscientes y podemos jugar o elaborar sobre ellas. También puede ser "activa", cuando creamos estas situaciones a partir de consignas. A esto nos referimos cuando hablamos de "visualización guiada".

La posición natural para visualizar es la siguiente: sentado, con la columna erguida y los miembros relajados. Como paso previo a toda visualización es indispensable hacer una relajación, porque ésta crea un distanciamiento del ritmo y de los temas cotidianos. Como hay diversas técnicas de relajación y formas de realizarlas, incluidas las que proponemos, aconsejamos que cada uno elija aquella con la que se sienta cómodo. En este proceso, el fin es aprender a vaciar la mente de pensamientos que pueden distraer y entregarse plenamente a las consignas permitiendo que todo suceda, dejándolo fluir.

Para comenzar, debemos aprender a aquietar los pensamientos con pequeños ejercicios. Luego se pueden avanzar evocando durante un cierto tiempo imágenes definidas y placenteras. Mientras las visualizan, dejen aflorar las emociones. Pueden dar un paso más y tratar de reconocer la conexión emocional que existe con dichas imágenes.

Las primeras veces que se realizan las visualizaciones guiadas cuesta seguir las consignas dadas porque los pensamientos suelen dispararse hacia temas que nos preocupan. Otras veces, los pensamientos toman forma y los vemos, o sentimos, como un aluvión de imágenes sin control que dificultan la concentración y la tranquilidad que se necesita. Así la visualización no puede avanzar. Esto es totalmente normal al principio, pero con entrenamiento se logra calmar poco a poco los torrentes de pensamientos y seguir las consignas paso a paso. En todo momento —y esto es realmente importante—, debemos mantenernos conectados a nuestro ser, permanecer plenamente conscientes.

Alcanzada la relajación nos dejamos guiar por el texto que hayamos elegido. Es un momento de gran entrega y confianza. Despojada de miedos e inhibiciones, la mente puede alcanzar niveles de conciencia mucho más elevados a través de los cuales se puede acceder a este potencial magnífico que nos brinda el universo. Esto lo podemos recibir bajo la forma de imágenes, sentimientos, sensaciones, sonidos, música o ideas.

El momento de la visualización tiene que ser siempre placentero y de plenitud. La imaginación, la intuición, los sentidos, nos sumergen en sensaciones, sentimientos, imágenes de gran riqueza. La visualización permite acceder a una dimensión más profunda y despertar el mundo que vive en cada uno. Durante todo el proceso, como dijimos antes, debemos permanecer plenamente conscientes y mantenernos conectados a nuestro ser. De este modo, al volver al lugar desde donde partimos, podemos traer con nosotros ese bagaje de vivencias y expresarlo a nuestra manera. Lo conocido y lo desconocido se manifiestan en diversidad de formas, sensaciones e imágenes visuales, auditivas o kinestésicas. Cada uno tiene su propio lenguaje para expresar las vivencias y emociones.

Cada experiencia requiere un gran cuidado por parte de quien propone el ejercicio y de quien lo realiza. Quien guía debe cuidar las reacciones, movimientos o emociones que se manifiestan en las personas que realizan la ejercitación, para darles contención o la respuesta apropiada según sea el caso. También puede suceder que las consignas provoquen emociones negativas o de rechazo en quien está realizando la visualización. Si esto sucede, y el que guía no se da cuenta, uno mismo puede realizar dos o tres respiraciones profundas, apretar las manos, rotar los hombros y pies, abrir lentamente los ojos y permanecer relajado por unos minutos antes de levantarse pausadamente.

Para realizar una visualización sin guía es recomendable haber practicado un tiempo suficiente como para enfrentar estas situaciones sin que resulten angustiantes. Es importante crear el ámbito apropiado, generar un clima de serenidad, donde sentirse contenidos y seguros. Aconsejamos poner la habitación en penumbra y colocar una vela en el centro, el objetivo es crear un punto de referencia donde llevar la atención, lo que permite aquietar los pensamientos y minimizar las distracciones. Fijar la vista en la llama de una vela puede ayudar a concentrarse y tener un punto al cual volver cuando perdemos el contacto con lo que estamos haciendo. Utilizar un suave fondo musical relaja y contribuye a crear un ambiente propicio.

Las visualizaciones se introducen brevemente en el cuerpo del libro, pero se desarrollan plenamente en el CD incluido en la contratapa. Los textos que van a escuchar están en primera persona. La idea es prestarle una voz al "yo" de cada uno. La aceptación de esta voz ayuda a convertirse en el propio guía. En el apartado final, encontrarán los textos completos de las visualizaciones, en su versión escrita.

Advertencia

Esta advertencia está dirigida a las personas que se acercan por primera vez a esta práctica. Con la experiencia creativa se movilizan en cada uno recursos dormidos y la riqueza interior se abre espacio para poder desplegarse. Esto trae reacciones que reflejan la apertura que demanda el ejercicio y la intensidad de las vivencias y de las emociones que afloran al descubrirse o descubrir algo distinto.

Cuando empezamos una actividad física, es común que aparezcan en el cuerpo dolorcitos que nos permiten descubrir músculos que ni sabíamos que existían. Al darle continuidad, las molestias desaparecen. De modo similar, al movilizar la creatividad a través de visualizaciones u otras técnicas, es posible que aparezcan algunos cambios o molestias. Se puede sentir mucho cansancio, dormir más profundamente o, por el contrario, tener insomnio o desvelarse, porque la fantasía se despertó y no para. También pueden manifestarse dolor de cabeza u otras molestias. Todas estas manifestaciones son positivas, demuestran que nuestro potencial creativo se despertó, se activó; ahora podemos seguir ejercitándolo y los resultados beneficiosos se sentirán a corto plazo. Cuando hay una disposición natural al flujo creativo, puede que nada de esto suceda.

Expresión

Los diversos rostros con los que se presentan las ideas creativas no son siempre fáciles de capturar. A veces se manifiestan con total claridad pero en otros casos se asoman tímidamente, son efímeros y tienden a escaparse. ¿Cómo hacer para que este caudal que viene de la inspiración, de la imaginación, de la fantasía o de la intuición no se diluya, no se pierda?

Cuando la creatividad toma vuelo y florece, pueden aparecer las ideas como un desfile interminable de imágenes, como una sensación en las entrañas que pide realización, o como un nuevo camino a explorar y recorrer. ¡Es el momento de expresarla! Si el rostro de la idea está definido podemos plantearla con toda su personalidad y presencia. Elegimos el medio de expresión más adecuado a la naturaleza de la idea, ya sea la palabra escrita, el trazo, el cuerpo o el instrumento musical. Dejen que el impulso de la idea surja desde el corazón, atraviese el cuerpo y lo recorra hasta las manos, hasta los dedos. Si no hay una idea clara, nos apoyamos en las emociones vivenciadas, en los elementos elegidos y jugamos hasta agotar su energía.

Lo vivenciado y su expresión hacen a la totalidad del gesto creativo, en un estado de presente absoluto, o sea, de entrega, libertad y concentración a la vez.

Alcances de la técnica

La técnica de la visualización puede impulsar la creatividad a traspasar límites en un vuelo sin fin. Pero para que sea sustento de una acción creativa con un resultado creativo se necesita capturar la riqueza de esas vivencias en formas concretas. Es sumamente difícil abarcar la totalidad; sin embargo, hacer un borrador en ese momento ayuda a que algunas ideas se amplíen o clarifiquen en ese mismo instante. El recuerdo dura unos pocos momentos, son instantes de gran lucidez que se esfuman si no los registramos.

La concreción después de la visualización es clave para aprovechar todo su potencial. Es como fabricarle un vestido a medida a una idea o a una emoción. Para hacerse visible cada una pide su colorido, sus líneas, su ritmo. Es una tarea exigente que plantea además la necesidad de resolver con ingenio y creatividad las distintas aristas y problemas que se presentan en el camino de la concreción. Durante todo el proceso interactúan los dos hemisferios del cerebro: el yin y el yang.[24] Para poder mantenerse en el mismo clima y materializar las imágenes o ideas, es útil tener los elementos preparados con anterioridad. El momento de la expresión tiene que ser de total libertad y espontaneidad, como si se tratara de un juego. Cada borrador, boceto, esquema o cualquier otro modo de expresión, tiene que salir desde las entrañas, sin censura, sin que intervenga el juicio.

Tiempo de concretar

En el proceso de creación a partir de la visualización se pueden distinguir tres momentos o niveles.

El primer nivel es el momento primario donde nos abrimos a recibir las ideas para luego bajarlas a un plano concreto en borrador. Bajar en borrador significa usar palabras, trazos, colores o sonidos que reflejen, hagan visible, cuenten, describan o nos acerquen a las percepciones o sensaciones vividas o expresen lo imaginado. No se pretende obtener nada pulido sino "crudo pero puro". A medida que las vivencias se proyectan en la conciencia, las visiones van tomando diferentes formas: aparecen las palabras, o surgen dibujos, colores, o tal vez nos incitan a danzar. Esto es un proceso sagrado, donde lo percibido se abre paso hasta nuestra conciencia. Desde allí surge un primer bosquejo de lo que queremos expresar o crear sin gran evaluación técnica, más bien manteniendo el estado emocional y de inspiración. Las personas entrenadas en estas técnicas pueden percibir una pasión que los lleva de lo personal a lo transpersonal.

Si la visualización se ha hecho en grupo, el primer paso se puede dar de diferentes maneras. Una forma es realizar la expresión de manera individual y al finalizar compartir resultados y buscar un significado colectivo. Otra consiste

[24] Ver capítulo 4.

en compartir vivencias e intercambiar percepciones y ver si el conjunto de ellas permite aprovechar la riqueza del grupo y aportar algo nuevo. Es posible que las palabras o los gestos del otro develen visiones o sensaciones propias. El compartir sería como darse permiso para que algo personal, aún no descubierto, pueda asomarse y revelarse. En ese sentido puede ser liberador hablar de lo vivenciado y encontrar oídos dispuestos a escucharnos con interés, ya que se ha compartido la misma experiencia. Otras veces puede que nos irrite el testimonio del otro. Esto es bueno pues moviliza algo más profundo. La comunicación fortalece el flujo de ideas y puede ser portal de inspiración.

En el primer paso se materializa una primera versión de las ideas e información recibida. Cuando ésta tiene una dimensión que requiere una expresión más detallada, o percibimos su potencial como embrión de una obra de mayor envergadura, podemos avanzar al segundo nivel.

El segundo nivel consiste en evaluar cuál sería la manera práctica más favorable para desarrollar esa idea. Recién al pasarlo a la práctica y al tratar de plasmar la idea en toda su magnitud, nos encontramos con toda su complejidad. La elección del medio para expresarnos supone conocimiento y familiaridad con el elemento o instrumento elegido y las técnicas de expresión adecuadas. Cuando los conocimientos que tenemos para concretar la idea resultan insuficientes, sugerimos "largarnos" a probar, aplicar el sistema de "prueba y error" y estar atentos a cómo nos sentimos durante la práctica. Muchas veces las técnicas disponibles nos impiden materializar las ideas tal cual las pensamos; otras veces, las técnicas posibilitan maravillas y la idea original adquiere su rostro pleno. Cuanto mayor es el conocimiento del tema y más diversas son las técnicas que utilizamos, más posibilidades tenemos de aplicarlas individualmente o mezclarlas en el momento propicio, superando de esta manera los límites que individualmente podrían imponer.

Si la idea vale la pena y el conocimiento resulta insuficiente puede ser también una ocasión para aprender una nueva destreza. En los comienzos del aprendizaje es posible sentir que la técnica nos maneja; respondemos conscientemente a las posibilidades que nos ofrece. Pero con los años de práctica esto cambia, nos servimos de la técnica para expresar la idea. Entonces la idea recupera todo su protagonismo y se pone en ella toda la atención y la energía. Esto permite sentirse libres y permanecer en el estadio creativo durante la aplicación de la técnica. Con cada expresión realizada, se abona el camino de la superación y el crecimiento. La destreza se consigue con la práctica. La mano del dibujante tiene otra fluidez y acierto cuando se ejercita. Las manos del pianista necesitan de la práctica constante. El cuerpo de un bailarín, lo mismo que un atleta, necesita del entrenamiento continuo. El vocabulario del escritor requiere ser practicado sin cesar. La práctica ayuda a conseguir la excelencia. Es cuestión de ejercitar, practicar, repetir, volver a hacer, perseverar. Cuanto más entrenamiento tenemos, más fluida resulta la realización.

Cuando la etapa de ideación se realiza en un contexto profesional, este segundo paso es todavía más importante, porque requiere un manejo eficiente de técnicas propias de cada disciplina o actividad. En el transcurso de la materialización de la idea se revelan nuevos aspectos, aparecen impedimentos prácticos que un buen conocimiento del tema y de las técnicas específicas ayuda a superar. Al mismo tiempo los impedimentos pueden actuar como nuevos disparadores de ideas. Por eso es posible que durante la acción se dé otro proceso creativo importantísimo porque en el proceso del "hacer" se disparan nuevas ideas, conexiones, asociaciones, inclusiones, exclusiones, variaciones, etc. Para capitalizar la riqueza del momento es indispensable tener un amplio conocimiento del tema y de diversas técnicas.

El tercer nivel corresponde a la revisión y la crítica constructiva. Es el momento de preguntarse hasta dónde se desarrolló la idea; si ya alcanzó su máxima expresión; cómo se puede pulir la idea, hacerla más clara, perfeccionar detalles o la forma de concretarla. ¿Tiene valor lo hecho o habrá que encararlo desde otro ángulo? Es el momento del análisis riguroso. Revisar si hay nueva información que pudo haber quedado escondida, si las técnicas tienen algo más que ofrecer y si se ha alcanzado el óptimo resultado. El proceso se puede reiterar hasta lograr el resultado deseado. Muchas veces ese proceso fluye con facilidad. Otras veces es un arduo trabajo analítico y de perfeccionamiento, un arduo *ida y vuelta* entre ajustes, limpieza y la búsqueda apasionada hasta hallar su forma definitiva. Cada nivel aporta su riqueza, por eso es bueno reverlos.

En nuestra experiencia la expresión de lo vivenciado se facilita mucho si se utiliza inicialmente el arte en sus distintas formas. El arte es un lenguaje universal que permite expresar todo tipo de vivencias hasta lo más inconsciente. Los elementos propios de las artes como el color, la forma, los sonidos, la palabra o el movimiento, tienen la cualidad de sintetizar ideas inabordables de otro modo. La versatilidad de su lenguaje permite concretar sentimientos o ideas que emergen de tal profundidad que ni siquiera nuestros sentidos pueden acceder. Muchas veces nos va a sorprender lo que surge al expresar estas vivencias, puesto que no siempre lo que se plasma es lo mismo que vimos, sentimos o escuchamos durante la visualización. A veces se alcanzan estados de plenitud, como en la meditación o el amor; momentos maravillosos en que se borran los límites de tiempo y de espacio. Son estados de un presente absoluto.

Entorno creativo

Hasta ahora hemos hablado de diferentes situaciones donde la creatividad es un recurso o parte de una experiencia vital. En varias de ellas ya aparece insinuada la influencia que tiene el ambiente sobre la creación. El entorno creativo es el ambiente material y relacional que rodea a la persona e incentiva el despliegue de los talentos. Su influencia amplía la perspectiva desde la cual miramos el mundo y nos orienta hacia lo desconocido.

El ambiente físico o **material** es lo concreto, se refiere al espacio, al confort, a la luminosidad existente. Incluye elementos que incitan la curiosidad, que despiertan la imaginación, que abren la puerta a la inspiración o que rozan o se detienen en los aspectos artísticos. Un entorno creativo presenta lo diverso e incluye lo distinto.

El ambiente **relacional** abarca el espacio emocional donde las personas comparten tareas, inquietudes o proyectos y donde la sensibilidad y los sentimientos afloran. Para que este ambiente estimule la creatividad deben existir el respeto mutuo, la confianza para conectarse con las emociones y la libertad y el permiso para expresarlas y crear. Un ambiente creativo tiene espacio para todos.

La importancia del ambiente

Hay ambientes ideales donde se dan todas las condiciones físicas y emocionales para que las ideas fluyan. Son lugares luminosos, dinámicos, confortables y alegres con espacios para el silencio, el diálogo, la originalidad y con abundancia de materiales propios de la actividad. Hoy este concepto ha sido asimilado por muchas organizaciones que se preocupan por el espacio físico donde trabajan sus empleados y ponen a disposición elementos específicos según la personalidad, inclinaciones y especialidad de cada uno. Otras se preocupan por embellecerlo con obras de arte o estimulan a que los mismos empleados tengan lugares donde apreciar objetos de arte u objetos diversos. La idea es crear un ambiente que estimule la creación, la colaboración y la sinergia.

Sin embargo, en la mayoría de los casos, los ambientes reales son una mezcla de situaciones favorables con otras que obstaculizan la inspiración y el trabajo creativo: ruidos molestos, movimiento permanente, personas excesivamente controladoras, palabras descalificadoras, interrupciones no previstas, presión de tiempo, la entrada constante de información, temperaturas extremas y muchas más. Lo destacable es que la creatividad y el deseo de expresarse pueden vencer y elevarse por encima de las limitaciones. Un ejemplo es la Unidad Correccional de Ezeiza[25] que —como tantos otros lugares marcados por la escasez, la violencia o la tristeza—, han permitido a decenas de mujeres y hombres la expresión artística de sus vivencias más profundas. Ésta es una prueba más de que la creatividad es una energía inmensa que se manifiesta, como vimos anteriormente, influida por el ambiente y las circunstancias en las que se encuentra cada persona, pero a la vez permite revelar la riqueza natural de cada uno y la capacidad de superar la adversidad. Es posible que en la práctica no sea sencillo vivir la libertad interna ni mantener un clima de

[25] Ver nota 3 al final del libro.

serenidad donde sentirse seguros y contenidos para crear. Para facilitar el hecho creativo, además de estar atento y comprender lo que acontece a nuestro alrededor y en nuestro interior, hay que aprender a manejar las restricciones optando por la forma de vivirlo. Mencionamos algunas:

- ser conscientes de las falencias y tratar de mejorarlas. Por ejemplo, poner límite a las interrupciones, molestias o juicios descalificantes;
- ser flexibles, adaptarse y minimizar la influencia negativa, sea física o anímica;
- identificar los elementos positivos del entorno e integrarlos al trabajo plenamente;
- cambiar lo negativo en positivo. Usar la adrenalina del enojo o la molestia para inventar formas alternativas de acción;
- priorizar el objetivo: poner el foco y la energía en él, minimizando otros factores.

Para eso es sumamente importante tener confianza en uno mismo, ignorar la posibilidad de ser juzgado o criticado y permanecer fiel a sí mismo. Esta actitud facilita hacer nuestra contribución de ideas y disfrutar de las ajenas.

Capítulo 4

Cerebro, mente, conciencia en la creatividad

El cerebro, aún un misterio
El Yin y el Yang, otra mirada
El hemisferio yang (izquierdo)
El hemisferio yin (derecho)
Interacciones

Características de los hemisferios cerebrales

Interconexión hemisferios-corazón

Hemisferios. Distintos y sinérgicos

Contar el color

Porqué de a dos

Ejercicio con recortes

Una mirada limitada
Influencia cultural

Mente. Conciencia
La mente
La conciencia

Compleja unidad

4

Frente a las manifestaciones creativas han surgido a través del tiempo incontables interrogantes:[26] ¿de dónde vienen las ideas?, ¿cómo intervienen el cerebro, la mente y la conciencia en el proceso creativo?, ¿qué hace que una persona sea creativa?, y muchísimos más.

Nuestro abordaje al tema es práctico pues surge de la experiencia profesional más que de una interpretación de teorías vigentes, aunque reconocemos su influencia en la manera de plantear los diversos temas. En nuestra visión, la mayoría de las personas no se conforman sólo con existir, sino que también buscan su plenitud, la posibilidad de expresar sus capacidades y de dejar su huella. Para ello los seres humanos poseen una estructura física, psíquica y espiritual que hace de soporte a la actividad creativa. Por eso es vital prestarles atención a las funciones de nuestro cerebro, ya que éste interviene en la posibilidad de conocer, sentir, amar, elegir y decidir. Allí se esconde gran parte de nuestra potencialidad del hacer. Conocer su funcionamiento —aunque sea básicamente— puede facilitar el entrenamiento y los aprendizajes que nos ayudarán a ser más creativos. Esto requiere ampliar la mente, sensibilizar el corazón y tener una mayor conciencia de todos los recursos internos y externos disponibles.

---

[26] Ver nota 4 al final del libro.

El cerebro, aún un misterio

El cerebro es la estructura física que centraliza las distintas funciones y actividades del cuerpo y de la mente, según el conocimiento occidental. El elemento estructural básico es la célula cerebral o neurona. El cerebro ocupa un lugar de privilegio en el desarrollo de la creatividad porque en él se combinan y amalgaman sentimientos y pensamientos que impulsan el crecimiento del ser a nuevas dimensiones. ¡Es un instrumento maravilloso!

Hay distintas miradas sobre la estructura y las funciones del cerebro en relación a la creatividad. Mencionamos brevemente al cerebro triuno[27] que diferencia tres zonas en su estructura. Las dos primeras se relacionan con los instintos, las emociones y la afectividad, y la tercera está vinculada al intelecto. Si bien a este último se lo relaciona directamente con la creatividad, su participación no es exclusiva.

En el **cerebro triuno**, cada zona guarda un paralelismo con la evolución del embrión humano a lo largo del tiempo. Estas zonas se presentan de adentro hacia fuera desde lo más primitivo hasta lo más evolucionado. La más interior se denomina sistema **reptílico** (*reptilian*), sede de los instintos orientados a la supervivencia, la territorialidad y la reproducción. Lo envuelve el sistema **límbico** (*limbic*), sede de las emociones y de los sentimientos. En la parte más externa se encuentra el **neocórtex**, allí operan la inteligencia, la memoria y todos los elementos que permiten el pensamiento abstracto y el lenguaje. Además, esta zona hace posible razonar, visualizar y crear. De acuerdo a las condiciones físicas y culturales de cada persona, predominará en las conductas la influencia de uno u otro.

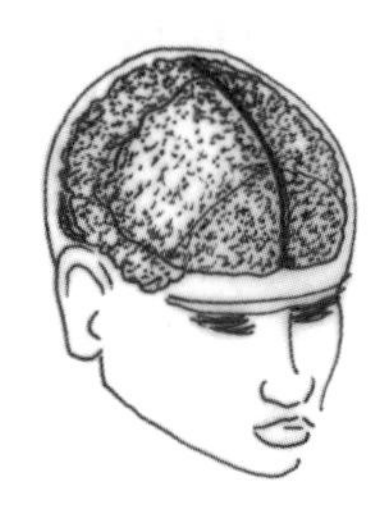

Pero quizá el enfoque más difundido hasta el momento, en relación a la creatividad, sea el de los **hemisferios cerebrales**, que interpreta el funcionamiento del cerebro a partir de sus dos hemisferios.[28] De modo simplificado, asocia a cada uno con la función lógica (hemisferio izquierdo) y la creativa (hemisferio derecho). Toma como base el hecho de que la masa cerebral se distribuye en dos hemisferios alojados a la derecha e izquierda respectivamente de la cavidad craneana. Ambos están unidos por el cuerpo calloso, que es un haz de millones de fibras nerviosas que permite el traspaso de información entre ellos. Cada uno de los hemisferios posee una compleja estructura con funciones diferenciadas que no describiremos aquí, sino que solamente las mencionaremos en su relación con la creatividad.

---

[27] Concepto desarrollado por el Dr. Paul Mac Lean, neurocientífico estadounidense. www.personarte.com/cerebrotriuno.htm

[28] Carlos Alberto Gonzalez Quitian, "Creatividad, orígenes y tendencias", Programa estratégico de gestión creativa, Universidad Nacional de Colombia, sede Manizales.

Al **hemisferio izquierdo** se lo asocia con procesos secuenciales, verbales, lógicos y convergentes. Se corresponde con la mente racional. Ella discierne, separa, analiza, sintetiza y evalúa críticamente los datos que recibe convirtiéndolos en información. Permite la comunicación verbal. Planifica y ejecuta planes elaborados.

Al **hemisferio derecho** se lo asocia con procesos holísticos, figurativos, analógicos y divergentes. Se lo vincula a la mente creativa e intuitiva que se expresa en la imaginación, la fantasía y la curiosidad. Ve la totalidad, absorbe la información, la incorpora frecuentemente sin cuestionarla o analizarla. Es por eso que le daremos mucho énfasis.

Por delante de los hemisferios se encuentran los *lóbulos frontales.* Ellos se ocupan de las funciones motoras conscientes, mientras que el área *prefrontal* controla funciones más elevadas como: pensar, conceptualizar, planificar y vetar impulsos que considera negativos. Además, esta área desempeña una función muy importante en la apreciación consciente de las emociones (sentimientos). El buen desarrollo supone una buena evolución de los lóbulos prefrontales que nos ayuda a superar los condicionamientos de los instintos. Se ha descubierto una relación muy interesante entre algunas conductas y los lóbulos prefrontales. Durante el período de crecimiento del niño, la corteza cerebral se completa, lo que habilita a la persona a aprender y conservar el aprendizaje consciente realizado. También le da control sobre el comportamiento instintivo. Una maduración insuficiente puede provocar conductas perjudiciales para la misma persona o sus semejantes y bloquear la creatividad.[29]

Si bien cada hemisferio alberga funciones específicas, el cerebro es una unidad.

El Yin y el Yang, otra mirada

Este concepto de unidad en la dualidad es similar al que contiene los símbolos orientales "yin" y "yang". Yin y yang son conceptos provenientes del Antiguo Oriente que simbolizan la unidad y la armonía entre los opuestos, donde cada uno contiene intrínsecamente al otro. El yang simboliza la "energía activa" atribuida a la esencia masculina y el yin simboliza la "energía receptiva" asociada a la esencia femenina. Son dos energías entrelazadas que dan a cada ser humano la potencialidad de la totalidad. Desde esta perspectiva nada es tan rígido ni absoluto como masculino o femenino, o blanco o negro. De modo similar, nuestro desafío para lograr la plenitud del potencial racional y creativo implica hacer un uso equilibrado de la potencialidad de ambos hemisferios.

Hemos simplificado y unificado las características de ambos enfoques —occidental y oriental— para aprovechar, de cada una, su riqueza y así presentar una descripción más integral. Tanto el pensamiento analógico como el acceso al mundo simbólico son vías a la creatividad.

[29] Asociación Educar para el Desarrollo Humano. www.asociacioneducar.com

El hemisferio yang (izquierdo)

Se identifica con el pensamiento racional y con la mirada analítica. Las capacidades de este hemisferio están ligadas a la racionalidad, al pensamiento, al discernimiento, a la acción y al control. Algunas de las funciones principales de este hemisferio son: dividir, analizar, focalizar, calcular, juzgar y actuar. Descifra analítica y racionalmente todos los estímulos que le llegan. Es el encargado del cálculo y la numeración. Es el que actúa cuando planteamos críticamente una idea creativa, discerniendo para elegir lo más adecuado.

El hemisferio izquierdo actúa desde el pensamiento lógico que tiene entre sus funciones características: abstraer, separar, aislar, clasificar, priorizar elementos, ideas o conceptos para luego poder ordenarlos y alcanzar una conclusión. A través de las partes se facilita la comprensión del todo. La acción se refiere a la capacidad de decidir y efectivizar, a pensar activamente y movilizarnos físicamente para concretar una decisión. Interviene en la planificación lógica y en la concreción práctica de las ideas. Al focalizar, da plena atención al objetivo deseado. Fortalece la direccionalidad y la elección de los elementos para lograr este o aquel objetivo. Esto muchas veces provoca actitudes excluyentes.

El hemisferio izquierdo, el racional, aloja los centros nerviosos que soportan las funciones de la lógica y la estructura del pensamiento, de la lectura y la escritura. En su estructura, el hemisferio izquierdo contiene más materia gris (cuerpos celulares). El entramado es mucho más denso y apretado, por ello puede realizar tareas que precisan *concentración y cooperación* estrecha entre neuronas dedicadas a funciones similares.[30]

La noción del tiempo es propia de este hemisferio.

El hemisferio yin (derecho)

El hemisferio derecho actúa desde una conciencia de unidad e integración. Habilita la visión de conjunto y permite la interpretación de estructuras complejas sin que intervenga el razonamiento. Sus capacidades son imaginar, soñar, fantasear, concebir y estructurar elementos que no existen en la realidad. Es el receptor y generador de ideas creativas, desconoce la noción de tiempo y facilita el acceso al ocio creativo. La creatividad se hace más fecunda en la espera, en el ocio. En su estructura, el hemisferio derecho contiene más materia blanca (axones). Los axones son más largos y conectan neuronas que están más alejadas. Significa que puede conectar mejor varios módulos. Integra mejor los estímulos sensoriales y emocionales.[31] ¿Será por ello que produce conceptos amplios pero más vagos?

Su funcionamiento permite percibir el mundo holísticamente, como una totalidad; incluye las emociones y las experiencias que lo hacen vivencial. Regis-

---

[30] Asociación Educar para el Desarrollo Humano. Material del curso de Psiconeuroeducación, 2009.

[31] Herbert Benson, M.D. *El Poder de la Mente*, Grijalbo, Barcelona, 1989.

tra datos con amplitud y admite y puede relacionar lo diverso; ya sean conceptos, ideas, elementos, etc.; hace de puente entre lo real y lo irreal, entre lo conocido y lo indescifrable. A pesar de trabajar de modo impreciso, posee una gran capacidad receptiva. Es el gran trampolín a la creatividad, a la generación de ideas y a la creación de nuevas realidades.

En este hemisferio reside el pensamiento analógico y simbólico. El pensamiento analógico se manifiesta cuando nuestra mente identifica intuitiva y espontáneamente similitud, afinidad o semejanza entre cosas, hechos y situaciones aparentemente no vinculados. Su importancia reside en que extiende la dimensión horizontal del saber y origina nuevas e inesperadas conexiones con lo que nos rodea. En la práctica, la analogía es un recurso para acercarse a la comprensión de una realidad proponiendo como estímulo un hecho, situación o elemento familiar. El pensamiento simbólico está referido a la capacidad de encontrar formas de representar la realidad en palabras o símbolos manteniendo su significado colectivo. El pensamiento simbólico surge cuando el significado brota del inconsciente colectivo y se manifiesta en innumerables formas y sentidos. Es una capacidad que permite crear el arte y la cultura.

Interacciones

Sin embargo, sin la intervención del hemisferio yang, el proceso creativo no estaría completo ya que éste aporta los criterios que permiten analizar, evaluar y elegir las mejores ideas para transformarlas en soluciones.

Las características propias de cada hemisferio se combinan en cada persona de modo diferente. Cada combinación influye en la manera de recibir y dar información, de crear y de tomar decisiones. En este proceso, la información se retiene de modo superficial o más profundo según la intensidad de las emociones, el uso de uno o más sentidos, el uso preferente de alguno de los hemisferios o las circunstancias que rodean la situación. Por ejemplo, una experiencia que trajo mucha alegría o fue muy difícil de transitar, suele recordarse más fácilmente. Así se alimenta la memoria y un mecanismo por el cual de algún modo la mente, frente a un acontecimiento, decide qué datos incorpora y cuáles ignora. Pensamos que esto explica por qué algunas personas no registran ciertos hechos o datos. Esto influye en la mirada posterior y en el modo de responder. Cuando se viven emociones muy profundas, el corazón almacena recuerdos e impresiones. A mayor apertura, mayor será el caudal creativo a disposición.

Características de los hemisferios cerebrales

El hemisferio cerebral izquierdo controla la actividad de la parte derecha del cuerpo y el hemisferio derecho se corresponde con la actividad de la parte izquierda del cuerpo, de modo que la información sensorial llega cruzada. Esto puede provocar diferencias de percepción en cada uno de los sentidos.

Hemisferio izquierdo Controla la parte derecha del cuerpo	**Hemisferio derecho** Controla el lado izquierdo del cuerpo
- *Focalizado* - *Lógico* - *Racional* - *Verbal* - *Numeral* - *Analítico* - *Secuencial* - *Calculador* - *Objetivo* - *Lineal* - *Abstracto*	- *Holístico* - *Intuitivo* - *Simultáneo* - *Integrado* - *Espacial* - *Imaginativo* - *Comunicativo* - *Expresivo* - *Musical* - *Simbólico* - *Espiritual* - *Empático*

El cuadro anterior es resultado de un ordenamiento lógico en el cual se observa lo específico de cada hemisferio.

A continuación, lo comparamos con otro cuadro que utiliza, para su elaboración, un juego que conjuga restricciones con imaginación. En este caso se utiliza cada letra de las palabras CONTROLADOR e IMAGINATIVO para armar nuevos términos que representen significados característicos de cada hemisferio. Damos un ejemplo a continuación.

Hemisferio izquierdo (controlador)	**Hemisferio derecho (imaginativo)**
C ontrolador	I maginativo
O rganiza el lado derecho del cuerpo	M aneja el lado izquierdo del cuerpo
N umérico	A pasionado
T exual, verbal	G enera emociones
R egulador, normativo	I dealista, ilimitado
O rdenado, secuencial	N ovedoso
L iteral. Lineal	A socia con metáforas
A nalítico	T onos, sonidos, musical
D isciplinado	I nduce a la creatividad
O bjetivo	V isionario, holístico
R eglamentario	O rientado a la percepción de colores, olores, sabores

Aunque esta manera de organizar la información enfatiza el uso del hemisferio derecho —el yin—, el cuadro final no se podría lograr sin la intervención del hemisferio izquierdo —el yang—. O sea que, se combina el uso de ambos al ejercitar la asociación y la imaginación imponiéndoles ciertos límites —las ideas deben respetar un marco conceptual—.

A los que se animen les proponemos que inventen otros cuadros siguiendo esta técnica y nos envíen los resultados a nuestros mails. Al realizar la tarea sugerimos recordar algunas reglas básicas: no cerrarse de antemano a nada, abrirse, recibir lo desconocido, aceptarlo y, finalmente, elegir los más apropiados. Apertura, flexibilidad y disposición al aprendizaje son actitudes que ayudan a disparar y sostener el proceso creativo.

Interconexión hemisferios-corazón

A continuación se propone como ejercicio una **visualización** que está dirigida a estimular una mayor conexión entre los hemisferios cerebrales. Dado que ambos contienen información que ingresa por distintos canales, fomentar su comunicación abre nuevas posibilidades a la percepción y por tanto a la creatividad. Incluir el corazón agrega energía y profundidad a la experiencia.

Antes de comenzar esta visualización, hagan una relajación que les permita lograr el clima adecuado, llevando toda la atención hacia el interior.

Visualización

Me siento relajado, pongo las palmas de las manos sobre mi cabeza, una sobre cada lado, consciente de que allí es donde se aloja el cerebro. Empiezo a sentir un calorcito en las manos como si no existiera distancia (silencio).

Percibo claramente que ese calorcito viene de mi cerebro yang y de mi cerebro yin (silencio). Imagino a ambos unidos por el cuerpo calloso; me doy tiempo para sentirlos (silencio). Una vez que lo percibo, decido ir un paso más allá. Siento en la palma de mis manos la humedad de cada cerebro (silencio). Con cada minuto que pasa la sensación se hace más intensa. Mantengo el contacto con mis dos hemisferios (silencio). Los siento en cada una de mis manos (silencio). Percibo su temperatura, su humedad, su suavidad.

Ahora, en mi imaginación, el cerebro se adhiere a la palma de las manos, dejo que cada hemisferio cerebral se adhiera en la mano correspondiente. Una vez que los siento pegados a mis manos, me imagino como el cuerpo calloso los une. Con mi imaginación permito que esta conexión se vaya intensificando (silencio). Percibo la energía de ambos (silencio). Noto claramente que la conexión entre ambos aumenta y que la comunicación es mayor. Cada hemisferio está preparado para recibir la información de modo diferente. Sin embargo, al aumentar la conexión entre ambos, el ida y vuelta de la información se hace más fecundo. Siento mayor libertad (silencio). Poco a poco permito que los límites entre ambos se diluyan. Las palmas de mis manos sienten los dos hemisferios y los habilitan para aumentar la comunicación (silencio). Participo atenta como sucede el fluir, me imagino que esa conexión se amplía cada vez más hasta que se borran las distancias y el cerebro se vuelve uno.

Siento cómo mis dos hemisferios cerebrales están interconectados y todo fluye (silencio). La información y la percepción fluyen y fluyen y fluyen (silencio)... Ahora, se conocen y se reconocen parte de una misma realidad. Están más abiertos y dispuestos a compartir la información que guarda cada uno. Siento una conexión clarísima con mi cerebro. ¡Siento su energía! Ahora mis dos hemisferios se comunican libremente.

La información fluye de derecha a izquierda y de izquierda a derecha, están plenamente conectados. Siento en la palma de las manos cómo los hemisferios se reconocen el uno con el otro. Disfruto de una paz total (silencio). Me tomo un tiempo para vivenciar lo que está sucediendo (silencio).

Ahora con mi imaginación visualizo un óvalo que abarca el espacio superior a mis dos hemisferios cerebrales y el espacio inferior al corazón. Llevo plena atención hacia el corazón, visualizo mi corazón, me abro a percibir la emoción. ¿Qué emoción surge? Siento que cerebro y corazón se comunican plenamente, permanezco en silencio y observo cómo ambas energías se conectan. El corazón está al servicio del cerebro, y el cerebro está al servicio del corazón. Disfruto de este momento de plenitud, me siento en paz.

De a poco, y a mi tiempo, me preparo para regresar al lugar desde donde partí. Ayudándome con la respiración, muy lentamente empiezo a desprender cada hemisferio de la palma de la mano. Inhalo y exhalo (silencio).

Con la imaginación dejo reposar al cerebro en su hábitat, en su lugar original, y le doy la orden de seguir comunicados, de mantener la receptividad, la apertura y el diálogo (silencio). Respiro conscientemente, inhalo y exhalo... Una vez que siento la tranquilidad de que todo está en su lugar, bajo las manos lentamente pasándolas por delante de la cara hasta que vuelven a descansar en el regazo. Guardo la grata sensación vivida, el calorcito, la comunicación, la emoción. Mantengo esta percepción un momento más (silencio). Cuando siento que estoy totalmente tranquilo y en reposo, inhalo y exhalo con mayor profundidad cada vez, hasta que estoy listo para abrir los ojos. Vuelvo con la conciencia a este lugar, a este asiento, a este instante. Abro los ojos. Estoy aquí y ahora, consciente y confiado.

¿Sintieron el calorcito? ¿Sintieron la humedad? ¿Percibieron cómo paulatinamente los hemisferios se interconectaron mejor? ¿Percibieron algún cambio al incluir al corazón?

Con este ejercicio ensayamos, en forma experimental, una manera de aumentar la interconexión de los dos hemisferios comunicándolos, a su vez, con el corazón. En la práctica personal hemos comprobado que ejercicios como el que acabamos de realizar son propuestas que sirven para mejorar la receptividad y ampliar la percepción y la fluidez entre ambos hemisferios. Este ejercicio es recomendable cuando estamos estresados, bloqueados o presionados. Esta práctica contribuye a deshacerse del estrés y lograr, en menor tiempo, estar centrados y dispuestos para la actividad creativa.

Hemisferios. Distintos y sinérgicos

Para familiarizarse con la existencia y capacidades vinculadas a cada hemisferio se han desarrollado una variedad de ejercicios: escribir con la mano contraria a la habitual, rotar un pie en el sentido de las agujas mientras se traza un círculo con la mano predominante en sentido contrario y decenas más. Nuestro interés aquí es otro: consiste en detectar la mirada holística del cerebro yin y estimular la conexión fluida entre ambos. El ejercicio que proponemos a continuación nos puede ayudar a lograrlo.

Contar el color

Se trata de un ejercicio grupal cuyo número de participantes —si bien no existe un límite predeterminado— no debería superar las treinta personas.

Se necesitan dos espacios: en el primero se reúnen los participantes para recibir la explicación de las reglas de juego y allí vuelven, luego de realizar la experiencia, para analizar el resultado. El segundo espacio puede ser un jardín, un lugar abierto, una casa o un ambiente donde las personas puedan circular con cierta comodidad. Lo fundamental es que tenga una gran variedad de objetos o elementos de colores diversos.

El que dirige elige un color que abunde en el segundo espacio. Supongamos, el amarillo. Luego, da a los participantes la consigna de ingresar al segundo espacio y contar todos los objetos que tengan el color amarillo. Luego les advierte: *"Mientras caminan y cuentan los elementos de color amarillo, recuerden que deben usar los dos hemisferios cerebrales. Denle énfasis al cerebro yin, el amplio, que ve todo a la vez. Tómense el tiempo para ver todo bien. Cuando lo tengan claro, vuelvan a este lugar para poner en común lo que vieron".*

Los participantes salen en silencio a realizar el ejercicio de contar los objetos amarillos. Después de un tiempo no mayor a diez minutos, todos regresan al primer espacio, se ponen cómodos y se les pregunta: *"¿Qué es lo que vieron en color azul?"* ¡Qué desconcierto se produce!

Normalmente surgen los reclamos de que la consigna era contar los objetos de color amarillo. Esto es cierto, pero en realidad la consigna fue además utilizar el hemisferio yin, que ve todo a la vez. Al preguntarles nuevamente qué vieron de color azul, se busca que tomen conciencia de que el cerebro yin estuvo activo y guardó a su vez otra información. Se ofrece un tiempo prudencial como para que cada uno identifique en su memoria todo lo que vio en color azul. Es sorprendente la cantidad de objetos que pueden recordar sin haberles prestado atención conscientemente. Esa es una prueba de la manera en que trabajan los dos hemisferios y la forma particular de actuar de cada uno. Al recibir la orden de contar el amarillo, el cerebro yang responde en la forma habitual y focaliza su atención en lo que le fue indicado. Por eso, el registro consciente lo realiza sobre el color amarillo. Sin embargo, el cerebro yin también está activo. Nuestros ojos filman todo, aunque no tengamos conciencia de toda la información registrada. Con la participación del cerebro yin —que ha hecho su trabajo de filmar la totalidad—, se puede, con entrenamiento, evocar lo vivido y traer a la conciencia mayor cantidad de información que la que detectó el cerebro yang originalmente. Con esto experimentamos en la práctica cómo actúa nuestro cerebro derecho. A la vez se demuestra que este potencial es poco aprovechado porque se utiliza prioritariamente la visión del cerebro racional, que responde a consignas puntuales.

Este ejercicio se puede realizar a partir de diferentes consignas. Por ejemplo, si se dispone de un espacio verde, se puede enviar al grupo allí con la consigna de que memoricen en detalle las flores para luego dibujarlas o describirlas. Al regreso, se les pide que dibujen o describan las hojas de las plantas, en lugar de las flores. Su creatividad seguramente les permitirá inventar otros ejemplos que apunten al mismo fin. La regla general es dar una consigna y luego preguntar por algo diferente a aquello a lo que se prestó específica atención.

Por qué de a dos

La dificultad para responder a la consigna del ejercicio anterior pone de manifiesto que no estamos acostumbrados a combinar las capacidades de ambos hemisferios y, por ello, queda información disponible que podría enriquecer nuestra visión de las cosas. Entender cómo actúan y se complementan permite utilizar mejor este potencial y reconocer situaciones extremas donde predomina uno, anulando la contribución del otro. Por ejemplo, mirar los hechos desde una única óptica puede anclarnos en una necesidad, en una postura, en un punto de vista, y dejar que ocupe toda nuestra atención. En ese caso corremos el riesgo de encasillarnos y perder de vista otras oportunidades que también están disponibles. El protagonismo, en este caso, lo tiene el hemisferio izquierdo. Otra situación extrema podría ser ver la totalidad de elementos de una situación pero no poder ordenarlos ni priorizarlos. En este caso, podemos quedar inmersos en un caos de ideas con el riesgo de no decidir ni concretar nada, nunca. Aquí el protagonista dominante es el hemisferio derecho.

Cada hemisferio tiene e impone sus propios límites. Sin embargo, cuando ambos hemisferios suman su potencial e incluyen al corazón, pueden aumentar considerablemente la capacidad de imaginar, concretar y lograr resultados. Se abre, así, una puerta para acceder a dimensiones que contienen la totalidad. Se prepara un espacio para que la información fluya entre una dimensión intangible de trascendencia y belleza con otra igualmente inabarcable donde rigen las leyes y un orden donde todo converge en una unidad. Integrándolos en el día a día, un ser humano alcanzaría un mayor desarrollo y equilibrio.

Nuestro interés es precisamente contribuir al desarrollo de una relación más equilibrada y fecunda entre ambos. Son pequeños pasos cuyo resultado en el tiempo se traduce en una mayor creatividad. Cuando usamos los dos hemisferios somos una mejor caja receptora. Para ello hay que revalorizar el hemisferio yin, darle énfasis y la oportunidad de intervenir conscientemente.

Ejercicio con recortes

Para entrenar la conexión entre hemisferios cerebrales se puede también realizar el siguiente ejercicio. Se forman grupos de tres a cinco personas y se distribuyen revistas y una hoja blanca grande para cada grupo.

Para comenzar el ejercicio se plantea una pregunta, por ejemplo: *¿Qué características tiene para ustedes una persona creativa?* El objetivo de la tarea es armar con el material una imagen colectiva o collage que represente la respuesta del grupo.

Se le pide a cada participante que recorte algunas imágenes que mejor representen la respuesta, con la advertencia de que esta elección tiene que surgir espontáneamente, desde el sentimiento y la intuición, desde el corazón. No es una elección racional.

Las imágenes recortadas se ponen sobre la mesa. En absoluto silencio, los integrantes del grupo, dejando aflorar la intuición y la imaginación, mueven y organizan las imágenes sobre el papel en blanco buscando formar una figura que las contenga a todas. Durante ese tiempo, es importante estar abierto y sensible a la necesidad de expresión de cada uno para poder integrarla en una expresión común. El grupo trabaja sin hablar; sólo se permite algún gesto de consentimiento o negación. En completo silencio se mueven las imágenes hasta llegar a un acuerdo, hasta que cada recorte tenga su ubicación definitiva. Alcanzado este punto, ya nadie siente la necesidad de seguir moviendo las imágenes. Con esta composición grupal se responde la pregunta inicial. Hasta aquí se ha trabajado utilizando la visión holística y la sensibilidad del hemisferio yin.

Ahora se le pide a cada persona que haga por turno una interpretación de lo que le sugiere la figura lograda. En ese punto comienza a actuar el hemisferio yang con su potencial analítico. Cada uno deberá poner en palabras el sentido que le encontró a las imágenes. Se notará al verbalizar que, a pesar de partir de una misma figura sobre la que hubo acuerdo, al expresarse aparecen una gran variedad de enfoques e interpretaciones. El conocimiento, las experiencias o los valores que cada persona tiene registrado en su cerebro yang originan esta diversidad. Como resultado de esto, el amplio contenido representado en la imagen original queda recortado en cada persona, fiel a su visión y a su subjetividad.

Una vez que cada participante tiene claro el sentido, se le pide una frase que sintetice su respuesta a la pregunta inicial, sobre las características de la persona creativa. Cada respuesta se registra y se compara con las restantes.

En este ejercicio, el cerebro yin coopera seleccionando intuitivamente y asociando imágenes en una respuesta abarcativa que es capaz de revelar en un instante la esencia de una totalidad. La respuesta que da el cerebro yang hace posible que esa totalidad indecible alcance una forma concreta que puede ser expresada en palabras y comprendida por el otro.

Una mirada limitada

Hay una historia lindísima que deseamos compartir que ilustra cómo, en la vida de cada uno, hay una riqueza que no llegamos a ver porque estamos demasiado concentrados en lo que sabemos o conocemos. La historia se basa en un diálogo entre un médico cuya vida llegó al cine, el Dr. Patch Adams (fundador del Gesundheits Institut en 1972), y otro paciente que se estaba recuperando de una depresión, el Dr. Arthur Mendelson.

Dicen que en su primer encuentro Mendelson se enfrenta a Adams y le muestra su mano con el dedo pulgar escondido. Le pregunta cuántos dedos ve y Adams le responde que ve cuatro. Mendelson se aleja contrariado. Cuando esa noche Adams se acerca para pedirle que comparta la solución, éste le vuelve a mostrar la mano con el pulgar escondido. "¿Cuántos dedos ve?" "Cuatro", responde nuevamente. Entonces le dice: "Te estás fijando en el problema. Así no podrás ver la solución. Fíjate en mí". Al desenfocar la mirada ve ocho dedos. "Ocho", responde esta vez. "¡Sí, ocho es la respuesta correcta! Ve lo que nadie más ve. Ve lo que todos deciden no ver por temor, o conformidad, o pereza. ¡Ve un mundo nuevo cada día!"

Influencia cultural

Culturalmente estamos condicionados a utilizar más el hemisferio izquierdo (yang) que el derecho (yin) porque desde chicos se nos alienta a ser lógicos, a ordenar el razonamiento, a descubrir lo que no concuerda, a fundamentar lo que se dice. Aprendemos a evaluar lo bueno y lo malo, lo correcto y lo incorrecto, lo útil y lo inútil...

No es que esto sea malo, todo lo contrario, de hecho permite crecer en el conocimiento y nos ayuda a simplificar y automatizar una cantidad de actividades. El inconveniente que se advierte es que la forma lógica de razonamiento lleva a descartar, muchas veces, datos a los que no se les reconoce un valor inmediato. A lo que aparece como espontáneo, impulsivo, fruto de la intuición o de la imaginación se le da menos valor, hasta el punto de que muchas personas olvidan o desprecian estos recursos.

El cerebro yang es empírico, es el que categoriza, juzga y sentencia: *"esto sirve"*, *"esto no sirve"*, *"esto es blanco"*, *"esto es negro"*. Separa lo aceptable de lo inaceptable. Permite orden y jerarquía. Sobre esta base, las culturas propias de Occidente han desarrollado sistemas de valores en los que importan principalmente los resultados y los hechos que se pueden medir, controlar o repetir. Estos sistemas de valores han sido parte de la fuerza que ha impulsado el camino de la ciencia, del progreso económico y de los sistemas educativos en general. Sin embargo, llevados al extremo, han endurecido la espontaneidad y encorsetado la libertad interior de muchas personas u organizaciones para explorar o experimentar con nuevos conceptos. En esta perspectiva resulta más "valiosa" una persona cumplidora que una creativa. Esta perspectiva tiende a sustentar una visión limitada, previsible y, hasta cierto punto, materialista de la vida.

Frente a este enfoque surgen, a lo largo de la historia, numerosos ejemplos de personas que se animaron a "romper el molde" establecido, demostrando que había otra manera de pensar o de hacer. Aristóteles, Dalí, Cezanne, Einstein, Ford, Jobs, Ortega y Gasset, Shakespeare, la Madre Teresa, Darwin, Favaloro, entre tantos otros, eligieron desafiar lo conocido. Hoy, como entonces, esta decisión demanda sobre todo coraje para encontrar y seguir un camino nuevo y diferente, pero requiere, además, visión y creatividad.

Es importante entender esta realidad para animarse a buscar formas alternativas de recorrer el propio camino, sin inhibir talentos ni capacidades. Animarse siempre ha resultado enriquecedor en lo personal y lo espiritual. La utilización del conocimiento, la dedicación a un tema, la planificación y la acción, todo esto combinado con la intuición, los sueños, la imaginación y la pasión, permite ampliar considerablemente las posibilidades y los resultados. El camino de la plenitud creativa se logra desarrollando y utilizando con total fluidez el potencial de ambos hemisferios.

Compartimos un cuento en el que se contraponen la fantasía y la racionalidad para crear una historia donde todo es posible.[32]

Jacobo, el niño tonto, solía subirse a la azotea y espiar la vida de los vecinos. Esa noche de verano el farmacéutico y su señora estaban en el patio, bebiendo un refresco y comiendo una torta, cuando oyeron que el niño andaba por la azotea.

—¡Chist!— cuchicheó el farmacéutico a su mujer. —Ahí está otra vez Jacobo. No mires. Debe de estar espiándonos. Le voy a dar una lección. Sígueme la conversación, como si nada...

Entonces, alzando la voz dijo:

—Esta torta está sabrosísima. Tendrás que guardarla cuando entremos, no sea que alguien se la robe.

—¡Cómo la van a robar! La puerta de la calle está cerrada con llave. Las ventanas, con las persianas apestilladas.

---

[32] Enrique Anderson Imbert, "Luna", *El gato de Cheshire,* Losada, Buenos Aires, 1965.

—Y... alguien podría bajar desde la azotea.

—Imposible. No hay escaleras; las paredes del patio son lisas...

—Bueno: te diré un secreto. En noches como ésta bastaría que una persona dijera tres vece "tarasá" para que, arrojándose de cabeza, se deslizase por la luz y llegase sano y salvo aquí, agarrase la torta y escalando los rayos de la luna se fuese tan contento. Pero vámonos, que ya es tarde y hay que dormir.

Entraron dejando la torta sobre la mesa y se asomaron por una persiana del dormitorio para ver qué hacía el niño. Lo que vieron fue que Jacobo, después de repetir tres veces "tarasá", se arrojó de cabeza al patio, se deslizó como por un suave tobogán de oro, agarró la torta y con la alegría de un salmón remontó aire arriba y desapareció entre las chimeneas de la azotea.

Mente. Conciencia

Hemos dado esta breve aproximación al cerebro y sus capacidades para poder entrelazar los conceptos de mente y conciencia y plantear su relación con la creatividad.

La mente

La mente es la potencia intelectual del alma

Diccionario de la Real Academia Española

Este tema es complejo porque el cerebro hace de soporte físico y la mente lo habita y le permite desplegar su potencialidad. La mente abarca y combina memoria con procesos que permiten transformar percepciones y sensaciones en conceptos. La mente le permite al hombre ser racional, reflexionar y ser creativo a la vez. Es común que el concepto de mente se identifique con el intelecto y sus pensamientos. Sin embargo, el concepto es más amplio. La mente incluye —además del intelecto— los sentimientos, las manifestaciones del corazón, la fantasía, la imaginación, los sueños y la inspiración. Recién con la inclusión del corazón y del espíritu somos plenamente humanos: podemos amar, desear el bien, elegir, decidir, vivir las pasiones, crear...

Para los hindúes y los sufis el intelecto es igual a espíritu y al igual que la sabiduría su sede se ubica en el corazón. Para las tradiciones orientales, la mente tiene diferentes estados de evolución, o sea, menor o mayor grado de concientización. En la filosofía yogui,[33] la mente individual, llamada *Manas*, está ligada al cuerpo físico y abarca los pensamientos y las emociones. El camino para trascender hacia la "mente superior", al Buddhi, pasa por un estadio intermedio el "yo causal" (Aham kara; Ayam: yo, kara: causa). El supremo estado de la mente es el *Buddhi*, que abarca la conciencia universal.

---

[33] *Yoga. Mente. Cuerpo.* Sivananda Yoga Vadanta Centre, Javier Vergara Editor, 1996.

La conciencia

En relación con la creatividad, identificamos a la conciencia con la disposición de la mente que observa alerta y lúcidamente lo que está sucediendo, tanto en el interior de la persona como en su entorno. Por ella, alcanza un conocimiento de sí misma, de sus límites y posibilidades. El sentido que le damos aquí a este término corresponde al de la acción de estar absolutamente presentes y registrando atentamente lo que nos sucede. Ser conscientes nos permite identificar hacia dónde abrir nuestra percepción. Desde esta perspectiva, somos conscientes cuando nuestro cerebro trabaja mientras estamos despiertos y cuando nos asumimos responsables. Tomar conciencia es asumir el rol de observador y, desde allí, registrar lo que sucede.

Según la tradición oriental, la conciencia es universal, es atemporal, simplemente "es". Nuestra posibilidad de evolucionar como personas reside en acceder paso a paso a ella, en registrar e integrarla de a pequeñas vivencias en cada momento de nuestro presente. Por ejemplo: es estar totalmente atento a nuestra respiración, a nuestros pensamientos, a nuestros sentidos, a nuestros silencios, y todo lo que acontece en nuestra persona, que es el "yo soy". Con esto logramos un estado de alerta subyacente, en el que no sólo somos conscientes de las cosas, sino también del hecho de ser conscientes.

Nuestra propuesta es unir las dos perspectivas para lograr una ampliación de conciencia que despierte, nutra, enriquezca, expanda y fecunde nuestra creatividad. Uno de los caminos que proponemos, a través de las visualizaciones, es abrirnos a percibir y vivenciar lo que nos acercan nuestros sentidos; integrando estas percepciones a lo que somos y sabemos, enriqueciendo y ampliando nuestro "yo soy consciente". En cada una de las visualizaciones nos proponemos guiarlos hacia el descubrimiento de un "universo" que resulta ilimitado cuando nos abrimos a "ser canal". En cada experiencia tenemos la posibilidad de integrar a nuestra medida lo que vivenciamos, de hacerlo consciente. Cada vivencia puede aportar nuevos elementos y el conocimiento de nosotros mismos y de lo que nos rodea. Así se transforma y amplía nuestra conciencia individual, y se integra poco a poco lo vivenciado en nuestro presente. De esta manera, toma forma el mensaje donde se nutre la inspiración y donde nace la obra creativa. La obra es nuestra contribución a la creación, que nos une de algún modo a lo universal.

Vivir conscientemente es estar presente y tener presencia activa y responsable, libre y creadora en el tiempo que nos toca vivir. El proceso de toma de conciencia lleva tiempo y práctica. Muchas veces, este ejercicio se ve interrumpido por un torrente de pensamientos que aparecen involuntariamente. Con entrenamiento se puede lograr dirigir la atención hacia el tema elegido. Los niveles de conciencia marcan avances en la evolución del hombre.

Compleja unidad

Nuestra propuesta de "ser creativos" se inicia haciendo presente los anhelos. Con el estímulo de los sentidos y los chakras se busca ampliar los canales de percepción y recepción creando un espacio donde se borren los límites de la realidad que conocemos y permita surgir lo desconocido. Con estos estímulos se encienden la curiosidad, la imaginación, la fantasía, la intuición, y se aviva la pasión por crear. La creatividad aparece, entonces, como un fenómeno inagotable, maravilloso y accesible a la vez. Es un momento en el que gestamos, damos forma, moldeamos una realidad nueva o distinta, que se puede concretar tanto en una pequeña como en una gran creación. Con ella exteriorizamos nuestra existencia, nuestro mensaje y nuestros sueños. Crear requiere del espacio interno y externo, de tiempo, de conocimiento y destreza, de coraje y, por sobre todo, de estar alerta y absolutamente presentes. Cuando esto sucede y se amalgaman la mente y la conciencia, se abre un lugar para la aparición de una nueva idea. Esta experiencia es mucho más intrigante si se toma conciencia de que podemos intervenir con distintas técnicas que estimulan nuevas conexiones en nuestro cerebro y amplían el potencial creativo de nuestra mente. Hoy en día se reconoce que el cuerpo humano —con el cerebro y sus distintos sistemas y estructura—, la mente y el "corazón" —con sus atributos y manifestaciones diversas, como inteligencia, libertad o pasión— y el espíritu se integran en una unidad de extrema complejidad: la persona. Esta compleja unidad es nuestro punto de partida. Desde esta unidad, compleja y versátil que somos, los invitamos a redescubrirse a sí mismos, a traspasar lo conocido y animarse a crear.

Capítulo 5

Experiencias creativas a partir de los 4 elementos

5

¡Quién hubiese pensado que el agua, el aire, el fuego y la tierra aportarían un contenido que se "hace" fuente y caudal para la creatividad! Elementos aparentemente tan simples y cotidianos guardan en el universo un lugar de relevancia que las civilizaciones antiguas supieron descifrar. Las culturas originarias históricamente reconocen la existencia del fuego, la tierra,[34] el aire y el agua. Están en el fundamento de sus creencias y forman parte de sus actividades. En la cultura occidental como en la oriental los encontramos asociados también a rituales religiosos.

Hoy, el significado de estos cuatro elementos y su presencia en las personas ha ganado difusión y es más clara la influencia que tienen en nuestra expresión creativa. A nivel físico, la estructura del cuerpo humano se asocia con los elementos de la siguiente manera: el fuego es percibido como el calor del cuerpo, se lo vincula al sistema circulatorio y con la actividad de los distintos órganos. El aire, con el sistema respiratorio; el agua, con los fluidos corporales; la tierra, con la estructura ósea. Metafóricamente estos elementos están presentes en todo ser humano, se combinan en diferentes proporciones y se manifiestan en rasgos de personalidad. Además se reflejan en la expresión creativa, más concretamente, en aptitudes, preferencias e inclinaciones que crean un sesgo personal en la forma de acceder a las ideas y de manifestar nuestra riqueza interior.

El hecho de que cada elemento está presente en la naturaleza y se manifiesta en formas diversas y en cantidades que van desde ínfimas hasta inmensas, nos ayuda a comprender que hay un valor de expresión en lo mínimo y lo máximo. En la creación existe tanto la gota de agua como el océano.

---

[34] En Asia los elementos son agua, aire, fuego, madera y metal.

Perfiles y características creativas

A continuación proponemos una breve descripción de los cuatro elementos y su relación con los rasgos de personalidad asociados a cada uno de ellos. Su presencia, en cada caso, se traduce en distintos modos creativos.

Elemento Fuego: desde la chispa hasta el incendio incontrolable

Cuando predomina el elemento **Fuego** la persona suele ser vigorosa, pasional, potente, emprendedora, expansiva, activa, libre, audaz, pionera, decidida, idealista, temperamental, impulsiva, fogosa, avasalladora, ardiente, impaciente, positiva. Se sabe imponer; es enérgica, luchadora, ambiciosa; no reconoce fronteras ni límites. Se proyecta hacia el futuro y hacia adelante. Es fuerte, vital y dinámica; tiene coraje y voluntad. El estereotipo sería el conquistador, el héroe, el guerrero, el triunfador, el entusiasta.

Crea desde el impulso. Su obra es audaz y vigorosa. Sus ideas, propuestas y obras son precursoras y pioneras, se proyectan al futuro sin reparar en los obstáculos o sin importar su factibilidad. Crea asumiendo riesgos. Utiliza elementos puros, crea contrastes que pueden ser geniales o chocantes. Avanza. Se manifiesta en ritmos ágiles de fuerte presencia, a veces disonantes. Presenta sus ideas, proyectos y obras de modo terminante, como absolutos que difícilmente admiten cuestionamientos. Puede llegar a trabajar hasta el agotamiento.

Nuestro mensaje: confíe en su espontaneidad sin perder de vista al otro.

Elemento Tierra: desde el granito de arena hasta el continente

Cuando predomina el elemento **Tierra**, la persona suele ser constructiva, sensorial, perceptiva, receptiva, ordenada, poderosa, conservadora, confiable, sensual, contenedora, perseverante, persistente, rigurosa, dogmática, estructurada, esquemática, tenaz, constante, kinestésica, fiel. Crea y responde a pautas y cánones. Respetuosa del pasado, ahorrativa y recicladora, protectora, paciente, cuidadosa y organizada. Necesita y multiplica lo material. Reconoce los límites propios y ajenos. Respeta formas y fronteras del cuerpo y de la mente pero a veces los lleva al límite. Respeta y convive con los ciclos de la naturaleza. Tiene fuerza física, salud y paciencia. Tiene los pies sobre la tierra y mantiene las formas convencionales. El estereotipo sería el constructor, el agricultor, el ingeniero, el banquero, el cocinero.

Crea paso a paso, desde lo sensorial. Usa su conocimiento técnico para avanzar en su proceso de creación; mientras hace, crea. Su obra es ordenada, técnicamente correcta y clara en su mensaje u objetivo. Crea dando forma a ideas, a proyectos o a la materia; puede ser minuciosa, detenerse en los detalles hasta los más pequeños. Su obra suele ser sensual y genera un diálogo intimista con el observador. Recicla lo conocido y transforma lo usado convirtiendo el conocimiento y la materia en algo útil y novedoso. Suele presentar sus ideas y proyectos en secuencias. En el proceso creativo utiliza las variaciones hasta agotar todas las posibilidades, con ello termina un ciclo y ahí lo cierra. Sistematiza y ordena la complejidad. Trabaja en forma paciente y perseverante.

Nuestro mensaje: confíe en su persona y anímese a soñar más.

Elemento Aire: desde la brisa hasta el huracán

Cuando predomina el elemento **Aire** la persona suele ser imaginativa, flexible, inquieta, innovadora, independiente, impactante, adaptable, curiosa, visual, organizadora, crítica, extrovertida, comunicadora, inteligente, lógica, analítica, alegre, libre, generosa, impaciente, difícil de encasillar, versátil, con frescura y fuerza mental creadora. Busca la verdad, le apasiona aprender y enseñar. Relaciona y puede coordinar temas diferentes, evita luchas, agresiones y decisiones. Busca siempre la armonía, equilibra los opuestos. El estereotipo estaría representado por el diplomático, el pensador, el cineasta, el periodista, el comerciante.

Crea desde la libertad, desde lo visual. Su obra es imaginativa, espontánea, de vanguardia, sin perfeccionismo pero armónica; suele ser impactante. En el proceso creativo es consciente de la meta a lograr. Su trabajo y proyectos tienen un claro hilo conductor, se desarrollan sobre una abundancia de ideas y aportes que logran al final una síntesis. La multiplicidad se hace unidad, que luego se despliega en múltiples manifestaciones de una misma realidad. Es el resultado de ideas disímiles y aparentemente inconexas entre las que construye puentes que sorprenden por su novedad.

Nuestro mensaje: confíe en su visión y ponga manos a la obra.

Elemento Agua: desde la gota hasta el océano

Cuando predomina el elemento **Agua** la persona suele ser reflexiva, receptiva, instintiva, emocional, solidaria, sensible, cálida, confiable, sensual, escurridiza, adaptable, inestable, vulnerable, frágil, fantasiosa, soñadora, mística, detallista. Navega entre fantasías y sueños; divaga. Vive con anhelos y sufrimientos, con esperanzas y deseos. Es de personalidad profunda; oscila entre el placer y el dolor, la confianza y el temor. Es apegada y dependiente, necesita de la cercanía de otros. Es contenedora y logra con facilidad entrar en empatía con los demás. El estereotipo correspondería a personas que ejercen una profesión asistencial y humanitaria, a músicos, dramaturgos, poetas.

Crea desde el sentimiento. Su obra es fantasiosa y onírica; nos conecta con la profundidad, con lo indecible, inimaginable, indefinible. Suele ser difusa, sin embargo se percibe un inmenso contenido. Le atrae desentrañar lo doloroso, lo encubierto, aquello de lo "que no se habla", como también lo sensible, lo emocional. Es difícil de entender a través de la lógica, sólo se la puede sentir. Nos conecta con nuestra parte anímica y nos brinda una mirada al alma del hombre, como lo hace un poeta. En el proceso creativo incluye el juego espontáneo, la improvisación, el recurso de prueba y error, hace camino siguiendo sus impulsos y sensaciones. Le cuesta definirse y por lo tanto concretar.

Nuestro mensaje: confíe en sus emociones, en su intuición y oriéntelas hacia una meta.

Hemos visto que cada elemento tiene su propia manera de canalizar la creatividad y que hay rasgos de personalidad que se manifiestan con mayor fuerza cuando predomina uno de ellos. Según el elemento presente, ciertas características se acentúan. O sea la presencia de cada elemento marca en la persona una disposición y esta disposición se evidencia en diferentes conductas. Imaginamos por ejemplo, una situación de trabajo —un proyecto— para ilustrar esta correspondencia entre cada elemento y una posible conducta.

- Fuego da ímpetu - Propone la idea.
- Tierra nos da piso - Da forma a la idea.
- Aire agrega diversidad y frescura - Llena la idea de posibilidades.
- Agua agrega sensibilidad - Identifica la dificultad, hace factible la idea, le da alma al proyecto.

Sin embargo, en cada uno de nosotros se da una mezcla de estos elementos, aunque en diferente proporción. Durante los procesos creativos, cada uno tiene su propia manera de acceder a la creatividad y utilizarla. Esta aclaración es importante porque se anticipa al desconcierto que proviene de la expectativa de que todos "podemos lo mismo" cuando, en la realidad, cada forma de expresión es única. No hay una persona igual a la otra. Entender estas diferencias ayuda a afianzarnos y crecer. Reconocerlas nos ayuda a entender y aceptar a los otros con sus particularidades; a desplegar nuestro propio estilo e integrar lo que nos resuena o complementa de los otros.

Aislar los elementos y sus particularidades debe ser entendido como un intento de clarificación, sin embargo es fundamental recordar que todos los elementos están presentes en cada uno y que actúan de modo combinado. Nos queda entonces el trabajo de integrarlos y esto puede durar toda la vida. El gran desafío es lograr vivir en armonía respetando las individualidades y particularidades de cada uno y valorando lo que cada uno es y puede aportar.

Diferentes maneras de acceder a las ideas

La presencia dominante de alguno de estos elementos condiciona la manera como se conciben las ideas creativas.

En las personas que tienen al **Fuego** como elemento dominante, sus ideas aparecen como una secuencia de flashes o chispazos muy fuertes, como estrellas fugaces. Esta abundancia hace que las ideas o imágenes se superpongan con facilidad. Si no son registradas rápidamente, del modo que sea, las nuevas tapan a las anteriores y corren el riesgo de quedar relegadas u olvidadas. A estas personas les cuesta reconocer límites. Su particularidad es su capacidad de innovar. En quienes prevalece el elemento **Tierra**, las ideas o imágenes se registran en el cuerpo. Se manifiestan a partir de formas físicas y vivencias concretas, se usan unas como plataforma para otras nuevas. Las ideas o información no proceden del mundo fantasioso. Les cuesta divagar. Su particularidad es su capacidad de organizar y combinar las ideas de un modo original o novedoso y expresarlas con claridad. Las personas que tienen al **Aire** como elemento predominante suelen ser muy visuales y plasman las ideas en imágenes mentales con facilidad. Sobrepasan distancias físicas y conceptuales. Les cuesta profundizar. Su particularidad es su capacidad para vincular lo diferente. Por último, en quienes prevalece el **Agua** es más frecuente que sientan. El sentimiento genera las ideas del mismo modo que los sueños y la fantasía. Las imágenes ocupan un segundo plano. Les cuesta el mundo concreto. Su particularidad es su capacidad de vivenciar.

Más allá de la situación en que se encuentren es fundamental confiar en sí mismos y en la propia forma de crear. No deben asustarse o retraerse si la percepción o lo que les sucede difiere de la de los demás. Más aún en una situación concreta como una visualización, respeten su forma de percibir y no cambien el rumbo si sienten que no siguen los pasos pautados. Gracias a Dios somos diferentes y cada uno de nosotros tiene su manera particular de crear.

El ambiente es un factor determinante en el desarrollo de los talentos innatos que nos proponen los elementos. La conexión entre lo de adentro y lo de afuera hace que el ambiente en que se desarrolla la vida de cada uno tenga una gran importancia. Aquí tomaremos la palabra ambiente en un doble sentido. Por una parte, el mundo físico que nos rodea contiene los cuatro elementos y su presencia resuena en cada uno aumentando el placer, magnificando los sentimientos, trayendo nueva energía y revitalizando nuestro interior. La otra dimensión del ambiente está constituida por las personas que nos rodean. Como ya hemos dicho, cada uno manifiesta en su carácter y personalidad la influencia de alguno de los elementos. Las relaciones entre las personas son de por sí complejas y están condicionadas por la cosmovisión de cada uno, por eso reconocer el elemento dominante y los rasgos de carácter asociados puede ayudar a mejorarlas. Crear en un ambiente abierto y tolerante nos permite expresarnos y experimentar en libertad, por ello resulta ideal para que se revele nuestra riqueza interior.

La potencialidad de los cuatro elementos

La vida nos propone todos los días una sucesión de experiencias y emociones muy diversas y, muchas veces, contrapuestas. A experiencias de plenitud le pueden seguir experiencias negativas o rutinas que se vuelven pesadas con el tiempo. Frente a ellas reaccionamos de maneras muy diferentes y lo que proponemos en este libro es recurrir a nuestro potencial creativo para enfrentarlas. Pero es importante tener en cuenta que el mismo hecho de abrirnos a la creatividad nos hace más sensibles y, por tanto, vulnerables al cansancio, los miedos, las dudas, las frustraciones o el agobio. Estas mismas emociones aparecen también asociadas a problemas o inconvenientes que nos sobrecargan. ¿Qué podríamos hacer en esos momentos?

Cotidianamente comprobamos que los cuatro elementos resuenan y movilizan algo vital en nosotros. ¿Quién no se ha sentido en paz con la vida mirando un paisaje, un atardecer o un amanecer en el campo?, ¿quién no ha disfrutado de la energía del mar o ha perdido noción del tiempo frente al fluir de un río o al contemplar un lago?, ¿quién no ha entibiado su corazón frente a un fueguito o una fogata?, ¿quién no ha sentido el placer de hundir las manos en la tierra o en la arena?, ¿quién no ha sentido alegría cuando la brisa de la mañana le acaricia la cara? ¿No son estos momentos en los que se despiertan la imaginación, la fantasía o la intuición? Resuenan en nosotros porque movilizan algo muy ancestral, algo especial que se conecta con sentimientos y sensaciones que disuelven corazas. Los cuatro elementos son excelentes facilitadores de los procesos creativos. A partir de esta comprobación podemos utilizar su presencia como disparadores de la creatividad.

Aplicación para aliviar tensiones y disminuir la fatiga

A continuación presentamos algunos ejercicios básicos que pueden ser útiles para poder liberarse o limpiarse de lo que no nos sirve, lo que estorba o nos molesta. De esta manera quedamos libres para crear, sin pesos adheridos.

El Agua

Es el elemento por excelencia para canalizar las emociones. El agua diluye tensiones, limpia y equilibra energías. El agua moviliza nuestro aspecto emocional y podemos usarla conscientemente a favor nuestro. Con el agua se pueden aliviar de energías y emociones densas o equilibrar estados de ánimo. Para sentir sus efectos se requiere tiempo para que cada emoción pueda ser sentida y para que el agua haga su trabajo.

En la ducha (ejercicio para lavar energías negativas o el cansancio)

Prendo la ducha y me pongo bajo el agua. Observo cómo el agua recorre el cuerpo desde arriba y cómo se va deslizando hacia abajo. Activo mi imaginación en este proceso. Con ella identifico las tensiones, la rabia que tengo o el cansancio que me fatiga; los siento adheridos a mi piel. Trato de visualizarlos. El agua es un elemento receptivo por excelencia; recibe mi cansancio, mi tensión o mi rabia. Ahora observo cómo el agua se apropia de estos sentimientos o sensaciones negativas, los lava, los arrastra y se los lleva consigo hacia abajo, hacia el piso. Todo lo que me pesaba se va por el desagüe. Miro hacia abajo y compruebo cómo desaparece. En un instante todo se fue. ¡Ya se lo llevó! Yo me quedo limpio y aliviado de esta energía densa o de este tema que me preocupaba. Tomo conciencia y percibo que me siento más liviano. Ahora puedo enfrentar la situación mucho mejor, con menos peso.

Otra opción es usar un baño de inmersión para recuperar el equilibrio. Muchas personas lo hacen intuitivamente. La idea es disfrutar conscientemente del alivio que esto proporciona. Cuando lo hagan, tómense su tiempo en la bañadera, inclusive sumergiendo la cabeza. Al finalizar, puede resultar placentera una ducha corta para experimentar la sensación final de que todo lo negativo desaparece por el desagüe.

Ejercicio para niños pequeños

El contacto con el agua sirve para todas las edades. Hay experiencias hechas con niños pequeños que están nerviosos o, por ejemplo, extrañan a sus papás. Se los pone a jugar con un recipiente con agua. Primero mojan los deditos y luego se los anima a poner las manos bajo el agua. Espontáneamente hacen bailar las manitos, hacen ruiditos, salpican, frotan o aplauden. Con el tiempo y poco a poco recuperan el equilibrio interior y vuelve la calma... Como el agua es receptiva, se lleva los sentimientos negativos. El agua y el juego ayudan a aliviar tensiones y recuperar la alegría.

El Aire

Es el elemento equilibrador que facilita la comunicación. Cuando enfrentamos situaciones difíciles podemos recurrir al poder del aire o al viento para llevarse lo conflictivo o lo negativo. También podemos valernos de él para aliviar tensiones y limpiar sobrecargas, especialmente cuando nuestros pensamientos están sobreexigidos.

Ejercicio con el viento

Me preparo para usar mi imaginación en este proceso. Hago conscientes las preocupaciones o emociones negativas y sobrecargas mentales. Percibo cómo me pesan y siento la sobrecarga. Abro la ventana, prendo el ventilador o busco un lugar al aire libre donde puedo sentir la brisa o el viento. Me predispongo a sentir cómo el aire y el viento me atraviesan. Quienes tengan dificultad para sentir pueden utilizar la imagen del cuerpo como un colador con los poros abiertos.

Disfruto de la brisa o el viento que me acaricia, que roza mi piel. Le entrego a cada ráfaga los temas, sobrecargas o tensiones que me pesan para que sean diluidos en el espacio. Cada soplo de viento actúa en mí identificando el lugar que está tensionado, se apropia del problema adherido, lo arrastra fuera de mí y se lo lleva lejos. Percibo cómo con cada soplo se va una parte de la carga y me siento fresco y aliviado. Estoy mejor preparado para ver más claro, para abordar con soltura el núcleo de la situación y avanzar en su solución.

Otra manera de hacer este ejercicio es salir a correr. A medida que avanzo aprovecho para imaginar que el aire se lleva lo que me pesa o estorba.

Trasladando globos (apto para grupos)

Este es un ejercicio para buscar vías alternativas de solución a problemas.

Cada persona elige uno globo, lo infla y, en cada soplido, deposita imaginariamente un problema o situación a resolver. Al cerrarlo se imagina que su problema está allí adentro. La consigna es que todos lleven su globo a un lugar fijado de antemano, sin que toque el piso en ningún momento. El recorrido se realiza varias veces cambiando en cada oportunidad la forma de llevarlo: una vez, sin usar las manos; otra, sin usar la cabeza; otra, sin usar los pies. Luego se van aumentando las restricciones hasta que sólo se lo pueda empujar con el tronco. A partir de la consigna, cada uno inventa libremente la forma de hacerlo. Es un momento donde juega la libertad y la creatividad. Al finalizar se analizan, individualmente o en grupo, las formas que se utilizaron para cumplir las distintas consignas.

Para aprovechar la experiencia se analizan las diferentes maneras de desplazar el globo y se las utiliza para construir analogías. Primero cada uno escribe en un papel el problema que sopló dentro del globo. Luego divide la hoja en sentido vertical y hace un listado con los diferentes movimientos que inventó y empleó en cada caso. Ejemplos: lo enganché entre el hombro y la cabeza, lo puse debajo de mi remera, fui en cuatro pies equilibrándolo sobre la nuca, lo soplé. A cada uno se le puede agregar la actitud con que se realizó la acción. Las actitudes pueden haber sido las siguientes: decisión, vacilación, seguridad, velocidad, aprovechamiento del viento a favor, etc. Luego se anota al lado de cada frase la idea de solución que surja espontáneamente. O sea que, los términos o frases se pueden usar en sentido metafórico como disparadores de nuevas ideas que ayuden a solucionar el problema planteado.

Esta experiencia aprovecha el soplo original para aliviar la sensación de sobrecarga. Luego, con el juego se introduce la libertad y la creatividad para poder acercarse al problema desde otro lugar. En el caso de que se aplique a la solución de un problema grupal, la secuencia es la misma.

En los siguientes ejemplos ofrecemos un acercamiento práctico a la manera de usar analógicamente los resultados. Si lo empujaron con la cabeza, la solución podría requerir hablar con la cabeza del grupo, el presidente o el responsable del proyecto. O tal vez organizar una sesión para continuar con el análisis más detallado del tema. Si empujaron mucho con el hombro, se puede imaginar que la situación requiere fuerza física para encarar el tema, mayor resistencia, continuidad. O que es llevado como una carga y eso dificulta que surjan ideas positivas. Si soplaron puede aparecer la necesidad de darle envión o más énfasis a algunas cuestiones, o más aire o vuelo imaginativo.

La mayoría de las veces, estos juegos ayudan a desestructurar al grupo y dan mayor fluidez a las relaciones y a las ideas.

El Fuego

Este elemento tiene capacidad renovadora en el sentido que consume lo que resulta negativo y deja espacio para lo nuevo.

Quemando papel

Este ejercicio trabaja sobre el deseo de transformar lo negativo y de recuperar la armonía y lo valioso de nuestras experiencias vitales.

Para comenzar, prendan un fueguito o enciendan una vela y quédense contemplando sus llamas. El texto que proponemos a continuación lo pueden leer previamente y una vez asimilado realizan el ejercicio a su modo y en sus tiempos.

Mientras contemplo el fuego, dejo que las preocupaciones afloren. Me tomo mi tiempo para discernir de cada una lo malo y lo bueno, lo negativo y lo positivo. Una vez que se hacen conscientes, escribo todo aquello que me pesa sobre hojas de papel, un tema por hoja. Pueden ser resentimientos, tristezas, malos recuerdos, rabias, celos o sentimientos que me impiden vivir armoniosamente. Escribo con palabras o frases simples lo que siento como carga. Los aspectos positivos los valoro y los guardo en mi corazón.

Luego decido deshacerme de lo negativo. Con esta idea en mente, tomo hoja por hoja, la acerco a la llama y observo cómo el fuego la devora, la convierte en humo. Conscientemente permito que se desintegre con las llamas y las dejo partir. Siento el alivio de lo que se fue y la serenidad por haber identificado lo valioso.

Se recomienda realizar la experiencia en espacios abiertos y despejados, y usar recipientes apropiados, resistentes al fuego, para arrojar los papeles encendidos.

La Tierra

Es el escenario físico donde vivimos. Nos da piso. Tiene la capacidad de reciclarse, las cosas que vuelven a ella se transforman. Se asocian con ella los árboles y construcciones naturales u otros elementos de la naturaleza capaces de dar sostén o cobijo.

Abrazar un árbol

Éste es un ejercicio para deshacerse de energías pesadas. Los árboles son seres vivos que tienen la virtud de hacer de pararrayos.

Elijo un árbol, tomo conciencia de lo que me preocupa y me abrazo a él. En el abrazo canalizo mis preocupaciones y sentimientos negativos y se los entrego. Con cada respiración entrego más y más lo que me pesa. Siento cómo el árbol los absorbe, los canaliza como un pararrayo hacia la tierra, los lleva bien abajo. Presto atención a cómo, poco a poco, me siento más liviano y me recupero. Permanezco abrazado. Una vez que siento el alivio, puedo percibir que el árbol me ofrece su energía. Recibo esta energía y la hago mía. Toda la tierra me abraza y me contiene a través del árbol. Me siento protegido, disfruto su fuerza y su solidez. Agradezco al árbol su energía recuperadora.

Cuando un tema nos invade de tal modo que sentimos que nos sobrepasa, lo óptimo es tomar conciencia de su magnitud, ponerlo afuera y distinguir entre lo que nos daña o paraliza y lo que es bueno para conservar. Toda situación tiene aspectos negativos y otros valiosos.

Estos ejercicios con los cuatro elementos se proponen como un modo creativo para aliviar la sobrecarga, restaurar la energía positiva o, eventualmente, encontrar soluciones innovadoras.

Profundizando en la "visualización"

Como ya mencionamos, parte de la práctica que proponemos utiliza como sustento la técnica de visualización. De esta manera se trabaja directamente sobre la capacidad de imaginar, fantasear y generar ideas. El acto creativo surge cuando estas capacidades se ponen en acción.

Durante esta experiencia, las personas entran en contacto con su mundo interno habitado por recuerdos, vivencias y potencialidades. Se despiertan emociones, sensaciones y percepciones en lo más profundo de su ser y se abren paso al mundo exterior. También pueden abrirse puertas a realidades que todavía no existen pero que podrían existir o pueden descubrirse respuestas a grandes o pequeños interrogantes cotidianos. Estas manifestaciones pueden ser nítidas o difusas, o pueden tener un contenido simbólico fácil de entender o que nos desconcierta y no alcanzamos a comprender plenamente. Sin embargo, a través de ellas podemos relacionar realidades aparentemente desconectadas y descubrir algo nuevo. Es posible que aparezcan algunas de estas imágenes o vivencias cargadas de un simbolismo universal, pues surgen como revelación de nuestro inconsciente. Otras pueden resultar expresiones de un juego libre y espontáneo entre nosotros y los estímulos recibidos. Por eso es importante que todo esto lo hagamos conscientemente y lo grabemos en la memoria, para poder luego expresarlo.

La forma de inducir las ideas varía de acuerdo al tema y al objetivo. Se puede partir de imágenes, emociones, recuerdos, historias reales o fantasiosas. Una manera de realizar el ejercicio es formular una pregunta antes de comenzar la visualización y mantener la atención alrededor del tema durante el proceso. Dependiendo de las conexiones que logremos, la respuesta surgirá en imágenes, ideas, sensaciones que pueden resultar armoniosas, bellas, sugestivas o disruptivas.

Cuando se plasman las ideas o imágenes, ya sea en un esquema o dibujo, en un texto, a través del movimiento, la palabra o el color es posible avanzar en su comprensión y análisis para ver si contienen algún tipo de respuesta a la pregunta original.

Ejercitación a partir de los cuatro elementos

En los ejercicios siguientes, se ofrecen breves relatos que apelan a la imaginación y la fantasía. Para que la experiencia sea más plena, hemos grabado estos relatos en el CD que acompaña al libro. Dejen que las sensaciones e imágenes fluyan libremente con el fin de disfrutar lo que surge y registrarlo, teniendo en cuenta que todo lo vivenciado se puede transformar en un acto creativo. La actitud a adoptar sería la de abrir los canales receptivos, desbloquear las compuertas internas para imaginar, intuir, percibir, sensibilizarse, a fin de poder volar, liberarse, ampliarse.

Empezaremos con temas muy sencillos que involucran a los cuatro elementos para tomar contacto con nuestro aspecto personal: Agua, Aire, Fuego y Tierra.

Para hacer estas visualizaciones es necesario haber leído el capítulo 3. Las reflexiones que siguen a cada visualización se dirigen a quienes escucharon el CD o leyeron el texto.

La playa (conectando con el elemento Agua)

***Visualización** CD: 1*

Desde esta liviandad y libertad me paro en una playa, una hermosa playa. Siento la arenita rozando mis pies, siento claramente cómo la arena cruje debajo de mi planta y de los dedos del pie. Disfruto de la sensación. Me acaricia una brisa, camino sobre la arena y veo el agua delante de mí. Sí, el agua se extiende delante de mí. Estoy en esta hermosa playa y el agua está frente a mí, me tienta mucho y me incita a meterme. Tengo ganas de sentir el agua en mi piel.

Jugar con la imaginación nos ha permitido descubrir nuevas sensaciones y emociones. ¿Sintieron el cosquilleo de la arena? ¿El agua estaba fría o caliente? ¿Había olas o era agua calma? ¿Pudieron ver claramente a través del agua? ¿Era transparente o era turbia? ¿Escucharon algún sonido? Una última pregunta: ¿recibieron algún mensaje de lo que encontraron en el fondo?

Ahora llega el momento de expresar lo vivido. Es fundamental pasar a la expresión inmediatamente para evitar que las imágenes se pierdan. Quizá en ellas se esconda la semilla de una futura acción, proyecto u obra.

Preparación para concretar ideas, vivencias y sentimientos

Ahora es el momento de expresar las ideas o imágenes desde la emoción, de hacerlas presentes y concretarlas.

Vamos a recordar aquí algunos consejos que nos parece importante reiterar.

- **Exprésense con libertad y sin detenerse**, cuando aún las vivencias están titilando dentro de ustedes.
- **Preparen con anticipación el lugar y los materiales que se van a utilizar,** para aprovechar la espontaneidad del momento.
- Para los que se expresan con **la palabra, vuelquen lo que surja espontáneamente**, sin pretender la perfección; **dejen que las emociones inspiren palabras a su antojo**.
- Para quien se expresa **plásticamente, permitan que libremente surjan las formas** y los colores; **que la emoción y lo vivenciado propongan el color**, la densidad, la fuerza, la sutileza, la luminosidad, la consistencia, la fluidez.
- Quienes recurren al **movimiento del cuerpo**, sientan la libertad de bailar y dejar que las emociones fluyan a través del cuerpo. **Den plena libertad a sus movimientos para que ellos afloren** inspirados en la imaginación y la experiencia vivida.
- Los que eligen el **sonido** pueden recurrir a la voz, a algún instrumento o pueden improvisar sobre distintas superficies o elementos. **Dejen que las formas surjan desde la libertad interior**. Las emociones sugerirán a su turno el timbre, el ritmo, la cadencia, la melodía.
- **Rescaten la primera emoción** porque es la que condensa la autenticidad y la esencia del mensaje que queremos transmitir.
- Si se pierde la conexión con lo vivenciado, intenten recuperar el sentimiento y la emoción originales que tuvieron al momento de acceder a la imagen o a la sensación.

Un paseo por el campo (conectando con el elemento Tierra)

Visualización *CD: 2*

Ahora descubro que estoy frente a un hermoso paisaje, es un campo verde, que se extiende delante de mí y me invita a recorrerlo. Me dispongo a dar un paseo. Camino distendido y a la vez atento a lo que pasa alrededor. El campo es llano, abierto; miro el horizonte sin límites. Giro hacia los cuatro puntos cardinales admirando todo lo que me rodea...

¡Qué lindo es haber podido realizar este paseo por el campo jugando con nuestra imaginación! ¡Qué sensación de libertad!, ¿no?

En la terraza, ¿tuvieron sensación de amplitud? ¿Cómo era el día: frío, soleado?, ¿el cielo tenía nubes? ¿Escucharon ruidos o sonidos? ¿Cómo eran? ¿La escalera estaba afuera o dentro de la construcción? ¿Cómo eran los colores? ¿Hubo claros y oscuros?, ¿hubo gran variedad cromática? ¿Sintieron alguna sensación en el cuerpo, en la piel? ¿Qué imagen se les grabó con más fuerza?

Con la experiencia aún fresca, desde ese lugar, desde esa sensación, se preparan para expresar lo vivenciado. Recuerden que ésta es una oportunidad para elegir cómo quieren expresarse: volcar en palabras; mover el cuerpo y bailar lo visto, oído y sentido; cantar los sonidos; representar lo vivenciado con materiales diversos; construir un objeto o una escultura o quizás decirlo con trazos y colores.

Elijan libremente los elementos que mejor sirvan para expresarse. Pueden ser elementos familiares o desconocidos pero con los cuales sientan una conexión en ese momento. Con la alegría y el recuerdo vivos se preparan para trabajar. ¡Manos a la obra!

La chimenea encendida (conectando con el elemento Fuego)

Visualización *CD: 3*

Frente a mí, a sólo unos pocos metros de distancia puedo ver un caserón de aspecto señorial. Tiene un portón grande e impactante que me invita a explorar el interior. Es un día muy frío. Camino hacia el caserón y me arrimo a la puerta, tomo la manija y abro...; es una puerta grande y pesada que cruje... Entro a la casa, cierro la puerta con cuidado. Giro y veo una gran sala; camino hacia ella mirando alrededor...

¡Qué atracción tiene el fuego...! A la mayoría, las llamas nos conmueven o impactan, a veces hacen que algo resuene en nosotros. ¿Era espaciosa la sala? ¿Vieron el fuego? ¿Eran llamaradas o eran llamitas? ¿Tenían muchos colores? ¿Había olor a humo? ¿Había más personas allí? ¿De qué material y color era el sofá?

Con esta experiencia aún plena, con la vivencia a flor de piel, repasen todo lo que pudieron visualizar y percibir. Vuelvan a la imagen del fuego. Evoquen los sentimientos e impresiones recibidos, recuerden toda la escena. Mantengan las sensaciones vividas durante toda la expresión.

Ahora mismo vuélquenlo creativamente con la técnica y materiales que sientan más afines. Lo pueden hacer del modo que prefieran, de la manera que su creatividad les indique y que permita expresar mejor lo que vivenciaron. ¿Listos? Entonces, ¡a crear!

Carnaval (conectando con el elemento Aire)
Visualización *CD: 4*
Es tiempo de carnaval, ¡qué época alegre y divertida!
Estoy parado en una terraza, sobre una avenida, listo para disfrutar de todo lo que pasa alrededor. De repente, una ráfaga de viento, como una ola, rompe en la terraza. El viento me envuelve, me sacude el pelo y hace flamear mi ropa. La ráfaga es tan potente que las campanas de una iglesia cercana comienzan a sonar...

Mientras está fresco el recuerdo, se ubican en el lugar donde están los materiales preparados y se disponen a expresar lo vivenciado. Con toda libertad eligen la forma que les parezca más adecuada; la que surge espontáneamente, aquella que emerge de las profundidades a las que no tienen acceso consciente cuando se sumergen en la experiencia. Se expresan desde esa sinceridad. Evoquen la alegría, la intensidad, el viento, las nubes, los colores, los papeles y, sobre todo, el regalo. Todo está guardado en la memoria. Dejen que surjan con naturalidad las imágenes, las sensaciones y los sentimientos. Láncense con total libertad a expresarlo.

El camino recorrido en este capítulo muestra la importancia de reavivar en nuestro interior la conexión de los cuatro elementos y de utilizar su potencial en las distintas formas en las que se manifiesta nuestra creatividad. Estas experiencias sirven para descubrir cuál o cuáles son los elementos que se revelan con mayor fuerza en cada uno. Al tomar conciencia de su presencia en nosotros, se abre la posibilidad de integrarlos para enriquecer nuestra vida y nuestra forma de crear.

Capítulo 6

Chakras. Los colores en la vida

La historia del arco iris

Los colores en lo cotidiano

Color, emociones y creatividad

Color "materia" y color "luz"
Armando la "paleta"
Blanco y negro, ¿son colores?

Preparación y sensibilización a los ejercicios
Percibir y disfrutar de los colores

Los chakras

Los siete chakras y el color

Los chakras. Energía vital y creativa

De la explicación a la acción
Danza de colores

Vivenciar el color
Viaje interior a los chakras CD: 5
Mi color, mi imagen CD: 6

Otras experiencias a partir del color
La fuerza del color
Colores y emociones

Aprendizajes

6

Es difícil imaginarse el mundo sin color. Un cielo sin azul; una puesta de sol sin tonalidades doradas, rosadas o naranjas; flores sin color, montañas altísimas sin picos blancos ni laderas matizadas. Ciertamente no sería igual si los lagos, las mariposas o los pájaros no tuvieran color, o si los campos y los desiertos no pudieran diferenciarse. No hay duda de que la presencia del color enriquece, ilumina y embellece lo creado. ¡Disfrutemos de este regalo, de la inmensa variedad de tonos y colores!

Una vez más lo que nos impulsa a hablar del tema es haber experimentado cómo los colores influyen en la energía vital de cada persona. Su relación con los chakras nos pone frente a la misteriosa vinculación entre la persona, su estructura, el universo y la creatividad.

La historia del arco iris[35]

Hace muchísimo tiempo, los colores eran muy distintos a como los conocemos hoy, vivían en un mundo aparte. Vivían aislados, eran engreídos y orgullosos, jamás lograban ponerse de acuerdo entre sí y discutían constantemente.

La relación entre los colores era tirante, ninguno era capaz de escuchar al otro y menos aún de admirar su belleza. Así, fueron alimentando una envidia y enemistad que estalló cuando comenzaron una discusión en la que cada uno pretendía probar que su color era el más lindo, el más importante y el mejor.

El primero en levantar su voz fue el ***Magenta****: "Yo soy el color del poder, el color de los reyes, el púrpura, soy el símbolo del esplendor y la sabiduría. Los mandatarios de*

[35] Recreación sobre un cuento original de Schiralee Cooper. www.wunschkinder.net/tagebuch/wuki26974/2007

todo el mundo me eligen para engalanarse. Nada podría existir sin un poder superior que ordene todo, ningún color es superior a mí. ¡Yo soy el más importante, no me discutan; a mí se me obedece!".

Inmediatamente, el color ***Rojo*** *lo interrumpió riéndose de la soberbia del Magenta y desafiante exclamó: "Yo, en cambio, soy el color de la sangre, soy el símbolo de la pasión y de la acción. ¿Qué harían sin mí, sin la energía de la vida y el ardor del vivir? Sin mí no habría siquiera vida, ni las bellas rosas rojas. No hay otro color más importante que yo", concluyó terminante.*

Sin embargo, su fuerza no asustó al color ***Naranja****, que irónicamente empezó su discurso: "¡Qué barullo hacen ustedes!, pero fíjense que sin mí nada se transforma. No hay duda de que yo soy el mejor color. La naturaleza y los frutos me eligen como color; yo transformo los verdes prometedores en sabrosos jugos y sabores. Ni hablar de las vitaminas que me hacen ser indiscutiblemente el color de la salud. Y si vamos más lejos, el sol me usa para saludar cuando asoma y despedirse cuando se retira tiñendo magníficos atardeceres conmigo. Soy el color de las emociones, soy maravilloso".*

Parecía que el color Naranja hablaría una eternidad de sí mismo de no ser por el color ***Amarillo*** *que lo frenó enfurecido: "Pero, ¡qué pavadas las que dicen!, si es claro que el color más importante soy yo. ¿Acaso no soy el color de sol? Con los rayos tibios de mi color llevo calor a las personas y vida a las plantas. También la luna quiere reflejarse en mí para liberar las emociones y los sentimientos, yo soy el amor. Con mi color pinto los girasoles del campo y además lleno de alegría el mundo. Vaya si soy el más importante". Y así cerró su discurso sin imaginar que el color* ***Verde*** *se animaría a ser el próximo desafiante.*

"¡Vaya que están equivocados, colores! No es difícil ver que yo soy el color imprescindible, que los prados, plantas y toda la vegetación me prefieren a mí. Admirar mi color en primavera abre los corazones de la gente y llena de amor la naturaleza y la vida. Soy el color de la frescura. ¿Se imaginan un mundo sin mí? Con eso alcanza para saber que soy el color principal".

Pero, a pesar de lo convencido que estaba el Verde de sí mismo, con eso no alcanzó para terminar la discusión, ya que sin pausa fue el color ***Celeste-Turquesa*** *el que tomó la palabra elogiándose a sí mismo: "Ninguno de ustedes tiene razón, mírenme a mí, yo soy el color de los lagos, del cielo inmenso, de los mares, del aire que comunica a todos con todos. Soy el color del agua receptiva que penetra la tierra y la purifica. Gracias a mí pueden expresarse, relacionarse e intercomunicarse. ¡Si yo no existiera, no habría comunicación! Todos estarían solos".*

Con estas razones el Celeste tampoco logró callar a los demás colores. Esta vez fue el turno del color ***Azul Índigo*** *de exponer las bondades y virtudes que él creía que lo transformaban en el mejor color. Y arrancó diciendo suavemente: "Pero, ¿qué sería de todos sin mí? Yo soy el color del silencio. Apenas se me nota, pero sin mi existencia, todo sería superficial. Yo los guío a la profundidad y soy insondable como el cielo in-*

terminable de la noche, como el fondo misterioso del océano. Desde todas las profundidades yo aporto el pensamiento y la conciencia arquetípica. Yo ofrezco el silencio y la paz. Yo activo la intuición. No puede haber un color más importante que yo".

Nadie se dio cuenta durante la discusión que el ***Violeta*** *nunca había tomado la palabra. Había optado por el silencio.*

A las palabras del Azul nuevamente le siguió un alboroto de voces y murmullos de los demás colores que discutían sin escucharse. La soberbia de cada uno hacía que no sólo se consideraran el más importante sino el único importante. Se atribuían el protagonismo y la responsabilidad de ser los pilares del mundo, un mundo que no podría sobrevivir sin "su" color.

La discusión podría haber seguido para siempre, pero el cielo se cansó de soportarlos y armó una espectacular tormenta eléctrica que calló a todos los colores de miedo. El cielo disparó rayos y tronó relámpagos y los colores se asustaron tanto que se acurrucaron todos juntos para protegerse. Sin embargo, el cielo no se conformó con enmudecerlos y juntarlos en un rincón y continuó quejándose con truenos y relámpagos aún más estremecedores.

La segunda vez, el ruido y la furia del cielo sonaron tan fuerte que los colores se espantaron y se abrazaron unos a otros para protegerse entre todos. Pronto una lluvia torrencial cayó sobre ellos y las gotas, a medida que pasaban y los empapaban, les advirtieron: "No sean tontos, no se peleen que es inútil. Cada uno de ustedes es importante en sí mismo, nadie les puede quitar la individualidad, ni tampoco podría reemplazarlos. Sean amigos, los colores fueron creados para mezclarse y, en esa mezcla, está el secreto de la luz. Si lo hacen podrán, además, crear miles y miles de colores diferentes y serán la felicidad y el asombro del mundo. Jamás por mezclarse alguno de ustedes perderá su individualidad, cada uno es insustituible". Como los colores escuchaban atentos y parecían recapacitar, una gota de la lluvia continuó: "Si se aman y son unidos verán lo que puede suceder cuando el sol brille después de la tormenta". Después de esto, el cielo se silenció.

Aún temblando por el miedo, los colores se sintieron a salvo y pensaron seriamente la propuesta que la lluvia les había hecho. No les tomó casi tiempo darse cuenta de que era lo mejor para todos, que debían estar juntos y ya no pelear más por ver quién era el mejor.

Entonces sucedió algo maravilloso: miles de pequeñísimas gotas interceptaron los rayos del sol y dentro de cada una se abrió un prisma que contenía todos los colores. En pocos segundos, como si se miraran en un espejo, se vieron reflejados en bandas de colores que en un arco gigantesco cruzaban de un lado a otro del horizonte. Los colores entendieron que juntos eran todavía más hermosos. Se izaron hacia el cielo y unidos unos con otros formaron un maravilloso arco iris. Cada uno, sin perder su individualidad, cedió parte de su color para enriquecerse en el contacto con el otro. Y así gestaron miles de tonalidades de un esplendor inimaginable para ellos.

Desde aquella tormenta, los colores se derraman generosos tiñendo todo lo creado, convirtiendo al universo en un ejemplo de lo que puede ocurrir cuando, sin perder la identidad, nos unimos a los demás.

Los colores en lo cotidiano

La física nos explica que cada color está compuesto por ondas de energía que difieren en su vibración y longitud según el color y que *"...nuestros ojos son sensibilizados de acuerdo con la frecuencia de la vibración de la luz, lo que crea en nuestro cerebro la sensación del color".*[36] El color es un tema fascinante. Minuto a minuto, los colores participan en nuestra vida alegrando nuestro entorno. Gracias a ellos la naturaleza viste una magnífica amplitud cromática.

Cada lugar del planeta presenta en su geografía una cierta gama de colores que le es propia. El hombre, plantado en su lugar, se apropia del abanico cromático disponible a su alrededor, se identifica con él y lo elige para realzar su hábitat y los elementos cotidianos. La gama de colores que ofrece la naturaleza impregna el arte y la cultura resonando en sus emociones más profundas. Esta identificación del hombre con el paisaje que lo vio nacer se refleja en estos versos:

Después de mil y pico noches sin nada que perder,
de estrellas escondidas al anochecer,
me duermo en los colores que me han visto crecer
y siento que mi alma empieza a amanecer.[37]

Es tan fuerte la conexión entre el hombre y el color que inclusive forma parte inconsciente de muchas expresiones del lenguaje cotidiano. Cuando las cosas marchan bien todo es "color de rosa", cuando se intuyen futuros inconvenientes se dice "lo veo negro", cuando estamos distendidos decimos tener "la mente en blanco", en momentos de furia o agresión solemos "ver todo rojo". También algunas vivencias se expresan aludiendo a los colores. En situaciones que parecen sin salida, el panorama se pone oscuro y, en momentos plenos, la vida cobra múltiples colores, se torna colorida. De modo análogo a la naturaleza, la vida y las emociones tienen sus propios colores.

La conexión entre emoción y color se hace evidente en las formas de utilizarlo en las distintas manifestaciones de la cultura. Por ejemplo, en la vestimenta o las artesanías. Los pueblos copian de la naturaleza su exhuberancia cromática o su austeridad. Hay algunos que prefieren los colores vivos, mientras que otros optan por colores más tenues y apagados. Hoy en día, sin embargo, la moda y la

---

[36] http://www.salud.bioetica.org/cromoterapia.htm

[37] "Me siento bien", Hombres G. banda española.
http://www.conciertos10.com/gira-conciertos-concierto/me-siento-bien-de-hombres-g/2007/09/19/

estética han debilitado la conexión natural con los elementos del entorno y nos proponen utilizar gamas predeterminadas de colores. Esto, sin duda, ha condicionado con el tiempo la espontaneidad de la elección.

Tradicionalmente, el color ha ocupado un rol preponderante en la vestimenta de moda traduciendo, hasta cierto punto, el espíritu de la época, aunque manteniendo abierto el espacio para las preferencias individuales. En los últimos años el color ha conquistado territorios vedados por mucho tiempo, como el de la vestimenta deportiva o la masculina. Los hombres que solían vestirse con colores neutros y opacos han cambiado su preferencia a colores vivos y variados. Los diseñadores de ropa deportiva introdujeron los colores en sus creaciones, aprovechando las emociones y energía vinculadas a cada color. Esto es notorio en el caso del automovilismo y de los deportes extremos. Seguramente, los diseñadores que introdujeron el color para la vestimenta deportiva intuían o conocían el efecto que causan los colores en las personas, más allá del efecto "visibilidad".

La temática del color también es protagonista en el ambiente donde vivimos o trabajamos. Las oficinas tienden a ser monocromáticas porque la ausencia de color ayuda a construir un ambiente impersonal y despojado de emociones. A su vez los lugares de reuniones sociales, restaurantes, bares, cafés, utilizan una gama de colores para crear ambientes más acogedores que incitan a la comunicación y atraen a mayor cantidad de gente. La publicidad en la vía pública usa el color pues su presencia atrae la atención y despierta emociones en los que la miran.

El sentido de la vista es el que naturalmente registra las formas y los colores. Nuestros órganos visuales son capaces de captar un sinnúmero de subtonos. Esta capacidad receptiva de ver los colores y sus matices está condicionada por la constitución física y la herencia genética. Sin embargo, con ejercitación todos podemos ampliarla. Hay personas que pueden distinguir hasta cuatro mil tonos y la capacidad máxima está estimada en diez mil. ¡Es increíble el potencial que tenemos a disposición y que desconocemos!

La conciencia y el conocimiento sobre la importancia del color en lo cotidiano crece cada día más. Inclusive, a partir del poder curativo de las vibraciones propias de cada color, se ha desarrollado la cromoterapia como una forma de medicina alternativa o complementaria.

Color, emociones y creatividad

Como el color físicamente es onda vibratoria, su potencial vibratorio influye directamente en nuestra persona, tiene la capacidad de activar las emociones y modificar nuestros estados de ánimo. El color puede potenciar nuestra energía vital, activar y movilizar el caudal creativo.

Más de una vez tuvimos la experiencia de poder cambiar la actitud y el humor de un grupo de personas utilizando el color. Fue sorprendente cómo al incluir abundante color a la vista de los participantes se produjo un impacto que cambió instantáneamente el clima grupal. Cuando las personas están expuestas al impacto y vibración de colores intensos se levanta el ánimo, se sueltan inhibiciones, se activan las ganas de hacer, la mente se pone más lúcida, se estimulan la espontaneidad y la libertad de expresión. Estos resultados nos animan a creer en una conexión entre color y estados de ánimos. El color convoca y sostiene emociones que inspiran ideas y acciones de diferente intensidad. La abundancia y variedad de colores estimula nuevas conexiones mentales, moviliza a la acción y se traduce en aportes creativos inesperados.

En nuestra experiencia, así como hay personas con una gran sensibilidad para apreciar la diversidad de colores y sus infinitas gamas, también existen personas con mayor disposición para percibir e incorporar los matices en la vida de todos los días. Una vida colorida es rica en emociones, experiencias y en intensidad. De modo contrario, una vida sin color tiende a ser más monótona, tiene mayor dificultad para expresar las emociones o sentir la alegría de vivir. La vida, como el arco iris, admite muchos matices. Es importante tomar conciencia del rol que juega el color que nos rodea como estímulo de nuestra creatividad: debemos prestarle la atención que se merece. A la vida podemos y tenemos que colorearla, darle brillo y mayor intensidad.

Color “materia” y color “luz”

Las personas estamos más acostumbradas a pensar en el color asociado a la materia, el “color materia”, que se refleja en los objetos. Es el color impreso en una tela, una pared, un mueble, una flor, un líquido, etc. En el formato materia, los colores básicos son el rojo, el amarillo y el azul, denominados “colores primarios”. Los otros colores se originan de la mezcla de los anteriores. Los colores “secundarios” son mezcla de dos colores primarios. Del azul con el amarillo se obtiene el verde; del rojo con el amarillo se logra el naranja; mezclando el rojo con el azul se obtiene el violeta. La mezcla de tres colores da origen a los llamados “terciarios”. Otras mezclas pueden completar la gama de colores. La percepción varía básicamente por la textura, el tamaño, distancia o intensidad de la fuente de luz.

En el cuento del comienzo, sin embargo, encontramos al “color luz”. Son los colores que surgen de la descomposición de la luz y que vemos en el arco iris. Las frecuencias más bajas nos dan la sensación del rojo, las que son más bajas que las del rojo (infrarrojo) no se pueden ver, solamente sentir como ondas de calor. Las frecuencias más altas dan el violeta, y las más altas que el violeta (ultravioletas), resultan igualmente invisibles y producen ondas de alta energía. Las frecuencias intermedias nos revelan todos los colores intermedios del arco iris.

Armando la "paleta"

Tener un mayor conocimiento sobre el color, aunque sea muy elemental, facilita un uso adecuado para lograr mejores resultados.

Cada color tiene su opuesto: en el blanco y negro lo reconocemos fácilmente. Del rojo es el verde; del azul, el naranja; del amarillo, el violeta. En pintura los colores reciben nombres diferentes según la manera como se presentan. Cuando son puros, se los suele llamar plenos. Cuando se trabaja con colores dentro del mismo tono, existe la opción de lograr diversidad, empleando el degradé que disminuye gradualmente el tono original. Otra opción es trabajar con colores emparentados que son resultado de la mezcla de tonos cercanos al original. También se pueden mezclar, como vimos anteriormente.

Familiarizarnos con estas opciones da lugar a que nuestra paleta se enriquezca y por tanto los colores que imaginamos o aplicamos sean mucho más variados.

Blanco y negro, ¿son colores?

Hay mucho escrito sobre el significado de los colores. Si bien hay cierta coincidencia respecto de su significado e influencia, la percepción no deja de ser un hecho individual. Más adelante abordaremos el tema de la relación de los colores con los siete chakras. Tratamos aquí el blanco y el negro por separado, porque no están incluidos en los chakras.

El **negro** físicamente significa ausencia de color o también se puede decir que es la suma de los colores sin luz. Avanzando en su significado, el negro es el color del misterio y lo inexplicable. En nuestra cultura se asocia al luto, a las profundidades ocultas del alma y a los deseos y las necesidades reprimidas. Por nuestra experiencia recomendaríamos no usarlo con excesiva frecuencia porque aplaca nuestra energía vital. Por eso suele resultar contraproducente en casos de depresión, cansancio o ansiedad. Sin embargo, en otros ambientes puede significar todo lo contrario. Los franceses lo llaman "la reina de los colores" y es un clásico en la moda.

El **blanco**, por su parte, es la suma de todos los colores luz, sin embargo, en "color materia" representa la ausencia de color. Se lo asocia a la pureza, la sencillez y a la claridad. Simboliza también la juventud y la frescura. El blanco es un color protector utilizado por algunos grupos religiosos para expresar la inocencia, la humildad y la pureza del corazón. En las culturas orientales simboliza frialdad. Internacionalmente la bandera blanca indica "paz".

Ambos se han convertido en símbolos de sombra y de luz respectivamente.

Preparación y sensibilización a los ejercicios

Cada persona tiene un color interno predominante, que se manifiesta en una preferencia por uno o varios colores en particular. Eso explicaría porqué algunos colores y gamas nos atraen más que otros y nos hacen sentir bien cuando nos rodeamos de ellos.

La práctica que proponemos a continuación incluye una aproximación al color "con ojos abiertos" que permite, deliberadamente, construir ambientes donde la diversidad de los mismos estimule las emociones que cada color proporciona. También se incluyen visualizaciones —"con ojos cerrados"— que permitirán explorar otras experiencias que se generan en el "contacto" con los colores internos.

Percibir y disfrutar de los colores

El ejercicio se realiza con dos o más personas. Se prepara un entorno adecuado para ver y sentir el propio color. La intención del ejercicio es aprender a disfrutarlos.

La idea es desplegar telas de colores plenos sobre sogas que atraviesan el ambiente. Pueden ser chales, pañuelos, telas de colores de a metros, ropa amplia o manteles. Para la elección, aconsejamos tener en cuenta los colores de los chakras o arco iris: magenta-rojo, anaranjado, amarillo, verde, turquesa, azul y violeta. Además de las telas de textura suave y volátil, se pueden agregar todo tipo de objetos que agreguen color al espacio, como almohadones, flores, cuadros o velas. No se trata de una decoración estética sino de crear un ambiente rico en colores. Es importante iluminar bien los colores para que tengan más vida ya que serán los protagonistas junto con los participantes. Para que todos tengan posibilidad de sentarse a contemplarlos se pueden preparar sillas o almohadones. Es recomendable poner como fondo una música suave y melódica.

Los participantes comienzan moviéndose libremente por el espacio lleno de color prestando atención a las gamas y los contrastes, con la consigna de conectarse con cada color y dejar que la emoción que se desprende de cada uno los invada. Pueden tocar los colores con la palma de la mano, con el dorso; si quieren, se envuelven en ellos y dejan que la piel y el resto de los sentidos disfruten del contacto. Tienen que mirarlos conscientemente. Los pueden mover y cambiar de lugar para integrarlos a su vivencia y formar nuevas composiciones con ellos. Para aumentar el impacto en la percepción de los colores, se puede además, oscurecer por unos segundos el lugar y luego volver a dar luz con toda la intensidad posible o gradualmente para descubrir cuáles son los colores o tonalidades que se ven primero. Mientras están en movimiento pueden preguntarse cada uno cuál es el color que cuando aparece le resuena con mayor fuerza, cómo lo siente, qué le revela ese color. Todo el ejercicio contribuye a lograr una mayor conciencia de la resonancia que el color provoca en cada uno.

Los chakras

Nuestra relación con el color está íntimamente ligada a nuestra forma de ver la realidad y al modo de expresarnos. Las percepciones y vivencias que despierta la proximidad del color resuenan en nuestro interior y mandan información a nuestros chakras que se activan, aumentando o disminuyendo la corriente de energía que circula por ellos. Se da un "efecto resonancia", lo externo que impacta en nuestro interior genera, entre otras, una respuesta que retroalimenta la percepción del color.

Se conocen muchos aspectos de los chakras. Es un tema muy amplio del cual aquí sólo trataremos algunos que se relacionan con la creatividad, como el color y el sonido.

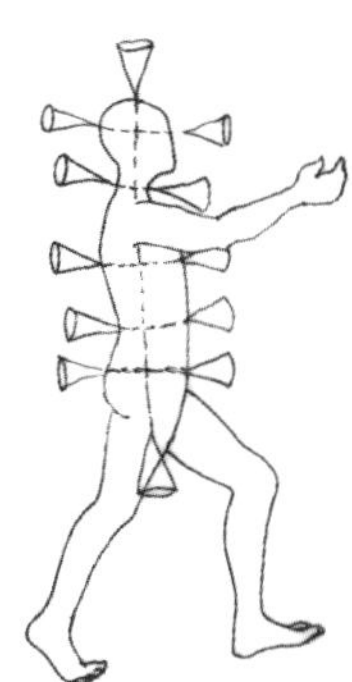

En la cultura Veda, los chakras representan centros energéticos del cuerpo humano que, si bien son invisibles al común de las personas, algunas de ellas los pueden ver o percibir. Los chakras, que en Veda significa "rueda", son vórtices metafísicos de energía giratoria. Cada chakra puede recibir, transformar y retransmitir energías. Están distribuidos a lo largo de nuestro eje, nuestra columna vertebral, desde el cóccix hasta la coronilla.

Existe un número variado de chakras o vórtices energéticos, de los cuales nos centraremos en los siete principales, los llamados *"chakras mayores o clásicos"*.[38] Los chakras están interconectados a través de los Nadis.[39] La energía del chakra emana desde su centro y se proyecta hacia afuera a través del vórtice. Así se forma una especie de hélice que gira en una dirección hacia delante y en la opuesta hacia atrás. En el dibujo puede verse cómo se ubican en el cuerpo. Cada chakra está relacionado con colores, con sonidos específicos y con distintas glándulas del sistema endocrino que influyen directamente en el funcionamiento de nuestras hormonas.[40]

Los siete chakras y el color

Los chakras vibran en colores diferentes. Cada uno de ellos brilla en "color luz" y en conjunto completan los colores del arco iris. De acuerdo a su color, proyecta una frecuencia diferente a la de los demás, lo que hace que la energía de cada uno se haga perceptible.

El primer chakra, el raíz, está ubicado en el perineo; entre los genitales y el ano, en el hombre; en el cerviz, en la mujer. Este chakra irradia un color rojo vivo que puede variar entre los diversos colorados, magenta, borravino y terracota. Simboliza al elemento tierra. A nivel físico se corresponde con las glándulas suprarrenales.

---

[38] Harish Johari, *Chacras. Los Centros Energéticos de Transformación*, Edaf, Madrid, 2001.

[39] Ver nota 9 al final del libro.

[40] Ver nota 10 al final del libro.

El primer chakra influye en nuestra salud física y en nuestros talentos. Aquí se forma el enraizamiento en el aquí y ahora; se refuerza la percepción de lo concreto, se afianza la estabilidad y capacidad de imponer nuestro poder, nuestras ideas y puntos de vista.

El chakra raíz se refiere a nuestra realidad concreta, a lo que llamamos "el mundo material". Se vincula también con la supervivencia, para la cual la glándula correspondiente produce la adrenalina que activa la respuesta de "ataque o huída".

Estimulando este chakra se amplía la energía física y la voluntad de vivir.

El **segundo chakra** está ubicado a la altura del cóccix brilla en color naranja y simboliza al elemento agua. A nivel físico se corresponde con los ovarios y los testículos. Contiene esa clase de energía a la que nos referimos cuando decimos *"me salió de las entrañas"*. Se vincula al potencial de la metamorfosis que aporta una fuerza nueva capaz de transformar la potencia de los instintos primitivos y profundos en energía creadora tanto física, como mental y espiritual.[41]

El segundo chakra está relacionado, además, con las emociones y el placer; ya sea el placer de comer, de beber, de procrear, de crear o el placer sexual. De esta poderosa energía procreadora se nutren la creación y la creatividad. Por eso es que sentimos placer en todo el cuerpo cuando somos creativos. Es la energía visceral, la de las emociones, transmutando lo vivido en creatividad.Estimulando este chakra se expande la capacidad de dar y recibir, tanto del amor, como del placer.

El **tercer chakra** está físicamente ubicado en el "plexo solar" que corresponde a la zona del ombligo hacia arriba. Al igual que el sol, irradia energía vital, en color amarillo. Simboliza al elemento fuego. A nivel glandular se corresponde con el páncreas. Es el centro del dinamismo y de la energía. Es un generador de "prana" o energía vital, que distribuye la energía por todo el cuerpo.

A este chakra se lo relaciona con las emociones fuertes y profundas como las del amor en la pareja y las del amor entre padres e hijos, así como con los lazos y vínculos más cercanos. Incluye simpatías y antipatías y la capacidad de establecer vínculos emocionales duraderos. Implica el poder y el control, la acción, la voluntad y la perseverancia.

Estimulando este chakra, se mejoran los vínculos con los seres significativos y se afirman la autoestima y la confianza en uno.

El **cuarto chakra** está situado en la zona del corazón y resplandece en color verde intenso. Se experimenta la energía de este color cuando después de haber estado encerrados durante un tiempo salimos a la naturaleza. En ese instante sentimos cómo se nos "abre el pecho": el corazón se expande al participar en el verde de la naturaleza y aspirar el aire fresco. El elemento de este chakra es el aire. A nivel glandular se corresponde con el timo.

---

[41] Ver nota 11 al final del libro.

El cuarto chakra simboliza el alma individual, el espíritu que vive en todos los seres, el que no se perturba con los vaivenes mundanos. Corresponde al amor amplio y desinteresado. Al amor por la vida, al amor por la naturaleza, a la vocación, al trabajo, a los amigos y a los otros. Es el chakra gestor de la compasión y generador de la aceptación de uno mismo.

Estimulando este chakra se acrecienta el amor a la vida. Nos abre a una mayor comprensión, aceptación y tolerancia del mundo que nos rodea y a la pasión por transformarlo.

El **quinto chakra** está ubicado a la altura de la garganta; es el centro del sonido, la vibración y la expresión. Vibra en color turquesa y simboliza el éter. Se corresponde con las cuerdas vocales, el sistema respiratorio y, a nivel glandular, con la tiroides. Es a través de este centro que nos comunicamos con el mundo entero, allí se realiza la comunicación amplia. Por la garganta circula el aire que inhalamos y exhalamos. Este proceso de respiración es un símbolo de la comunicación sonora. Nosotros inhalamos el mismo aire que exhalan otras personas, animales y plantas y a su vez ellos inhalan el aire que nosotros exhalamos. Las afecciones en esta zona, como catarros, resfríos, o garganta irritada, se asocian a dificultades o sobrecargas en la comunicación.

En el quinto chakra recibimos las vibraciones mentales o pensamientos de otras personas. En este centro se gesta la armonía con los demás y la posibilidad del autoconocimiento.

Estimulando este chakra fluye la comunicación y se fortalece la capacidad de arriesgar para ser uno mismo y de darse a conocer.

El **sexto chakra** está ubicado en el centro del cráneo; se sitúa detrás del entrecejo. Se corresponde con la glándula pineal.

Irradia el color índigo profundo del que se tiñe la bóveda celestial después de la puesta del sol. También es el azul índigo, el azul oscuro del mar o del gran océano del universo. Desde aquí sería posible conectarnos con todo lo existente.

Este chakra está relacionado con la conciencia superior. Es el llamado tercer ojo, el que permite "ver" con los ojos cerrados. Nos da la posibilidad de conectarnos con el maestro interior. Aquí suceden los profundos estados de meditación, que facilitan el acceso a la intuición y a la espiritualidad.

Allí se ubican las facultades supramentales como la clarividencia, la clariaudición, la agudeza de los sentidos (hiperestesia), la adivinación o la telepatía, entre las más conocidas.

Estimulando este chakra se aumentan las facultades perceptivas: la inteligencia, la memoria, la fuerza de voluntad y la concentración. Asimismo se amplía la conciencia y se clarifican las imágenes que tenemos del mundo y de la vida. A través de él recibimos lucidez y energía.

El **séptimo chakra** es el más elevado de los chakras clásicos. Está localizado levemente por encima de la cabeza, por sobre la "coronilla", fontanela o mollera. Los adultos lo percibimos al tacto como un punto de mayor sensibilidad, porque al momento de nacer los huesos no estaban totalmente soldados en ese punto.

El séptimo chakra brilla en color luminoso violáceo, plateado, dorado. Irradia mucha luz. Este chakra nos acerca a la conciencia del alma, abre la posibilidad de comunicarse con el universo. Es un vehículo hacia la plenitud de las facultades humanas. Se lo asocia con la expresión más alta de nuestra capacidad de vincularnos a la conciencia amplia, la conciencia superior, que permite el acceso a la energía creadora. Aquí puede suceder la iluminación.

Por medio de este chakra recuperamos los canales de percepción de nuestro estado original. Es una senda hacia la espiritualidad. Estimulando este chakra reforzamos el camino hacia la autorrealización, a la total ausencia del egoísmo y la apertura al Absoluto. Desde aquí nos abrimos a hacer de "canal", para canalizar ideas como lo describimos en el capítulo 3.

Los chakras. Energía vital y creativa

La relación entre chakras, emociones y percepciones profundas hace que, al activar el color de nuestros chakras, se ponga en movimiento una energía que nos permite darle mayor intensidad a nuestras vivencias. La vida puede tener la riqueza de un abanico cromático: cuanto más amplio y colorido es nuestro color interno, mayor libertad y energía proyecta y expresa. ¡Apostemos a la plenitud!

Los chakras tienen una relación directa con nuestra percepción cromática. El ojo humano funciona como una cámara fotográfica o una filmadora que permanentemente está captando imágenes. La información cromática sensibiliza los chakras que a su vez responden mejorando la receptividad de los colores. Así se forma un circuito que se retroalimenta. En la mayoría de los casos, este proceso es inconsciente. Saberes ancestrales señalan, además, que se manifiesta una relación entre los estados emocionales y aspectos de la interioridad y los colores asociados a los distintos chakras.

Los chakras vibran independientemente en distintas intensidades. Pueden ser más tenues o más intensos. Cuando el color es intenso expresa una mayor energía que activa las hormonas y que se proyecta sobre la persona. Cuando es más apagado, refleja menos energía; en consecuencia, nos sentimos más desganados y no accedemos a todo el potencial de energía disponible. Cada chakra sintoniza con un sonido y ciertos movimientos. Por eso, las emociones y las cualidades asociadas a cada chakra se pueden avivar, estimular, abrir y expandir mirando o vivenciando los colores correspondientes a cada uno. Con igual fin se pueden utilizar el sonido o el movimiento y, de modo especial, el baile.

Conociendo este proceso de retroalimentación, frente a estados emocionales negativos o de energía baja se puede recurrir al color para crear un círculo virtuoso. Usándolo gradualmente se logra aumentar la energía y el deseo de proyectarse utilizando la creatividad. Cuando funcionan alineados e intercomunicados generan energías diversas y proveen percepciones que impulsan el proceso creativo. Es conveniente tomar conciencia previamente de los colores de preferencia y las emociones y percepciones asociadas a éstos, para luego pasar a trabajar con el color como estímulo de mayores energías. Las preferencias se reflejan en la forma de sentir o vivenciar el color o en la elección del color con que se rodea cada uno. Una persona con un cierto entrenamiento puede determinar cuál es el color que necesita en cada momento y recurrir a factores externos para aumentar su intensidad gradualmente. El uso de esta práctica tiene que ser prudente y personal, porque el impacto del color puede ser muy fuerte. Es importante tomar conciencia de la presencia de los chakras.

Como una síntesis provisoria que ustedes pueden enriquecer, el cuadro siguiente enumera distintos tipos de energías y cualidades asociadas a cada chakra activo, así como también algunas de las posibles percepciones profundas, que nos brindan.

Tipos de energía y cualidades		**Percepciones profundas**
	7° chakra	
Participación de lo sobrenatural		Percepción de lo Absoluto
Gracia		Percepción de la energía cósmica
Conciencia del alma		Percepción del amor universal
Sabiduría interior		Percepción de la gran unidad, que interrelaciona todo
Apertura al conocimiento universal		
	6° chakra	
Lucidez		Percepción de lo espiritual
Fantasía inspiradora		Acceso al mundo simbólico
Intuición		Percepción de lo nuevo
Mirada consciente		Percepción de lo que está detrás de lo aparente
Discernimiento		Percepción de pensamientos profundos
Pensamiento integrador		Percepción de la atemporalidad

5°
chakra

Receptividad y emisión	Autoconocimiento
Comunicación	Percepción de armonía
Tolerancia a la ambigüedad	Percepción de la propia verdad
Flexibilidad	Percepción del mensaje profundo
Espontaneidad	Percepción de la comunicación de alma a alma
Autenticidad	Percepción de la gran libertad creadora

4°
chakra

Amor a la vida	Percepción y comprensión del mundo
Empatía	Percepción del amor amplio, ilimitado
Compasión	Percepción de lo más íntimo
Motivación	Inclusión creativa de lo diferente
Vulnerabilidad	
Apertura	
Generosidad	
Honestidad	
Tolerancia	

3°
chakra

Autoestima	Percepción de los intensos lazos que nos unen
Responsabilidad	Percepción de ser uno mismo, ser una unidad
Poder	Percepción de la fuerza propia
Autenticidad	Percepción del límite en el proceso creativo
Perseverancia	
Posibilidad de imponerse	

2°
chakra

Placer	
Fuerza generadora	Percepción de posibles caminos
Instinto	Percepción de la metamorfosis, transformación
Inventiva	Percepción del niño interior
Alegría	Percepción del potencial de la creación
Pasión	

1°
chakra

Fuerza física	Percepción del orden
Acción	Percepción del peligro
Vitalidad. Alegría de vivir	Percepción de los ciclos de la naturaleza
Fuerza de voluntad	Percepción de la potencialidad de concretar
Enraizamiento	
Talentos	

De la explicación a la acción

A continuación proponemos un ejercicio similar al anterior, pero esta vez incluye la vivencia del color de los chakras junto al sonido y al movimiento. El mismo apunta a sensibilizar y lograr un contacto más fluido con la energía que proyecta y despierta cada color en nuestro cuerpo. Esta práctica puede ayudar a tomar conciencia del color interno y su conexión con las emociones.

Danza de colores

Este ejercicio utiliza la danza o el baile para activar el respectivo color interno. A través del movimiento y el contacto con los diversos colores se busca ampliar la vibración de cada chakra.

Se busca un lugar adecuado al número de asistentes. El espacio debe ser amplio para que puedan expresarse libremente con la menor cantidad de límites posibles. Se ponen a disposición telas livianas, pañuelos, chales y vestimentas amplias con los colores de los chakras. Se puede poner música de fondo. Cuando se utiliza la música,[42] ésta debe incluir diversos ritmos, melodías e instrumentaciones para poder estimular los diferentes chakras. Una vez preparados, se pone una música que los invite a bailar.

Cada persona elige telas o ropa de un solo color por vez y se las coloca sobre el cuerpo y la cabeza para hacerlos flotar en el aire al compás de la música. El uso de un antifaz puede ayudar a sentirse libre y más suelto. Se danza libremente dejándose llevar por las vibraciones. Como cada chakra tiene un color y una vibración propia, al escuchar la música vestidos de un determinado color puede provocar una resonancia en nuestro interior que estimula la actividad de la correspondiente zona del cuerpo. Al activarse, también se activan las energías propias de cada chakra.

Este ejercicio se puede realizar alternando momentos activos y pasivos. Las personas que no bailan aprovechan para contemplar los colores en movimiento ya que también esto facilita la apertura de los chakras. Los que bailan cambian la vestimenta, un color por vez, y se entregan a lo que la música y el color proponen. Es una manera de nutrir, sensibilizar y ampliar el potencial de ese color. Son notables, en algunos casos, las diferencias de humor que se manifiestan con cada cambio de color. Bailando, pueden tomar conciencia de la zona del cuerpo en la que resuena la música. Con este tipo de ejercicio se puede lograr el fluir armónico y en conjunto de todos los chakras, y así experimentar no sólo emociones de mayor intensidad y ganas de vivir sino también ganas de expresarse.

---

[42] Para este ejercicio se pueden conseguir, en lugares especializados, grabaciones de música para bailar los chakras.

Vivenciar el color

Viaje interior a los chakras

En este ejercicio proponemos recorrer y vivenciar el color usando la imaginación, la sensibilidad y la percepción. Como ya comenzamos a ensayar en los ejercicios anteriores, vamos a incluir los cinco sentidos y los dos hemisferios cerebrales para poder alcanzar niveles de percepción más profundos. Iremos un poco más lejos cambiando nuestro tamaño y permitiendo que esta personita haga un paseo por los chakras.

Buscamos que cada uno se haga permeable al color y se acerque a su modo personal de vivenciarlo.[43] Si llegaran a sentir alguna incomodidad, recuerden que con la respiración pueden volver.

Visualización CD: 5

Llevo la atención al centro de mi cabeza. Desde allí percibo una luz tenue que se filtra por una abertura en la coronilla. Es una pequeña abertura por la cual puede entrar y salir toda la luz del universo... Esa luz se hace cada vez más intensa. Se desliza por mi columna vertebral, ilumina el interior de mi cuerpo, alumbra los colores de todos mis chakras, y penetra en mis espacios más ocultos. Me tomo un momento para disfrutarlo... Me dispongo a descubrir su significado en mí...

¡Que experiencia! Realizamos un hermoso viaje por el color, estuvimos inmersos en el color. ¿Pudieron viajar? ¿Lograron visitar cada chakra, ver sus colores y vibrar con ellos? ¿Vivieron lo que es propio de cada chakra, sintieron el amor, la comunicación?

Es una aventura viajar por los colores, vivenciarlos y sentir su vibración en el cuerpo. Este ejercicio es muy potente, nos moviliza desde muy adentro, abriendo muchas compuertas en nuestro interior, haciéndonos más permeables. La experiencia con cada color permite que surjan aspectos nuestros a los que tal vez no habíamos podido acceder hasta ahora. Mantengan el contacto con su interior; tómense un tiempito para rever y volver a sentir todo lo que se movilizó.

Momento de expresarse

Ahora invitamos a cada uno a abrirse para expresar lo que vivenció, lo que sintió durante el viaje por los chakras. Tomen conciencia de lo vivido y píntenlo, escríbanlo, báilenlo o exprésenlo de la manera que lo sientan. La expresión de las vivencias es clave e imprescindible después de este ejercicio. El cúmulo de percepciones y experiencias que no se expresan pueden crear un estado de desequilibrio

---

[43] Pensamos que también estos ejercicios pueden beneficiar la percepción cromática de las personas que tengan alterada la percepción del color.

interior. Durante la expresión práctica se reacomoda y restablece lo que pudo haberse desordenado. Aunque sea mediante unos pocos trazos, palabras o movimientos, tenemos que hacer el esfuerzo por materializar lo vivido, de modo de recuperar plenamente los niveles de conciencia y el equilibrio energético y afectivo. **Nadie debe saltear este paso.**

Sean conscientes de que estos colores en sus distintas manifestaciones —luminosos, brillantes, tenues, opacos— son una fuente de energía que da apertura a múltiples aspectos del vivir y nos permiten participar profundamente de lo que somos cada uno. El color moviliza más de lo que creemos, nos puede aportar mucha energía positiva. ¡Vale la pena vivenciar el color! Lo más recomendable es dedicarse a pintar de lleno con colores, aunque jamás hayan tomado un pincel. Si durante la actividad de expresión perdemos contacto con lo vivido o aparecen pensamientos que nos distraen, podemos recuperar la conciencia de ese momento volviendo a las sensaciones que tuvimos durante el ejercicio. El enriquecimiento y crecimiento personal y de nuestro potencial creativo viene justamente del "ida y vuelta" entre vivencia y expresión, que permite su incorporación al plano consciente.

Con la visualización de los chakras, accedemos a nuestros colores internos. Cada uno de ellos moviliza aspectos personales usualmente desconocidos o difíciles de percibir. La energía pura del color alimenta nuestra imaginación y permite revelar aquello a lo que nunca tuvimos acceso. Lo realizado es sólo un punto de partida. Con un buen entrenamiento se pueden llegar a alcanzar mayores niveles de conciencia.

Mi color, mi imagen

El siguiente ejercicio presupone haber internalizado lo anterior. Forma parte de una secuencia de temas, por eso esta visualización deberá hacerse después de la de los chakras. En la siguiente experiencia proponemos sumergirnos en un río de color que brota de nuestro chakra y nos lleva hacia un espacio interior que alberga una imagen. Tal vez descubramos algo para nosotros.

Visualización *CD: 6*

Tomo conciencia de mi cuerpo, estoy relajado. Percibo la luz que atraviesa mis chakras e ilumina mis colores internos. Comienzo de abajo hacia arriba a recorrer mis chakras disfrutando uno a uno del color que me ofrecen. Reviso cada lugar y me hago permeable a cada color…

¿Pudieron viajar? ¿Qué color eligieron? ¿Qué sensación tuvieron al flotar en el río? ¿Sintieron el color del agua en la piel? ¿Descubrieron la imagen? ¿Era voluminosa? ¿Era sonora? ¿Era monocromática o le vieron muchos colores? ¿Les reveló algún mensaje?

Lo que aparece ante la pantalla interior debe ser respetado y aceptado. Lo más importante es ser fiel a la imagen que surge en cada uno. No es relevante si ella nos desvía del camino por el que nos guía el texto. Hay que seguir la imagen, descubrirla, detectarla y hacerla propia, para que al regresar de la visualización sea posible expresarla.

Ahora busquen los materiales que prepararon y dediquen el tiempo necesario para expresar lo vivenciado de la manera que sea, pero ¡exprésenlo! Si no hay tiempo suficiente para una realización completa, hagan por lo menos un boceto de lo vivenciado, visto o sentido. Es necesario manifestarlo en algo concreto.

Recomendación

Puede suceder que a algunas personas cuando cierran los ojos les cueste ver, vivenciar o sentir el color. A ellas les aconsejamos, antes de comenzar el ejercicio, mirar los colores y grabarlos en la mente. O bien realizar el ejercicio "Danza de colores". Si esto no es posible, sugerimos llenar una hoja por cada color; o sea siete hojas, los colores que corresponden a los chakras. Estas hojas deben contener el color y sus variantes. Pueden ser pintadas, incluir recortes de revistas, usar telas o papeles, enriqueciendo la gama de ese color. En el momento previo a la visualización, pueden dedicar un tiempito a mirarlas atentamente, una por una. Luego cierren los ojos. A partir de allí, déjense guiar por su propia fantasía e imaginación siguiendo los pasos de la visualización. Esto seguramente los ayudará a conectarse con el color imaginario, el color interno, y a ampliar las posibilidades de su imaginación.

Estos ejercicios se pueden adaptar para ser utilizados en situaciones diversas y contribuir a resolverlas. Sin un objetivo predeterminado, se lo puede tomar simplemente como un ejercicio de sensibilización y estímulo a la percepción del color y su potencial.

Otras experiencias a partir del color

La fuerza del color

Este ejercicio se basa en el envío de energía, propia de cada color, hacia quien la necesita. Si queremos ayudar a alguien a quien no podemos llegar personalmente, porque está lejos o porque no tenemos acceso a él, lo podemos intentar a través de un ejercicio muy interesante que se hace a partir del color.

Consiste en crear imaginariamente en el interior de nuestro vientre una esfera que podamos llenar de color. Luego se arma una segunda esfera en la parte externa del cuerpo que se comunica con la anterior a través del ombligo y actúa de válvula comunicante. En esta segunda esfera colocamos mentalmente a la persona que queremos ayudar. La energía corre de la esfera interna hacia la esfera externa por el ombligo y no regresa. La experiencia vale la pena.

Para realizar este ejercicio se debe buscar un lugar apropiado donde se pueda permanecer sin interrupciones. Para comenzar se relajan como lo hacen para una visualización. Una vez que logran alcanzar ese estado de relajación, hagan un paseo por todos los chakras prestando atención y disfrutando cada color.

Después de haber recorrido los chakras, formen una esfera redonda en su vientre y pregúntense a sí mismos: "*¿Qué color necesito en este momento?*". Imagínense que la llenan con el primer color que se les aparece. Tómense un tiempo para observarse. Si al rato aparece otro color, agréguenlo dentro de la misma esfera en su vientre. Manténganlo por un rato. Continúen así sucesivamente hasta que su ser interior no les pida ningún otro color. Para poder ayudar a otro, primero hay que comenzar por uno mismo.

Ahora, con su imaginación, coloquen una segunda esfera delante de su vientre haciendo contacto con su ombligo. En esa esfera ubiquen imaginariamente a la persona que quieren ayudar. Ambas esferas, la que tienen en su vientre y la de afuera, se unen por su ombligo. Se pueden visualizar como si formaran un ocho acostado. Por su ombligo fluye la energía hacia la persona necesitada de ayuda. Pregúntenle a la persona: "*¿Qué color necesitas?*".

Con el primer color que les surge en su imaginación llenen su esfera interna y pásenselo, vía ombligo, a ella. Dejen que permanezca en el color que les pide. Al rato repitan la pregunta: "*¿Qué color necesitas?*". Si no les aparece ningún color, el ejercicio está terminado. Pero si les pide otro color, llenen su esfera de ese color y repitan el traspaso vía ombligo. Repítanlo así hasta que no aparezca ningún otro pedido. Una vez finalizado el ejercicio, envíenle buenos deseos a la persona que eligieron para ayudar y desconecten su esfera de la de ella. Finalmente, regresen imaginariamente a la persona a su lugar cotidiano, envuélvanla en luz blanca brillante y despídanse de ella.

El ejercicio está terminado, así que vuelvan a incorporarse en su cuerpo normalmente con la certeza de que algún cambio positivo experimentará la persona que ayudaron porque el color es muy poderoso. Es sorprendente lo que la energía del color puede llegar a modificar. Este es un ejercicio seguro, porque la energía va sólo en un sentido, desde nuestra esfera hacia la del otro y nunca al revés. Es un ejercicio que ilustra la fuerza que tienen los colores. Existen experiencias concretas que fundamentan esta propuesta, por eso la incluimos.

Colores y emociones

El siguiente es un ejercicio para hacer de a dos. Sirve para identificar la forma en que tenemos asociados el color y las emociones.

El material requerido es simple: una caja de marcadores o lápices de colores y papel en blanco. Primero, eligen los roles: una persona dicta palabras y la otra escribe. Cada uno, por turno, dictará diferentes palabras que contemplen todo el espectro de emociones cotidianas. Estas emociones pueden también estar referidas a una situación conversada previamente. El que escucha escribe cada palabra eligiendo, en cada caso, el color con que la asocia. La conexión tiene que surgir espontáneamente y libre de condicionamientos de cualquier tipo. Luego, se agrupan las palabras según el color que utilizaron para cada una y se analiza la forma en que se relacionan. Esta información sirve para identificar con qué colores se asocian los sentimientos y emociones positivas y con cuáles los negativos.

Al analizar los resultados puede surgir información valiosa sobre cada uno. Una manera sencilla de utilizar esta información sería rodearse de aquellos colores asociados a emociones positivas o intensificar su uso en la vestimenta diaria para animarnos en situaciones difíciles o revertir momentos de baja energía. Otra manera de obtener este tipo de información —modo en que se asocia color y emociones— podría ser escribir historias creando un personaje para cada color y analizar las características con que se representa a cada uno.

Aprendizajes

Como veíamos, cada color tiene una carga emotiva y un potencial de sentimientos y sensaciones que podemos usar a nuestro favor. Esto se manifiesta claramente en todo proceso creativo.

El trabajo constante con el color abre una posibilidad de vínculo e identificación con las diversas gamas cromáticas. En cualquier expresión, sea obra, tema, idea o proyecto, la familiaridad con la energía de cada color nos habilita para concretar composiciones más complejas, austeras o armoniosas, según el caso. Su energía origina cambios y transformaciones internas que pueden provocar una expansión interior y, posteriormente, verse reflejados en logros significativos. La coherencia y riqueza interna que abre el contacto intenso con los colores nos posibilita niveles de expresión desconocidos para unos e inimaginables para otros.

Al profundizar el conocimiento y la conexión con los colores, nuestra expresión cromática se hace más madura. Al internalizar la conexión con los colores, se amplía la posibilidad de diversificar la paleta a utilizar. El color nos pide su espacio, lo podemos escuchar. En sentido metafórico, haberse sumergido en el mundo del color permite descubrir y expresar toda la gama de cualidades, talentos, conocimientos, experiencia, sueños y deseos que guarda nuestro corazón. Se trabaja desde un lugar de mayor seguridad, valentía y convicción.

Capítulo 7

Los sentidos, protagonistas del proceso creativo

7

Los sentidos, protagonistas del proceso creativo

Los sentidos hacen de puente invisible a través del cual lo que se puede ver, oír, tocar, gustar u oler nos llega y se hace parte de nosotros mismos. También aportan información sobre lo que sucede en nuestro interior. Son un recurso inagotable para la creatividad. Cuando aprendemos a utilizar más plenamente su potencial la percepción del mundo se vuelve más rica y profunda. Así, podemos disfrutar tanto de lo evidente como de lo oculto, de lo sutil e inmaterial y de todo lo que el mundo sensible tiene para ofrecernos. Al ampliarse abren nuevas opciones para hacer y para crear. Ellos son una fuente inmensa de estímulos creativos; por eso es tan importante ejercitarlos.

Los cinco sentidos

Nuestros cinco sentidos son el vehículo natural para detectar y percibir el mundo sensible. Cada uno de ellos tiene una configuración y funcionamiento particular y su acción conjunta potencia la conexión con nuestro interior y con lo que nos rodea. Son los receptores de sonidos, sabores, olores, sensaciones táctiles, formas y colores.

Se reconoce a la vista, el tacto y el oído como los sentidos "mayores" que están asociados al aprendizaje. Los órganos visuales y auditivos captan ondas lumínicas o vibratorias específicas que al llegar al cerebro son decodificadas y permiten estructurar las imágenes visuales o auditivas respectivamente. Cuando al "ver" —fenómeno físico— se suma la atención, la aceptación y la intencionalidad de comprender se convierte en "mirar". Con el oído sucede algo similar y se establece una diferencia entre oír y escuchar. Esto amplía el sentido del ver o del oír, pues incluye la mente y el corazón.

Por su parte, la piel capta información de todo lo que entra en contacto con ella. El gusto y el olfato, a su vez, conducen una franja más estrecha de percepciones por lo cual la información que aportan suele ser más específica. La recepción de estímulos es continua, incluso cuando dormimos. Por eso, si bien lo que "sabemos" comúnmente lo asociamos a un proceso consciente, también existe un proceso inconsciente en el que recibimos información que se revela en lo aprendido de distintas maneras.

Durante el proceso de aprendizaje las personas manifiestan, muchas veces de modo inconsciente, una preferencia **visual, auditiva o kinestésica** para ingresar y procesar la información. Si bien todos los sentidos trabajan a la vez, en cada persona se desarrolla una conexión privilegiada entre las sensaciones captadas y la memoria de largo plazo que hace que los datos que entran por el órgano preferido, en un contexto dado, sean mejor comprendidos y almacenados. Conocer y prestar atención a estas diferencias puede facilitar el aprendizaje y la tarea creativa.

Trampas de la percepción

Gran parte de nuestro potencial creativo se amplía cuando nos permitimos sobrepasar las fronteras de lo conocido. Este es un paso que se puede dar conscientemente, abriéndonos a la sorpresa y al asombro. Es esencial darnos permiso para hacer o descubrir nuevas conexiones, exponernos a una mayor cantidad de estímulos y atrevernos a atravesar y superar las propias barreras o límites. Al permitirnos "más" se abre la posibilidad de participar en planos mucho más sutiles.

Al ser humano, habitualmente le resulta más fácil aceptar percepciones o información cuando se trata de conceptos o experiencias que coinciden con sus paradigmas o que se vinculan a algo que ya conoce o le provoca curiosidad. Por el contrario, le cuesta mucho registrar algo que no conoce o que no le es fácil comprender. De alguna manera no está internamente preparado para recibirlo. Esto también influye y acota la receptividad de los sentidos. Veamos un ejemplo curioso pero verídico.

En un seminario sobre innovación,[44] el conferencista presentó un video deportivo de unos pocos minutos. *Se enfrentaban dos equipos de cuatro personas cada uno, el blanco y el negro. Cada equipo tenía una pelota y sus jugadores debían pasársela entre sí la mayor cantidad de veces posible, evitando que tocara el piso.* La consigna para el auditorio consistió en contar el número de pases que hacía el equipo blanco. Cuando terminó la proyección, el conferencista preguntó cuántos pases había conta-

---

[44] Creative Problem Solving Institute 2006. Taller presentado por Dennis Stauffer, Chicago, Estados Unidos.

do cada uno. Luego preguntó si habían observado algo extraño. La mayoría dijo que no. Volvió a pasar el video y, para sorpresa del auditorio, se descubrió que durante el partido una figura semejante a un gorila negro había atravesado la cancha. Cuando llegó a la mitad del recorrido, giró hacia la cámara y se golpeó el pecho, después de lo cual siguió su camino hasta desaparecer. ¡Increíble! Nadie lo había registrado. La explicación es que toda la atención estaba dirigida al color blanco, por lo tanto, los ojos vieron el negro pero la mente no decodificó la información porque la consigna era concentrarse solamente en el blanco. Una de las pocas personas que notó la presencia del extraño explicó que estaba intentando contar cuántas veces tocaba la pelota el equipo blanco y cuántas el negro, por eso seguramente lo vio. Normalmente nuestros sentidos captan aquello a lo que nuestra mente dirige su atención.

Es sorprendente cuánto más se puede registrar, ver, sentir, oír, gustar, oler, si permanecemos abiertos a la sorpresa, a lo desconocido, a la totalidad.

Ampliando nuestros sentidos

El proceso de ampliación del alcance de nuestros sentidos se produce con la ejercitación. Cuando los ejercitamos conscientemente, lo podemos hacer focalizando en un propósito u objetivo. Al entrenar la percepción, es importante registrar y confiar en lo que va sucediendo, aunque los hechos o acontecimientos no tengan lógica o no se entiendan. Por eso es necesario permitir que la libertad juegue plenamente y nos revele lo insólito, lo espontáneo, lo imposible, lo realizable, lo irrealizable, lo genial. Está en nosotros abrir ese espacio. Agudizando los sentidos podemos acceder a experiencias más sutiles y diferentes de lo habitual. Este proceso despierta nuevas vivencias que tienen el potencial para expandir los límites de nuestra creatividad. El registro de las experiencias se convierte en materia prima de ideas u obras.

En las páginas siguientes proponemos una variedad de ejercicios como guía para lograr su sensibilización y desarrollo. Los ejercicios están pensados originalmente para ser realizados en grupo, pero también es posible realizarlos individualmente.

Caminos para explorar

Aquí presentamos una serie de ejercicios destinados a sensibilizar el potencial de los sentidos, a explorar formas sencillas de vincularlos con la imaginación y a utilizarlos en forma separada o conjunta como puentes hacia otros recursos creativos. La condición es estar atentos y aceptar que los sentidos, cuando funcionan integrados, nos abren otros mundos, otros recursos creativos. El caudal es ilimitado. Es asombroso cuánto más se puede recibir si estamos atentos y abiertos.

A su tiempo irán descubriendo cómo funcionan cuando los integramos conscientemente y cuánto amplifican el universo de sensaciones posibles.

Cada uno descubrirá que sus vivencias son distintas a las de los demás. Las diferencias surgen porque cada uno de nosotros tiene su propio modo de registrar, según el desarrollo de cada sentido. La mayoría de las personas poseen una combinación de las distintas formas de percibir aunque, por lo general, una o dos aparecen como dominantes. Quien es más kinestésico, más táctil, lo vivenciará más intensamente con el cuerpo. El visual recibirá prioritariamente imágenes, formas y colores; y al auditivo le llegarán con más intensidad los sonidos y las imágenes auditivas. Por eso también algunos ejercicios les resultarán más sencillos y otros más difíciles de realizar. Como ya lo hemos mencionado, la ejercitación nos da más soltura y confianza para entregarnos a lo que suceda. Si se animan a hacer estas experiencias día a día, pueden ampliar su potencial individual o combinado. ¡Es toda una aventura!

Ejercicios con el tacto

El sentido del tacto tiene una potencialidad más amplia de lo que comúnmente registramos. ¿Se animan a probar cómo, a través de la piel y el movimiento, podemos recibir y proyectar emociones, sensaciones, mensajes, ideas e información?

Canasta sorpresa

Se prepara con anticipación una canasta con diferentes objetos de diferentes texturas y tamaños como, por ejemplo: un ovillo de lana, una goma, algodón, un pañuelo, una papa pelada, pétalos de rosa, alguna piedra áspera, un papel de lija, un libro, una caja, candelabros, monedas, llaves y otros objetos, que pueden ser de vidrio, plastilina, cerámica o madera. La variedad y también la cantidad hacen la experiencia más enriquecedora.

Para realizar el ejercicio, ubíquense en un lugar tranquilo donde se sientan bien y acomoden la canasta al alcance de las manos. Cierren los ojos y dispónganse a palpar y tocar su contenido. Al finalizar abran los ojos e incorpórense a su estado natural, procurando prolongar el recuerdo de la experiencia.

Sugerimos un texto para guiar la experiencia. Lo pueden leer previamente o pueden pedirle a alguien de confianza que lo haga por ustedes.

Me ubico en un lugar cómodo y me relajo; respiro regularmente, cierro los ojos y tomo de a uno los objetos en mis manos. Plenamente atento a mi sentido del tacto me predispongo para registrar las diferentes sensaciones y emociones que puedan surgir en mí. Voy percibiendo objeto por objeto, dedicándole el tiempo suficiente para sentir y vivenciar en el cuerpo lo que cada uno me produce. Cuando siento que he explorado lo suficiente, elijo uno de los elementos. Lo pongo en la palma de una mano, lo acaricio suavemente con las yemas de los dedos y me abro internamente para recibirlo. Percibo si es suave o áspero, si tiene aristas, si es frío o cálido. Luego doy vuelta mi mano y siento el objeto con el dorso. ¡Qué diferencia! Ahora lo ubico en el antebrazo, me concentro en las sensaciones que me produce. Siento la temperatura, la textura, presto atención al impulso de mis manos para seguir conociendo el objeto elegido. Me tomo tiempo de percibir lo que me sucede. Luego llevo el objeto a la mejilla, detecto la diferencia de sensaciones. Lo muevo hasta la frente a la altura del entrecejo, me compenetro tanto que soy uno con el objeto. ¿Qué emociones nuevas me genera? Compruebo cuántas diferencias hay en mi percepción. Me tomo un tiempo para disfrutar del momento.

Y ahora observo cómo los demás sentidos se integran a la experiencia sensorial. Mantengo los ojos cerrados y, al acariciar el objeto, lo veo con mi imaginación. Observo qué color me sugiere y lo acepto aunque no coincida con su color natural. Desde ese contacto dejo que surjan imágenes, formas y colores con total libertad (silencio). Ahora predispongo mi oído. Al acariciar el objeto elegido, permanezco atento al registro de algún sonido nuevo o a la aparición de imágenes auditivas imaginarias. ¿Escucho algún ritmo o melodía? (silencio). Sensibilizo mi potencial auditivo para escuchar todos los sonidos que puedan surgir del contacto entre el objeto y mi piel. Después de experimentar cómo el tacto estimula mi oído, pongo atención para ver qué me sucede con el olfato y el gusto. Al acariciar el objeto, pueden surgir espontáneamente una fragancia o un sabor imaginarios. Presto atención a si experimento algo nuevo cuando tomo contacto con el objeto elegido. ¿Percibo una conexión entre mi piel, el aroma y el sabor? A mis sensores les doy absoluta libertad en la percepción. Permito que las sensaciones vayan calando hondo en mi interior, aunque mi mente no las comprenda. Dedico toda mi atención al sentir y al percibir. ¡Dejo que suceda!

Una vez que hicieron la experiencia elijan otro objeto del canasto y repitan el ejercicio. Cada nuevo objeto estimula los sentidos de un modo diferente provocando nuevas conexiones. La ejercitación reiterada brinda a los cinco sentidos la oportunidad de ampliarse, crecer, aumentar y agudizarse paulatinamente. Hay muchas maneras de ejercitar el tacto.

Explorando el espacio

En este caso, haremos una exploración con los ojos vendados en un ámbito que puede ser un jardín, un parque o el mismo salón donde se encuentran.

Las personas que participan se agrupan de a dos. A una de ellas se le venda los ojos con un pañuelo y la pareja hace de guía. Ésta la conduce y ayuda a desplazarse por el lugar, cuidando de que no tropiece ni se golpee. La persona con los ojos vendados tiene que poder confiar en su guía. El propósito es que la persona que tiene los ojos vendados toque una diversidad de objetos para sensibilizar su percepción a través del sentido del tacto. Si el lugar fuera en un jardín, quien guía la puede acercar a una rama para que la sienta y la perciba. No es cuestión de adivinar qué es lo que se toca, sino de poder percibir las sensaciones para vivenciar conscientemente lo que sucede. Una vez satisfecha la experiencia, se dirigen hacia un nuevo objeto para tocarlo, por ejemplo, el tronco de un árbol. La persona vendada lo tocará con las yemas, con la palma, luego con el dorso de la mano. Puede abrazar el árbol con todo el cuerpo y luego apoyarse con la espalda en el tronco mientras va registrando las distintas formas de percibir a través del sentido del tacto. Siguen deambulando. Luego, se repite el reconocimiento, con una flor, una hoja, un alambre, un poste, una pared, el pasto o los objetos que estén disponibles. Quien guía debe procurar que su compañero tenga la posibilidad de percibir la mayor variedad de formas, temperaturas y texturas.

Después de un cierto tiempo, intercambian roles. El acompañante hace ahora de guía. El ejercicio se repite. La persona vendada se toma su tiempo para sentir y percibir todo. El guía lo acerca a los diferentes objetos silenciosamente. Después de un tiempo prudente, se quita la venda y ambos dedican unos minutos para intercambiar experiencias sobre lo que percibió cada uno.

Reconociendo objetos

Se eligen previamente entre veinte a treinta objetos diferentes, de formas y texturas lo más variadas posible. Se ponen en una bandeja de cuatro o de a cinco y se cubren con un paño que no permita verlos.

Cuando comienza el ejercicio, una persona por vez se coloca frente a la bandeja, pasa las manos por debajo del paño y comienza a reconocer los objetos con la yema de los dedos. Los va nombrando, tratando de añadir otras características, como el color o el olor que imagina. Quien guía el ejercicio hace una lista con las respuestas. Una vez que la persona nombró todos los objetos, se destapa la bandeja y se comprueban los aciertos y los "inventos". Los objetos que no fueron reconocidos correctamente se sacan de la bandeja y se los pone en un lugar aparte.

Es el turno de una nueva persona. Al cambiar de participante, también se cambian los objetos a descubrir, para que cada experiencia sea única. Una vez que todos han pasado, el grupo se divide en subgrupos más pequeños de tres o cuatro participantes. Cada subgrupo elige tantos objetos "no identificados" como el número de sus integrantes. Por ejemplo, si son tres personas, eligen tres objetos. El segundo paso de la actividad consiste en transformar estos objetos "no identificados", en personajes de una historia. La descripción del objeto tiene que incluir los atributos que se pueden percibir con el tacto. A partir de estas características se crea una historia donde cada atributo juega un rol protagónico. La historia se escribe y se comparte.

La percepción de las diferentes variantes que nos proponen los sentidos se traduce en experiencias que nos llenan de asombro. Descubrimos la riqueza de la diversidad que nos sirve para aumentar la sensibilidad sensorial. Desarrollar más el tacto nos permite crecer en nuestra capacidad de percepción y esto a su vez se refleja positivamente en muchas situaciones de la vida, inclusive en nuestra relación amorosa en la pareja. Es un ejercicio ideal para realizar en grupos reducidos.

Ejercicio con el olfato

Este ejercicio del olfato es óptimo para hacerlo en grupo. Recomendamos preparar una bandeja con diferentes objetos que tengan distintas fragancias. Por ejemplo: un limón, una ramita de albahaca, una ramita de orégano, diferentes flores, diferentes frascos de especias, frasquitos de perfumes, etc. Los participantes se sientan en círculo. Para comenzar la experiencia, cada uno elige un objeto guiado por su fragancia.

Si lo hacen solos, sugerimos un texto para guiar la experiencia. Lo pueden leer previamente o pueden pedirle a alguien de confianza que lo haga por ustedes. *Ahora cierro los ojos y me relajo. Tomo contacto con la fragancia que elegí, acerco el objeto a la nariz y huelo su aroma (silencio). Primero detecto cuánto soy capaz de oler, alternando las fosas nasales; observo qué me produce esta fragancia, qué me permite percibir. Dejo que me invada, que me atrape (silencio). Luego me predispongo a ver, con mi imaginación, qué color me sugiere esta fragancia. Si es de color denso o transparente, estridente o sutil y suave. Si son colores potentes, puros o matizados. Si esta fragancia se muestra con líneas rectas u onduladas o si me sugiere espacios de color y formas. Detecto si aparece alguna imagen claramente definida. La idea es permitir que surjan imágenes que se aparten de la realidad. Huelo la fragancia y detecto si el aroma evoca algún sabor distinto al conocido. Compruebo si mi sentido del gusto se activa al oler una fragancia, un aroma. Me tomo el tiempo necesario para detectarlo (silencio). Huelo la fragancia y percibo en mi cuerpo si me produce alguna sensación o sentimiento. ¿Qué es lo que me hace sentir esta fragancia? (silencio). ¿Me sucede algo? ¿Es una fragancia invasora? ¿Tiene personalidad? ¿Surge algún recuerdo en mi memoria? ¿Me da cosquilleo o escalofrío? ¿Me produce la sensación de suavidad o quizás, un sentimiento de agresión? ¿Cómo es lo que siento? Me asombra la inmensa variedad de sensaciones que puede despertar una fragancia. Ahora vuelvo a oler y trato de escuchar si esa fragancia me habla o me sugiere una melodía. ¿Qué música suena dentro de mí al oler? ¿Qué sonidos me sugiere esta fragancia? (silencio). Presto atención a la evocación de algún ritmo o melodía (silencio), tomo contacto con esa melodía. Escucho si es romántica, si es estridente, tipo cuchillada, si tiene un sonido suave. Dejo fluir las vibraciones que inspira esta fragancia y disfruto el momento. Observo todo lo que me sucede. Detecto la inmensa amplitud y riqueza que está a mi alcance. La guardo en mi memoria.*

Concluida la experiencia, abren los ojos y eligen una nueva fragancia. Si están en un grupo pueden intercambiar la que utilizaron con la persona que tienen al lado. Con la nueva fragancia a disposición se repite el ejercicio de la misma manera, verán que al cambiarla, todo lo que sucede es diferente.

Ejercicio con el sabor

Para sensibilizar el sentido del gusto proponemos preparar una bandeja con una gran variedad de productos con sabores diferentes. Pueden ser chocolate, aceitunas, quesos, mentas, trozos de fruta, nueces, limón, algunas bebidas en copa o vaso, galletitas, caramelos. Cada uno deberá elegir el producto que le apetece.

Sugerimos un texto para guiar la experiencia. Pueden leerlo previamente o pedirle a alguien de confianza que lo haga por ustedes.

Para comenzar cierro los ojos, me relajo, respiro parejo y tranquilo. Tengo el producto en mi mano y comienzo a probar lo que elegí. Lo saboreo conscientemente dejando que el sabor me invada; detecto su aroma. Pongo toda mi atención en lo que estoy degustando, me dejo invadir por las sensaciones al paladearlo; siento que se produce un acercamiento con el sabor. Disfruto de la sensación.

Busco ampliar las conexiones sensibles que se activan a partir de este sabor. Uno a uno relaciono el sabor con los distintos sentidos. Detecto si este sabor me evoca algún aroma. Abro mi mente para que surjan las imágenes visuales. Observo si me inspira algún color, si es transparente u opaco, si tiene matices, si es intenso, puro, o si me sugiere colores tenues, insólitos. Me tomo mi tiempo. Permito que este sabor despierte en la imaginación sonidos e imágenes sonoras. ¿Me despierta algún sonido, alguna melodía, algún ritmo? Presto atención a lo que surge a partir de este sabor. Me doy permiso para escucharlo. Vuelvo a saborear y me permito sentir lo que este sabor despierta en mi cuerpo. ¿Me produce calor o frío? ¿Me produce cosquilleo o alguna sensación particular? Observo cómo se manifiesta este sabor en mi cuerpo. Observo, con total amplitud y libertad, todo lo que soy capaz de percibir, escuchar, ver y oler con esta degustación.

Una vez que terminaron de saborearlo, toman la bandeja y eligen otro sabor para probar y repetir el ejercicio. Al hacerlo notarán las diferentes sensaciones que sugieren los distintos sabores.

Estos ejercicios nos ayudan a ampliar enormemente la percepción de nuestros cinco sentidos.

Ejercicio con la vista

También en este caso la propuesta se orienta a desarrollar su potencial.

Recorren atentamente el espacio que los rodea; eligen un objeto para mirar y se sientan delante del objeto elegido.

Sugerimos un texto para guiar la experiencia. Pueden leerlo previamente o pedirle a alguien de confianza que lo haga por ustedes.

Hago una respiración profunda, me relajo y concentro toda mi atención en el objeto. Primero observo detenidamente el contorno, luego presto atención a su forma y, por último, a los detalles. Me tomo mi tiempo. Poco a poco me conecto con los colo-

res, les doy prioridad a aquellos que me atraen más. Me detengo en los tonos brillantes y en los tenues. Observo sus formas, si es plano o si tiene volumen. Me relajo y dejo que mi vista se impregne de esta imagen sin que el pensamiento intervenga. Dejo que suceda, me entrego a la contemplación. Percibo lo que me está sucediendo. Me compenetro tanto que soy parte de la imagen elegida.

Al mirar nuevamente la imagen, me predispongo a ampliar mis sentidos. Pongo mi atención en el oído; compruebo si escucho sonidos. ¿Desencadena en mí esta imagen algún ritmo, un zumbido, una melodía? Presto atención y me entrego a escuchar mientras observo si la imagen estimula mi potencial auditivo. Con la imagen siempre presente me conecto con mi sentido del olfato. ¿Despierta alguna fragancia, algún perfume, o tal vez algún olor desagradable? Compenetrado con esta imagen, detecto si aparece algún sabor. ¿Puede ser un sabor amargo o me surge un sabor dulce?, ¿es picante o ácido? Me tomo el tiempo de entregarme a la contemplación de la imagen observando lo que me sucede (silencio). Sigo observando la imagen detenidamente y percibo si registro alguna sensación en el cuerpo. ¿Esta imagen me envuelve o la siento distante?, ¿me da piel de gallina o me relaja?, ¿qué sucede con mi cuerpo?, ¿qué me hace sentir esta imagen?, ¿cómo la percibo con mi potencial sensorial? La imagen está frente a mí y confiado me entrego a percibirla con todos los sentidos. Permito que sucedan sensaciones desconocidas para mí. Observo todos los elementos que componen mi objeto elegido. Con mi imaginación permito que cada parte se independice y, a partir de ese momento, me dispongo a recibir la historia que me quieren contar. Le doy libertad a mi fantasía.

Muchas veces, al mirar algo intensamente, su forma puede modificarse o tener un cierto movimiento. No hay que inquietarse, sólo aprovechar las variaciones como formas alternativas de ver la realidad.

Una vez que han explorado la amplitud de su potencial visual, repasan conscientemente lo sucedido. Es posible que les cause asombro registrar cuánto se puede ampliar la percepción cuando interviene la totalidad de los sentidos. Si bien es posible que durante los primeros ensayos el resultado no sea evidente, no deben desanimarse ya que es cuestión de entrenamiento y perseverancia. La reacción natural del intelecto es negar esta posibilidad, pero la ejercitación apropiada permite superarlo. Con un entrenamiento constante se podrán realizar experiencias cada vez más completas y aumentar el potencial de los sentidos hasta niveles difíciles de predecir.

Percepciones multisensoriales

Es magnífico descubrir que los sentidos están siempre activos. Después de haber realizado estos ejercicios, advertimos que toda realidad tiene formas y lenguajes que hablan a cada uno de nuestros sentidos. Por eso es posible que al estimularlos se produzcan nuevas conexiones entre ellos y se ensanchen las puertas de acceso a nuestro mundo de percepciones.[45] La interrelación de los sentidos apunta, por un lado, a la ampliación del potencial físico de nuestros cinco sentidos y, por otro, permite que frente a un estímulo aparezcan imágenes visuales, kinestésicas, olfativas, gustativas o auditivas que desencadenen actos creativos.

En un estado más avanzado de entrenamiento y conociendo esta relación, es factible trasmutar una experiencia visual en auditiva, o una experiencia emocional en imágenes, una música en movimiento. Recordemos una historia que se cuenta de Ludwig van Beethoven al final de su vida. En un momento de gran depresión se encuentra con una joven ciega que al escuchar sus penas le confiesa que ella daría su vida por ver la luz de la luna. Enternecido y comprendiendo su dolor, Beethoven decidió acercársela con la música, hacerla visible, componiendo la sonata "Claro de luna".[46] Son muchas las leyendas que se tejieron en torno a la composición de esta sonata. Elegimos ésta, más allá de su veracidad, por su valor como ejemplo que evidencia cómo es posible expresar una vivencia propia del sentido de la vista en un lenguaje que puede ser interpretado por el oído. Y, además, porque nos permite recordar a uno de los genios de la música que terminó componiendo y evocando sonidos y melodías que ya no podía escuchar, sólo sentir.

La plasticidad que nos da el uso integrado de los sentidos permite completar el proceso de captación y comprensión del mundo interno y del que nos rodea, y nos habilita para pensar, sentir y crear. Cualquiera de los sentidos puede desencadenar sentimientos, imágenes, sonidos, sabores y fragancias. Esta condición ya está presente en nuestra vida. Naturalmente, cuando percibimos una fragancia, puede venir a nuestra mente todo un bagaje de recuerdos o sensaciones del pasado. Y esto no es una experiencia aislada. Hagamos memoria de las veces que al ver un juguete de la infancia se hizo presente la imagen de nuestro compañero de juegos; o que, al saborear un cierto dulce, revivimos la relación con una abuela o alguien querido asociado a ese sabor; o escuchando una cierta música nos permitió revivir el recuerdo de un amor. En estos ejemplos sólo interviene la memoria de un modo inconsciente. En cambio, en la ejercitación consciente que proponemos, se activan nuevas conexiones que enriquecen los procesos creativos.

Ejercicio con el oído

La idea de la experiencia es trabajar con el oído, con su potencial auditivo. Para realizar este ejercicio busquen un espacio confortable donde se sientan seguros. Como estímulo se utiliza la música, preferentemente clásica.Al elegirla procuren que tenga diferentes movimientos: suaves, dramáticos, ágiles, juguetones, etc. Para mejorar la concentración pueden colocar una vela prendida

[45] http:/percepnet.com/cien03_05.htm
[46] http://serchers.wordpress.com/2008/07/26/historia-de-la-sonata-claro-de-luna

a cierta distancia para mirarla cuando necesiten volver a concentrarse. Cuando están listos comienzan a escuchar la música.

Sugerimos un texto para guiar la experiencia. Pueden leerlo previamente o pedirle a alguien de confianza que lo haga por ustedes.

Registro la presencia de la música y dejo que los sonidos me invadan. Me voy acompasando con la música cada vez más. Sigo atentamente cada instrumento (silencio), escucho las diferentes melodías (silencio), presto atención a la orquesta (silencio). Predispongo todo en mi cuerpo para sentir la música (silencio). Escucho atentamente y, si aparecen ruidos externos, los incluyo (silencio). Me deleito en los diferentes sonidos, los siento en mi piel (silencio), cada poro de mi piel recibe las ondas sonoras, siento el cosquilleo (silencio). Me sensibilizo cada vez más. Abro mi imaginación y mis sentidos.

Cada uno, a su manera, respira la música con todo el cuerpo. Este aire musical fluye por todo mi cuerpo, lo hace vibrar. Con cada vibración, la música despierta cada uno de mis sentidos y emociones (silencio). ¿Qué color me inspira esta música? (silencio). ¿Es un color fuerte?, ¿es intenso?, ¿es suave? (silencio). ¿Me sugiere trazos rectos o curvos? (silencio) ¿Son dibujos o son superficies de color? (silencio). ¿Tienen volumen? (silencio). ¿Esta música hace surgir puntitos de luz? (silencio). ¿Aparecen líneas? (silencio). Sigo escuchando, me siento libre para percibir cada vez más. ¿Me surgen imágenes? ¿Las imágenes se mueven? ¿Las veo actuar? ¿Veo espacios musicales? (silencio). Sigo entregada al escuchar, vibro al compás de la música. Llevo la atención a mi cuerpo. ¿Qué me provoca? Con mi imaginación dejo que la música guíe mis movimientos. ¿Me impulsa a dar grandes pasos, a deslizarme, a correr o saltar? ¿Agita mis brazos, mueve mi cabeza? ¿Me invita a bailar con el cuerpo desde las entrañas o con el corazón? ¿Me une a la tierra o me hace volar? (silencio). Ahora me imagino el sabor de esta música, la estoy degustando. ¿Qué sabor le siento?, ¿es dulce?, ¿es amarga?, ¿es ácida?, ¿es agradable?, ¿es suavecito el gusto?, ¿me arde? ¿Cómo es el gusto? (silencio). Participo plenamente de la música. Ahora me concentro en su fragancia y observo qué sucede con mi olfato: ¿tiene una fragancia suave?, ¿me recuerda a alguna flor en particular?, ¿es como el mar?, ¿huele a sal?, ¿huele a quemado?, ¿cómo percibo su olor? (silencio), ¿cuál es la fragancia de esta música? (silencio).

Cuando el clima musical cambia, percibo que todo cambia: el color, la fragancia que percibo, el sabor, el movimiento. Me doy cuenta de que toda la percepción y visualización varían si la música cambia (silencio). Ahora que ya aprendí a participar en la música con todos los sentidos, comienza a crecer mi espacio interior, me permito vivenciarla con todo mi ser. Dejo que las imágenes, sensaciones y emociones se entrelacen formando una nueva realidad más rica y más plena. Oigo, veo, percibo el aroma, lo siento en la piel; ya no tengo límites (silencio). Observo todo lo que me produce. Permito que suceda (silencio). Permito el asombro por lo que sucede. Tomo conciencia de lo sucedido, de mi amplitud y lo guardo en mi memoria. La música se acerca a su final. Uso estos momentos y los últimos sonidos para terminar el ejercicio.

¡Qué experiencia! ¿Pensaron alguna vez que la música podía provocar tantas vivencias? Cuando estamos totalmente acompasados con la música, perdemos la sensación de tiempo y podemos hacer un viaje imaginario o diluirnos en el escuchar. Revisamos con plena aceptación todo lo vivido, todo lo que sucedió, todo lo que sentimos y oímos.

Aceptar las nuevas vivencias que nos traen los sentidos cuando los integramos en una experiencia como ésta es sumamente valioso. Nos abren otros mundos, otros recursos creativos; el caudal es infinito. Es asombroso cuánto más se puede recibir al estar atento y abierto.

Compensando los sentidos

Aunque no disponemos de argumentos científicos, en la práctica se puede comprobar que cuando se carece o pierde un sentido, uno o más de los sentidos restantes se agudiza o desarrolla más, como para compensarlo. Se observa en los no videntes, por ejemplo, que oyen en muchos casos con más agudeza o suelen registrar por medio del tacto lo que sus ojos no ven. Palpando o escuchando, obtienen la información que luego pueden utilizar. Otro ejemplo es el de algunas personas sordas que pueden bailar percibiendo las vibraciones que se proyectan desde el piso. La educación formal[47] hace uso de esta potencialidad y ha desarrollado metodologías desde las más simples a las más sofisticadas para enseñar a compensar el sentido faltante. Una persona muda aprende a expresarse por medio de señas. Una persona no vidente aprende a leer con la yema de los dedos.[48]

Estos entrenamientos alcanzan niveles muy avanzados y se extienden a diferentes tipos de actividades u oficios. Hace un par de años, la tapicista argentina Ester Budman dio clases de tapiz en un instituto para ciegos de Buenos Aires; se sorprendió al notar cómo la mayoría de sus ocasionales alumnos podía detectar si el color era exacto o si el teñido había resultado con alguna variación tan sólo pasando su mano por encima del color. Aunque a los que podemos ver nos cueste creerlo, ellos han agudizado de tal modo su sentido del tacto, que perciben la vibración propia de cada color, es como si "vieran" con las manos. Es un testimonio de que el color no sólo se puede ver con los ojos.

A partir de este proceso de compensación, existen ejemplos, en los cuales el desarrollo superior logrado en algunos de los sentidos, ha abierto para muchas personas oportunidades laborales interesantes, ampliando notablemente sus opciones. Uno de ellos es la experiencia de "cata a ciegas" que se realiza para el control de calidad de cosméticos y alimentos. En el año 2001 una consultora inició una experiencia piloto, contratando para esta tarea a un grupo de no videntes. Su

---

[47] Ver nota 8 al final del libro.

[48] Sistema Braille.

trabajo resultó sumamente eficiente porque estas personas tienen un alto poder de concentración y la falta de vista está ampliamente compensada por un increíble desarrollo de los sentidos del gusto y del olfato. Se demostró que los no videntes resultan excelentes profesionales y que la "cata a ciegas" es una fuente de trabajo donde pueden obtener una ventaja competitiva. La actriz sordomuda Marlee Matlin es una clara demostración de cómo una buena actuación y una correcta expresión corporal y gestual pueden suplir en gran medida su imposibilidad de hablar. En la película *What the bleep do we know*[49] se puede captar esto con sencillez.

Los ejemplos anteriores elevan los parámetros para medir el nivel de desarrollo sensorial. Son además testimonio vivo del poder de los sentidos. Éstos intervienen activamente en los procesos de comunicación, de conocimiento y de creación. Al traspasar las limitaciones que supone la ausencia de uno de ellos o su escaso desarrollo, se descubre que el ser humano dispone de condiciones y recursos insospechados que están a la espera de ser activados. Todo depende de nuestra predisposición y de nuestra capacidad de ejercitarlos.

Limitaciones al desarrollo de los sentidos

En el mundo actual, el desarrollo tecnológico y los nuevos estilos de vida han sustituido progresivamente la información que antiguamente proveían los sentidos en contacto con la naturaleza.

La historia de una señora llamada Sofía Lenzner ilustra muy bien esto. A principios del año 1910 se fue a vivir a una estancia en la Patagonia Argentina. Allí compartió el cuidado de sus hijos con un indígena mapuche al que nunca pudo convencer de que durmiera adentro de la casa. Su negativa invariable era: *"Cuando un ser humano duerme bajo un techo, rodeado de paredes, pierde su potencial de ser humano. No escucha más, no ve más, no siente más, no percibe más. No puede sobrevivir..."*. Coincidentes con este testimonio comprobamos que utilizar los sentidos en forma integral nos da la ventaja de aumentar la percepción, sentir más intensamente y multiplicar la inspiración. ¿Tenemos los sentidos suficientemente ejercitados? La ejercitación del uso integrado de los sentidos, a través de visualizaciones y otras técnicas presentadas, permite reaprender la conexión entre los sentidos y abrir canales para vivenciar más plenamente la realidad objetiva y subjetiva. Es el humus fértil para la creatividad desde donde emergen las musas.

La relación entre creatividad y percepción sensorial nos ofrece atajos, caminos inesperados, vías desconocidas hasta este momento. La creatividad se nutre de la información que le aportan los sentidos y la utiliza para crear ideas diferentes, dar nuevos giros al pensamiento, cambiar los enfoques o descubrir solucio-

[49] Ver nota 9 al final del libro.

nes. La inspiración, a su vez, se nutre de estas experiencias y puede transformar algo que en su origen es un fenómeno auditivo y expresarlo a través de la forma o del color; o algo que es una experiencia sensorial, en sonidos o en una melodía. En la práctica, usar estos recursos nos propone caminos valiosos para captar emociones positivas o negativas y transformarlas. La visión de un edificio oscuro y sin flores, se tradujo en las siguientes estrofas.[50]

Setenta balcones hay en esta casa,
Setenta balcones y ninguna flor...
¿A sus habitantes, Señor, qué les pasa?,
¿Odian el perfume, odian el color?

La piedra desnuda de tristeza agobia,
¡Dan una tristeza, los negros balcones!...
¿No hay en esta casa una niña novia?
¿No hay algún poeta lleno de ilusiones?

En una dimensión más cotidiana, hay miles de situaciones en las que podemos aplicar este recurso. Usando el humor se nos ocurrió la siguiente situación. Supongamos que el perro del vecino ladra todo el tiempo y resulta molesto. Nos preguntamos cómo podríamos utilizar este estímulo negativo y convertirlo en disparador creativo. ¿Qué tal si lo pintamos? Cuando ya no soportamos más los ladridos, aprovechamos esta irritación para prestarle total atención a los sonidos. ¿Cómo son los sonidos, qué nos hacen sentir? ¿Son estridentes?, ¿son continuos?, ¿son cortados? ¿Con qué formas los podrían representar? ¿Qué formas despiertan en su imaginación esos ladridos molestos?, ¿tienen algún color? Se vuelca todo en un papel. A veces la sola expresión alcanza para encontrar alivio porque al expresar lo que se siente, se lo pone fuera de uno. Otra ventaja es que el resultado de nuestra creación puede dar nuevos elementos para entender mejor la situación o aprender de ella. Es sorprendente cómo se puede activar la creatividad con un simple ladrido.

La creatividad puede surgir como reflejo o espejo de una experiencia que puede partir de nuestros sentidos. Bien utilizada, puede aportar una manera amable de canalizar y transmutar emociones, inclusive la agresión. Nos da la posibilidad de expresarnos con mayor facilidad en diferentes lenguajes. Deseamos que todo el mundo pueda tomar conciencia de esta oportunidad.

[50] Baldomero Fernández Moreno, "Setenta balcones y ninguna flor" (fragmento), *Ciudad*, 1917.

Experiencia integradora

En el siguiente ejercicio proponemos una manera potente de transmutar las emociones y percepciones en imágenes y movimientos. Es una experiencia que requiere, como las anteriores, libertad interior, apertura a lo desconocido y deseos de expresarse. Este ejercicio permite un registro activo y multifacético de lo que va sucediendo; posee un potencial revelador de la interioridad. Es recomendable realizarlo en un grupo de alrededor de veinte personas. El otro requisito deseable es contar con dos recintos contiguos. Uno de ellos se destina a expresarse a través del movimiento. Deberá ser amplio, de modo que los participantes puedan moverse, bailar y desplazarse con comodidad. Recomendamos que este primer espacio esté en penumbras para que nadie se sienta observado y pueda entregarse al ejercicio con total confianza. El otro espacio se destina a la expresión plástica por lo que está iluminado. En él se prepara una mesa con diferentes materiales para poder expresarse plásticamente; pueden ser pinceles y témperas, acuarelas, crayones, marcadores gruesos, papeles, etc. Allí, los participantes se expresarán desde la emoción. Se piden sólo bocetos rápidos, nada de dibujos elaborados. Si bien la forma que se propone es la plástica, no es necesario saber pintar para realizarlo; hasta quizás para algunos sea una buena oportunidad para tomar el pincel por primera vez.

Requiere, además, contar con un CD con diferentes estilos musicales: clásico, étnico y popular; con ritmos densos, livianos, alegres, amenazantes y otros más. Deben ser sonidos que puedan movilizar y activar los distintos chakras. También aconsejamos que la última pista sea una composición para cantar en conjunto, ya que la voz cantada es algo muy especial que une. Hemos encontrado apropiado incluir el canto del OM durante los cinco minutos finales del CD.

La propuesta tiene como **objetivo** integrar el oír, la emoción y el movimiento. Mientras bailan y mueven el cuerpo con la música, deben buscar dentro suyo qué color les surge de ese movimiento y qué tipo de trazo reclama. El baile no pretende ni perfección ni pasos estereotipados, sino los que nazcan a partir del sonido, para que la creatividad pueda fluir en el movimiento. Cuando capten el color que inspira el sonido o que surge del movimiento, interrumpan su baile y diríjanse a la habitación contigua. Una vez allí, elijan los materiales más apropiados para expresarse, dejando que los trazos surjan libremente. La consigna es volcar, en pocas pinceladas, lo vivenciado; lo que surge espontáneamente es lo más valioso. Luego intégrense nuevamente al espacio de baile.

Comienza la actividad

Los participantes se sientan en el piso formando una ronda. El organizador o quien dirige la actividad pone la música. Para lograr la participación de todos, hace una demostración de los movimientos y los invita a seguirlo. Comienza por los movimientos de los pies; luego integra el movimiento de las rodillas; más tarde el de las manos, los brazos, los hombros, el tórax y, finalmente, todo el cuerpo. El objetivo es ayudar a soltar las inhibiciones a través de los distintos movimientos. Una vez que los participantes se animan con los movimientos, quien dirige la actividad apaga las luces para dejar la habitación casi en penumbra. Luego, aumenta el volumen de la música para que los decibeles vayan tocando el interior de cada uno y los alienta para desenvolverse tanto en el piso como parados, usando todo el espacio disponible. Cada cual lo hará de acuerdo al modo como lo sienta: podrá bailar parado, dando saltos, moviéndose por la habitación o deslizándose por el piso.

Cuando una persona percibe a través de la música y el baile un color o un trazo, debe ir al cuarto contiguo a expresar con unas pocas pinceladas. Una vez realizado, guarda la hoja con el dibujo o boceto debajo de la mesa y vuelve a la sala de baile (de este modo, cada persona encontrará siempre sobre la mesa las hojas blancas listas y el material disponible). Se integra nuevamente y se deja llevar por el ritmo que esté sonando. Si la música cambia, seguramente cambiarán los movimientos y en consecuencia las emociones y las imágenes que aparecen desde el inconsciente y que quieren ser expresadas. Así continúa la experiencia a lo largo de 45 a 60 minutos. Cada vez que la imaginación le dicta algo nuevo para expresar, repite la salida al espacio contiguo y pinta. Si alguno se fatiga, puede quedarse sentado o acostado en el piso, en la penumbra, y desde allí puede vivenciar y buscar lo que le surja para expresarlo sin pasarlo por el tamiz, sin juzgarlo.

Cuando la música se acerca al final, instantes antes del OM, el organizador reúne a todos los participantes y les propone formar parados una ronda, todos abrazados. Luego, cuando suena el OM, todos juntos entonan el canto hasta que la sala quede nuevamente en silencio. Los participantes aguardan un momento en silencio, ya que en el cuerpo se mantiene resonando lo vivenciado. Finalmente, se enciende la luz.

Recomendamos al organizador que, antes de dar por finalizada esta etapa del ejercicio, proponga un cierre con un abrazo de persona a persona, ya que la emoción aún se mantiene a flor de piel. Es una hermosa experiencia para compartir.

Final del ejercicio

En el espacio donde se bailó, se colocan en el piso todos los trabajos realizados. Alrededor se colocan las sillas armando un círculo donde se sientan los participantes. Es un momento muy lindo porque hasta las personas que se sienten menos aptas y escépticas de su capacidad ven los resultados de su trabajo. Esto habrá sido posible porque el trabajo brotó desde la emoción y no desde la razón. No existieron planteos ni juicios, simplemente cada uno volcó en el papel lo que surgió de su emoción. Disfruten este ejercicio, ¡vale la pena!

Desafiando límites

Nuestros cinco sentidos se pueden expandir. Más que nunca nos apoyaremos en la libertad interior y en la disposición a dejarnos llevar por la experiencia, pero vamos a sumar un elemento más: nuestro sentido dominante.

Observamos cuál de nuestros sentidos tiene cierta dominancia. Esto se detecta en el modo y la facilidad con que se realizan los ejercicios, y, también, en la forma y los medios que se eligen para expresarse. Por eso pensamos que es importante que cada uno pueda utilizar su potencial y disposición natural para lograr una experiencia más intensa.

Antes de comenzar los ejercicios, brindamos una breve descripción de cómo se manifiesta la dominancia de cada sentido, de modo que cada uno pueda reconocerse. Para las primeras veces, recomendamos elegir la visualización correspondiente al sentido dominante. Luego cada uno podrá utilizar la que desee.

Sentido de la vista

Las personas visuales o con predominio visual captan el mundo a través del sentido de la vista. Sus percepciones nacen como imágenes, las ven. Cuando crean ven lo que se está gestando. Tienen facilidad para retener y reproducir lo que vieron con gran fidelidad, aun transcurrido largo tiempo. Suelen recordar con mayor facilidad y precisión lo que pueden esquematizar o representar a través de imágenes visuales. Esto incluye los textos que han leído; los pueden reproducir casi textualmente, incluso pueden evocar en qué página estaban. Advierten y recuerdan detalles que para muchos pasan inadvertidos. Aprenden más cuando ven o leen la información. Suelen tener disposición para esquematizar ideas o dibujar imágenes. Es posible que en una conferencia tomen notas y prefieran contar con el texto escrito o las diapositivas. Tienen una buena capacidad de abstracción y de organización. Es característico de las personas visuales que utilicen expresiones o términos como "lo veo claro", o "miren lo que sucede".

Sentido del oído

Las personas auditivas perciben el mundo a través de los sonidos. Cuando crean, escuchan lo que van a crear. Los sonidos transmiten imágenes. Oyen y recuerdan lo escuchado con completa naturalidad, sin esfuerzos. Tienen la capacidad de identificar personas o situaciones por los sonidos que producen. Abren con mayor facilidad su mente, su corazón y su potencial receptor a partir de los sonidos. Comprenden y crean a partir del oído, ese es su sentido más desarrollado. Son secuenciales y ordenados. Estas personas hilvanan su relato desde la memoria auditiva. Si algo los interrumpe, es posible que necesiten volver al principio para poder terminar de contarlo. Son personas con talento para la música y los idiomas. Son buenos para escuchar y, por lo general, sienten placer al hacerlo. En el caso de los auditivos, los giros más usuales son “esto no me dice nada...”, “escucha lo que pasa...”.

Sentido del tacto

La persona kinestésica es sensible al medio. Recibe y comprende las señales de lo que la rodean por medio del cuerpo y las sensaciones. Cuando crean sienten en el cuerpo lo que se va gestando. Las manos son un instrumento para el aprendizaje; aprende preferentemente cuando “hace” las cosas. Tiene más desarrollada una memoria táctil y emotiva a la vez, con la que puede reconocer o evocar personas, elementos o lugares. Lo que siente y percibe, lo expresa naturalmente en el lenguaje de los gestos y movimientos. Necesitan moverse y tienden a balancearse o cambiar de posición cuando no pueden desplazarse del lugar en el que están. Son personas por lo general con reflejos rápidos. Resultan más aptas para los deportes de alto riesgo. Tienen memoria corporal pero también recuerdan sobre la base de los sentimientos. El aprendizaje kinestésico es más lento pero más profundo y difícilmente se olvida. Los kinestésicos son buenos para realizar experimentos y conducir proyectos. Sus formas de expresión habituales incluyen “no siento que esto pueda suceder”, “siento que la solución va por este camino, o viene por este lado”.

Advertencia

Estos ejercicios suponen la realización de los anteriores o un manejo avanzado de las técnicas de visualización, ya que precisan que los sentidos estén permeables, ejercitados y predispuestos a nuevas experiencias impensables en la vida cotidiana. Sugerimos realizarlos preferentemente en un lugar cálido, silencioso y protegido de interrupciones que puedan provocar distracciones o sobresaltos perturbadores.

Es importantísimo permanecer conscientes y conectados con nuestro centro y con el sentido de realidad. Es posible que sintamos una sensación como de flotar o como si se disolvieran los límites de nuestro cuerpo. Todo esto es posible por el poder de la imaginación y la fantasía. Recomendamos a las personas que tengan dudas que no se aventuren si no están seguras de poder seguir la visualización. Siempre queda la posibilidad de cortar y regresar a su lugar de partida cuando fuera necesario utilizando la respiración.

Ejercicio para Visuales

Busquen un lugar apropiado y confortable para trabajar. Realicen varias respiraciones hasta que se sientan en paz para abandonarse a la experiencia.

Visualización *CD: 7*

Cierro los ojos; y mis ojos, aunque cerrados, me regalan colores y formas que lentamente se despliegan ante mí. Suavemente, las imágenes despiertan mi ojo interno. Comienzo a ver colores; veo formas; veo líneas. Constantemente siguen apareciendo más y más colores...

Están de vuelta, aquí y ahora, igual que antes de partir, pero enriquecidos por esta experiencia que permitió viajar de la mano de la capacidad de "ver con los ojos cerrados". Han realizado una experiencia que permite salir de los límites cotidianos y ampliar, con ella, la capacidad de ver. Esto requiere que cada uno se tome un tiempo para asimilar la experiencia y un tiempo para aceptar que es posible experimentar nuevas dimensiones. ¡Qué bueno descubrir que somos más de lo que creemos ser! Con el recuerdo de lo vivido, den rienda suelta a su creatividad; es el momento de expresarse.

Ejercicio para auditivos

Busquen un lugar apropiado y confortable para trabajar. Previamente a la visualización, elijan y preparen una música que les guste mucho y les permita tanto "volar" como sentirse en paz. Pongan la música elegida y comiencen a escucharla. Realicen varias respiraciones hasta que se sientan en paz para abandonarse a la experiencia.

Visualización *CD: 8*

Cierro los ojos para que los oídos se abran a los sonidos. Sin tensiones, me entrego al disfrute de la música y de sus vibraciones. Poco a poco, la música que escucho ya no es importante en sí misma, sino un vehículo para viajar al interior de mi ser. Se silencian los sonidos externos...

Están de vuelta, aquí y ahora, igual que antes de partir, pero enriquecidos por esta experiencia que permitió salir de los límites usuales. Asimilarla requiere tomarse un tiempo para aceptar que es posible traspasar los límites de lo conocido y que, al hacerlo, uno sigue siendo el mismo, pero con una capacidad de oír ampliada por la maravillosa experiencia de este viaje. Miremos a nuestro alrededor con la certeza de que hay una música propia en cada uno que armoniza con lo universal. ¡Qué bueno descubrir que somos más de lo que creemos ser! Con el recuerdo presente, den rienda suelta a su creatividad y expresen lo vivenciado.

Ejercicio para kinestésicos

Ubíquense en un lugar cómodo que les permita realizar movimientos amplios. Desplieguen a su alrededor y a su alcance una cantidad significativa de objetos diversos. Pueden ser telas, maderas, porcelanas, pieles, cuero, pétalos de flores, hojas, elementos de distintos tamaños y texturas, de hierro, plástico, mimbre, etc. Apoyados en una serie de respiraciones profundas busquen un estado de paz y apertura para realizar la experiencia. Repitan las respiraciones hasta que se sientan en paz para abandonarse a la experiencia.

Visualización *CD: 9*

Cierro los ojos. Ahora estiro las manos y toco los diferentes objetos que me rodean. Permito que mi cuerpo siga sus impulsos y reaccione sobre lo que estoy percibiendo. Las sensaciones entran por mi piel y se funden con mi corazón. Cada contacto ayuda a relajarme. Siento que el cuerpo se afloja. Mis manos se llenan de sensaciones nuevas y todo mi cuerpo se contagia de una alegría y libertad inmensa para sentir. Poco a poco las sensaciones externas dejan de tener presencia y me abro hacia el mundo de mis sensaciones internas...

Con los recuerdos que aún laten en el cuerpo y en la piel, tomen conciencia de que están de vuelta, aquí y ahora. Tómense un tiempo para aquietar toda sensación, para reencontrarse y asimilar toda la riqueza de este viaje imaginario por el infinito. Al abrir los sentidos, han abierto la posibilidad de participar de lo perceptible e imperceptible del universo. Es una experiencia que expande la capacidad de sentir con el cuerpo. ¡Qué bueno descubrir que somos más de lo que creemos ser! Con el recuerdo vivo den rienda suelta a su creatividad y expresen lo vivenciado.

Los sentidos son la puerta de las percepciones. Ellos nos permiten recibir las señales del exterior y del interior. A semejanza de los cuatro elementos, los sentidos y la dominancia de alguno de ellos acentúan rasgos personales, enriquecen el proceso creativo y amplían la potencia de la propia creatividad. Los sentidos también se pueden ampliar, nos podemos preparar para ver, oír y sentir más allá de los límites cotidianos, es un camino desafiante que requiere atención, disposición, libertad interna, dedicación y esfuerzo personal.

Capítulo 8

Los sentimientos como portal

Recuperar el valor de las emociones, las sensaciones y los sentimientos

Emociones con nombre propio

Los sentimientos y el momento creativo

Ejercicio de sensibilización

Visualización de los sentimientos

La Alegría CD: 10

La Bronca CD: 11

La Armonía CD: 12

Reflexiones

El Miedo CD: 13

El Entusiasmo CD: 14

Aprendiendo de la experiencia

8

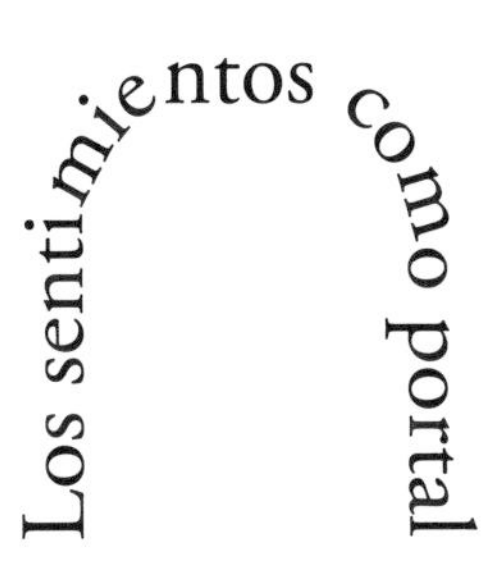

Los sentimientos son una fuente inagotable de inspiración porque todo lo que nos pasa diariamente puede convertirse en detonante o disparador de la creatividad. Crear a partir de los sentimientos es una experiencia de crecimiento porque nos conecta con nuestra verdad interior. Desde allí es posible sincerarse con uno mismo y con lo que está pasando. Esta verdad interior, al hacerse consciente, puede darnos una mayor profundidad y comprensión.

En este capítulo presentamos ejercicios que proponen vivenciar sentimientos positivos y utilizar la potencia de esas emociones como fuente de inspiración, como otros que ayudan a enfrentar, aminorar o despejar algún sentimiento negativo que pueda estar bloqueando nuestra capacidad de crear. La idea es que al reconocerlo y expresarlo pueda transformarse en un motor potente de nuestra creatividad.

En esta nueva etapa, el objetivo es recuperar y valorar la potencia que tienen las emociones, los sentimientos y las sensaciones en el proceso creativo, ya sean positivas o negativas. Se trata de usarlos, de darles oportunidad y espacio, de exteriorizarlos sin juzgarlos y convertirlos en expresiones valiosas. ¡El resultado nos puede asombrar!

Recuperar el valor de las emociones, las sensaciones y los sentimientos

Hasta ahora hemos trabajado para lograr, a través de visualizaciones guiadas, una perspectiva diferente de lo vivenciado. La consigna ha sido usar nuestra imaginación para inducir la aparición de imágenes o sensaciones a partir de un relato, aceptarlas como reales, escucharlas, oírlas, vivenciarlas. Esto es posible al permanecer abiertos a las emociones que surgen de cada situación planteada.

A medida que la práctica avanza, es posible bucear más profundo en uno mismo, asumiendo al mismo tiempo el lugar del "observador". Esa distancia adicional con lo que sucede posibilita explorar y captar los diferentes matices con que se presentan los distintos sentimientos. Se trata de visualizar y sentir de qué color es, qué forma tiene, si es denso o luminoso. Nos comunicamos conscientemente con ellos para luego expresarlos. Cuanto mayor es la apertura, más rica y plena puede ser la experiencia y, por ende, el potencial de expresión. Cuando uno alcanza un cierto entrenamiento, puede avanzar para transformar cada tema en formas más complejas de reflexión y expresión. Es una gran oportunidad. Lo que experimentamos es que, una vez que convertimos lo que nos "pasa" en algo consciente, lo podemos exteriorizar. De este modo podemos entablar un diálogo, verlo más objetivamente desde otros ángulos. Las ideas o respuestas que surgen tienen mayor consistencia, son más auténticas porque son expresión de la libertad interior, de un espíritu que se acepta a sí mismo abriendo su caudal. En consecuencia, el resultado no es sólo una respuesta más sino una expresión vivencial, potente y relevante. El requisito es la entrega confiada y los sentidos alertas y receptivos. Una vez comprendido el mecanismo, queda abierta la posibilidad de que cada uno invente modos alternativos de entrenarse.

Emociones con nombre propio

Con la inclusión de los **sentimientos** nos preparamos para dar un paso más. Los sentimientos son emociones con nombre propio.

Al vivenciar plenamente un sentimiento, se abre un portal al mundo interior que nos revela diferentes facetas y matices de la compleja dinámica que se da entre el intelecto y el corazón. Aun en los planteos o decisiones más objetivos, siempre hay un lugar, evidente o escondido, para nuestros sentimientos. Eso quiere decir que en algún punto pueden adquirir un rostro, una forma, que los vuelve de algún modo tangibles. Tomar conciencia de su existencia y convertirlos en objeto de nuestra atención abre la posibilidad de descubrir los diferentes rostros que adoptan. De este modo es posible objetivar lo vivido e interpretarlo desde un nuevo lugar. No es una tarea fácil. Demanda coraje para animarse a bucear en lo profundo. Y, aunque no se puede asegurar que el proceso revele algo en todos los casos, la experiencia en sí es un progreso en la disposición y posibilidad de comprendernos mejor.

Los sentimientos y el momento creativo

Los sentimientos son un elemento fundamental para toda expresión creativa. El acto creativo que surge desde allí se muestra sincero, pleno y potente, ya que cada uno rescata lo más puro y profundo de sí mismo para luego expresarlo. Estos ejercicios, a la vez que permiten vivenciar cada sentimiento, dan la posibilidad de cambiar de rol y convertirnos al mismo tiempo en observadores de lo que va surgiendo. Se abre desde allí un espacio para el descubrimiento y el aprendizaje de sí mismo.

Ejercicio de sensibilización

Iniciamos estas experiencias con una actividad simple de sensibilización "con los ojos abiertos". La propuesta de este ejercicio es utilizar la conexión entre sentimientos y creatividad para entender un poco más sobre cómo nuestra expresión de los sentimientos puede tomar formas o colores y ser interpretada por los demás. A la vez permite experimentar conscientemente cómo una forma y color cuya intencionalidad desconocemos, puede hacer surgir en nosotros emociones o juicios espontáneos.

Como preparación para el ejercicio, se elige un lugar apropiado, donde nada interrumpa. El número de participantes puede incluir de cuatro a doce personas. Las personas se sientan alrededor de una mesa de tamaño adecuado para que todos se ubiquen cómodamente alrededor. Es aconsejable poner velas en la mesa, bajar las luces de la sala y poner un fondo musical suave.

Durante los primeros diez minutos, aproximadamente, cada participante se conecta con los sentimientos que, en ese momento, abarquen mayor espacio en su interior. Los vivencia, los percibe, los escucha, los huele, los mira. Cumplido el tiempo, la luz recupera su intensidad y sobre la mesa se ponen hojas en blanco y material para pintar. Cada uno trabaja en su pequeña obra o "cuadro". Aunque nunca en su vida hayan pintado, cada uno toma un pincel y, sin importar si es una imagen definida o no, ubica colores y trazos sobre el papel que expresen desde lo visceral el sentimiento que ha identificado en su interior. Cuando todos han terminado de pintar, se reparte a cada participante una hoja blanca y un bolígrafo. Cada uno junta su cuadro con el papel en blanco. Luego cada binomio "cuadro y hoja" empiezan a pasar por cada uno de los participantes. Cada participante observa el cuadro y percibe qué sensación o qué sentimiento le produce. Luego lo escribe en el papel que lo acompaña. La idea no es hacer un análisis de la obra, sino expresar solamente las sensaciones que le ha causado, utilizando unas pocas palabras. Debe ser totalmente espontáneo. Una vez escrito lo que inspiró la imagen, dobla el papel blanco hasta tapar lo escrito y se lo pasa (cuadro y hoja) al siguiente participante. Éste observa el cuadro, escribe sintéticamente los sentimientos que le despierta y luego enrosca o dobla el escrito. Así se siguen pasando de uno a otro el cuadro con la hoja hasta que todos hayan puesto su síntesis.

Cuando el cuadro dio la vuelta completa y vuelve a su autor, éste desenrosca el papel y lee lo que los participantes sintieron y expresaron acerca de su cuadro. Si lo desean, uno por uno lee lo escrito en voz alta, hilándolo de arriba hacia abajo como si fuera una historia. Agrega los verbos o las palabras que hagan falta para que se arme un relato. Pone a la vista el cuadro y todos escuchan. Esto se repite hasta que todos leyeron el suyo. Luego cada uno se queda meditando sobre lo que surgió y observa si lo dicho se acerca a lo que pasa en su interior.

Visualización de los sentimientos

Para mostrar el proceso en todo su alcance, hemos elegido algunos sentimientos como la alegría, la bronca, la armonía, el miedo, el entusiasmo. Conociendo la metodología se puede extender esta misma experiencia a otros sentimientos que se quieran profundizar, como ser: la esperanza, la ansiedad, el amor, el dolor, la soledad, o cualquier otro que sea relevante para cada uno. Esta es una experiencia nueva que contiene el desafío de animarse a vivenciar todo lo que uno siente en lo profundo. A diferencia de otras situaciones, aquí cada persona puede experimentar únicamente lo que realmente es, lo que nace desde su propia verdad.

Durante el proceso de visualización nadie puede ser invadido por otro ni puede invadir a otro; es una experiencia absolutamente personal. Pero deberán estar atentos para registrar si se produce alguna incomodidad o bloqueo. La naturaleza tiene la virtud de desviar los pensamientos cuando no es el momento apropiado. Es importante respetar estas señales. Algunas de las más comunes son las molestias físicas, el dolor de cabeza, los cambios en la respiración. Si esto sucediera o si sienten que las emociones los pueden desbordar, recurran a la respiración, manténgase calmos, conscientes y suspendan el ejercicio o, inclusive, abandonen el lugar.

Comienza la experiencia

Los guiaremos **cuidadosamente** para que se sumerjan plenamente en los distintos sentimientos.

La Alegría

Visualización *CD: 10*

Me encuentro en mi hogar. Lo recorro con la vista y lo reconozco claramente. Conozco cada rincón de este entorno, de este espacio que me rodea. Me siento en casa y me siento cómoda, porque éste es mi hábitat. ¡Estoy en casa!

En este momento suena el timbre...

Han realizado su primera visualización de un sentimiento, la alegría. ¿Pudieron sentirla? ¿Sintieron su energía? ¿Pudieron verla? ¿Cómo era? ¿Pudieron vivenciarla? ¿Tenía color? ¿Pudieron ver el color de su alegría? ¿Escucharon su sonido?

Ahora, ¡manos a la obra!, a expresarla. Vuelquen esa euforia, esa alegría, ese éxtasis libremente. Píntenla, escríbanla, cuéntenla, musicalícenla, tállenla, hagan lo que les brote con ella. Pero, háganlo inmediatamente, aunque sea en forma de boceto o borrador. Es importante expresarla con la libertad del juego. Apóyense en su potencia, su sinceridad y su espontaneidad.

Con esta apertura de conciencia, es posible que los rasgos descubiertos en esta alegría les permitan iluminar nuevos aspectos de sí mismos. Aunque no puedan expresar la totalidad de lo vivenciado, esta experiencia queda en ustedes, trabajando en su interior. En algún momento es posible que revele más claramente nuevos datos sobre una situación o aspectos propios o de otras personas. Si han hecho este ejercicio en grupo, también pueden compartir lo vivenciado. Es posible que alguien exprese algo y que ustedes descubran algo similar en su interior. Encontrar coincidencias nos acerca al otro.

Nos gustaría advertirles que las próximas experiencias pueden resultarles fuertes, pero no hay nada que temer, permítanse fluir, porque el objetivo es visualizarlas, vivenciarlas y luego expresarlas. Una vez que la emoción comenzó a mostrar sus diversos rostros, ya no se confunde con el "*yo*". Pasamos de ser "sujetos pasivos" a observadores activos. Permítanse el contacto consciente con sus sentimientos.

La Bronca

Visualización *CD: 11*

En este momento estoy parada en pleno centro de mi ciudad. Escucho el ruido de una multitud que se acerca. Miro hacia ese lado y veo una gran manifestación que se acerca por la calle. Una manifestación enorme viene en dirección a mí reclamando por una gran injusticia. ¡Están furiosos! Se trata de una injusticia increíble, que ha generado una bronca profunda...

¿Pudieron vivenciar su bronca? Tengan claro que todo ese potencial puede salir de ustedes y está disponible para transformarse en creatividad. ¡No lo dejen adentro jamás! No se confundan, las personas no somos nuestros sentimientos. Pueden sentir que la bronca es poderosa y los maneja, pero está en cada uno tomar distancia de ella para alcanzar el rol del observador, descubrir sus facetas sensibles y exteriorizarlas. El sentimiento se convierte así en un gran generador de ideas.

Ya sintieron la bronca y la vivenciaron. ¡Ahora es tiempo de expresarla! Cada uno a su manera. Si lo hacen a través de la pintura, usen los colores y los trazos que pida la bronca; si es bailando, permitan que el cuerpo se entregue a los movimientos de bronca que surjan; si el medio es la escritura, escriban en el papel espontáneamente todo lo que aparece, sin juicio ni valoración; y si no se sienten atraídos como para expresarlo de otra forma, lo gritan con la voz. En este caso háganlo concientes de que se están expresando, no reviviendo el momento que lo originó. O simplemente quédense sentados y obsérvenla, dialoguen con ella. Dialoguen con la bronca, no con quien les causó la injusticia. Finalmente, déjenla partir. Observen cómo la bronca se aleja. Si han hecho este ejercicio en grupo, y así lo desean pueden compartir lo vivenciado

Aprendizajes

Encontrarse cara a cara con los sentimientos que provocan las injusticias: el desamor o las inequidades puede sacudirnos, es una experiencia muy fuerte. Sin embargo, ser el observador de la propia bronca otorga un espacio para verla desde otro lugar y poder cambiar su fuerza destructiva en un acto creativo, en el germen quizá de una obra o un proyecto. Es posible que los datos que surgen del ejercicio les permitan iluminar aspectos desconocidos de su interior. Éste es un ejercicio potente porque todo lo negativo que se acumula dentro de cada uno, que podría manifestarse en enfermedades, malos humores, depresiones, agresiones o ira, se puede transformar en creatividad. La idea es usar esta energía potente como fundamento creativo. Toda emoción vivenciada en la visualización es posible y necesaria. Aprovechen su fuerza creativa y repitan el ejercicio cada vez que la bronca los oprima. ¡Es una manera natural y saludable de canalizarla! Cuando la emoción tiene una carga negativa que nos "supera" o daña, podría complementarse su análisis con la asistencia de un profesional.

La Armonía

Visualización *CD: 12*

Con mi imaginación, me ubico en un lugar donde pueda sentirme plenamente en armonía. ¿Hay algún lugar al que acudo cuando quiero estar tranquilo y bien? Con mi imaginación me voy a ese espacio, a ese lugar. Sintiéndome libre me voy hacia allá y disfruto la sensación de estar en paz conmigo mismo...

¡A expresarse! ¡Qué experiencia maravillosa sentirse en armonía! ¡Sentir ese mimo al alma! Con los sentidos abiertos y teniendo la experiencia presente expresen lo vivenciado. Durante todo ese tiempo mantengan ese estado de armonía y vuélquenlo con la mayor fidelidad posible. Pueden darle forma con los colores y trazos que pida su interior. Escúchense. Tal vez se sientan mejor escribiendo o expresándose con movimientos o sonidos. Si les resulta imposible expresar la armonía en forma concreta, permanezcan en silencio, percíbanla, dialoguen con ella. ¡Disfruten de ese estado! Si han hecho este ejercicio en grupo, también pueden compartir lo vivenciado.

Haber sido observador de su armonía permanecerá como vivencia en cada uno y en otro momento podrán revivirla para volver a sentir su valor.

Reflexiones

Entregarse a descubrir y vivenciar los sentimientos es un desafío que requiere una cuota de libertad interna. Implica la decisión de suspender el juicio, en el sentido de no juzgar nada de lo que sucede. El hábito de enjuiciar permanentemente es una deformación cultural que se construye sobre los miedos, las creencias erróneas, las experiencias de fracaso o sobre una imagen recortada de las posibilidades. Muchas veces el excesivo rigor analítico del cerebro yang interrumpe los procesos creativos y, bajo distintas máscaras, se convierte en los denominados "guardianes del intelecto" que impiden avanzar hacia sutiles niveles de conciencia.

Cuando los guardianes del intelecto
se retiran del portal del inconsciente,
¡recién puede actuar la Creatividad! [51]

Comprender esto nos impulsa a identificar quiénes son los guardianes que limitan nuestra creatividad y cuándo actúan. Para permitirse sentir, soñar, crear, navegar en la fantasía y transcurrir sin rumbo con total libertad, habrá que aprender a suspenderlos hasta que se precise nuevamente juzgar lo realizado.

El guardián del intelecto es, como se ve, una metáfora de lo que representa el cerebro yang, que tiene el potencial del conocimiento y la experiencia, necesarios para concretar la obra. Por eso debemos ser conscientes de cuál es el momento apropiado para que el juicio intervenga. Seguramente no lo necesitamos mientras fluimos en el tiempo y el espacio creativo porque perturban e inhiben la espontaneidad, indispensable en este proceso; allí los guardianes son limitantes. Sin embargo, su presencia es necesaria cuando toca analizar lo creado para ajustarlo a lo que se desea o a criterios predeterminados. En la siguiente experiencia de visualización, volveremos a suspender a los *guardianes del intelecto* para convocar al cerebro yin.

El Miedo

Con el siguiente ejercicio, llega el turno de los miedos. Se plantea un camino para acercarnos poco a poco a ellos y descubrir su rostro. Recuerden que es una experiencia sobre la que tienen total control a través de la respiración y que pueden interrumpirla simplemente realizando una serie de respiraciones profundas con la decisión de suspender la actividad o desprenderse de algún aspecto negativo.

Visualización *CD: 13*

Desde esa libertad reviso mi cuerpo. ¿En qué lugar de mi cuerpo están escondidos mis miedos? ¿En qué lugar físico de mi cuerpo están atascados, aferrados y escondidos?

[51] De autor desconocido.

¿Se enfrentaron con los miedos? ¡Qué experiencia fuerte! ¿Detectaron cuáles eran obsoletos? ¿Se pudieron deshacer de verdad de algunos de ellos? ¿Les vieron el rostro a los miedos con los que se hicieron amigos? ¿Se quedaron con algunos que aún les molestan o perturban? ¿Les vieron forma y colores? ¿Hay algún miedo que les impactó más que otro? ¿Pudieron detectarlos y reconocerlos? ¿Los olieron, escucharon algún sonido o captaron su sabor? Permanezcan un tiempito en la vivencia realizada para poder asimilarla. Sigan conectados con lo que vieron, escucharon, olieron y sintieron. Tómense su tiempo.

A pesar de ser un ejercicio muy movilizante, permite acceder a un potencial propio muy profundo, generalmente velado. Esto es lo que van a expresar a continuación. Expresarlo es fundamental. Ahora expresen a su manera lo que más les impactó de sus miedos. Utilicen los materiales y técnicas con las que se sientan más cómodos para expresar los diversos rostros que tenían sus miedos, lo que más les llegó. Libremente pueden elegir pintar, modelar, esculpir, verbalizar, o darle forma a través del sonido o el movimiento del cuerpo o de cualquier otra manera creativa que les surja. Si no se sienten capaces o no encuentran la forma de expresarlo, pueden quedarse sentados y observarlos conscientemente, dialogar con ellos, con su imagen no con quien los provocó o inculcó.

Si han hecho este ejercicio en un grupo, también pueden compartir lo vivenciado. Es posible que descubran cuán similares pueden ser los miedos que sentimos.

Al finalizar, se despiden de la experiencia para tomar distancia de lo experimentado y retomar su estado habitual.

Aprendizajes

En esta experiencia hemos visto que aparecen distintas clases de miedos. Somos conscientes de que hay muchos miedos diferentes. Cada uno habrá experimentado los suyos: el miedo a perder la vida, el miedo a perder la vitalidad, el miedo a los estados poco habituales de la mente, el miedo a la pérdida de la reputación, el miedo a hablar en público, el miedo a no ser querido, el miedo al abandono. Otros habrán reconocido los miedos heredados, los de educación, los que impiden hacer algo, o miedos que nos hacen dudar de poder sostener el esfuerzo, miedo a no cumplir con las expectativas que otros tienen sobre nosotros, el miedo a conocerse, a aceptarse, a no poder cambiar, al cambio, al ridículo. La variedad es tan grande como personas existen sobre la tierra.

Los miedos son parte de nuestra energía profunda, somos nosotros pero encapsulados. Movilizan energías profundas, retuercen caminos interiores y por eso no van a ninguna parte. Al prestarle un vehículo de expresión estallan en fuerza creativa. Son por eso un caudal inagotable para la creatividad. Es importantísimo poder enfrentarse cara a cara con los propios miedos y expresarlos, ponerlos fuera de uno. Si no se pueden expresar, pueden enfermarnos.

Valoren el camino realizado. Han hecho una gran experiencia de desprenderse de sus miedos. No importa cuántos queden, lo importante es saber que nos detienen y que pueden ser descubiertos y vencidos cuando se hacen conscientes y se toma la decisión de liberarse de ellos. Es útil formularse con frecuencia las siguientes preguntas ¿qué haría si no tuviese miedo?, ¿a qué me atrevería?

El Entusiasmo

Visualización *CD: 14*

Con mi imaginación tomo el lugar de una persona que está a punto de vivir un gran desafío... Me tomo un tiempo para entrar en sintonía con el deportista... Me siento preparado como un deportista bien entrenado. Siento que me invade el entusiasmo propio de una competencia de magnitud. La felicidad que invade mi cuerpo anticipa lo que me espera...

Los desafíos son momentos de la vida donde nos invade el entusiasmo plenamente. Es un sentimiento que alerta todo nuestro cuerpo y todo nuestro ser. El entusiasmo nos mantiene lúcidos y dispuestos en los momentos de cambio. En un proyecto o trabajo creativo, el entusiasmo mantiene un nivel de rendimiento con una mayor posibilidad de logro. Funciona como un motor constante que minimiza el cansancio, da envión y potencia la audacia. Facilita la generación de ideas, disminuye las inhibiciones o las supera más fácilmente. Es contagioso, es un buen compañero, un gran aliado de la creatividad. Con esa sensación tan fuerte, levántense y expresen lo que surja.

Aprendiendo de la experiencia

Estos ejercicios son apenas una pequeña muestra de lo que aporta el ver, oír, sentir y percibir cuando enfocamos nuestro interior. Con ellos hemos descubierto y vivenciado más profundamente nuestras emociones y sentimientos. Han sido observadores conscientes en cada caso, y esto amplía el acceso a las profundidades de nuestro ser. En cada ejercicio, cada sentimiento vivenciado deja de ser una incógnita o un lastre interior para pasar a ser eje y puente, a través del cual se puede acceder a la propia verdad interior y liberar la energía creadora. Las respuestas que se generan después de entrar en contacto con nuestra joya interna adquieren una fuerza y un poder que tal vez ignorábamos.

Los efectos posteriores a la experiencia son imprevisibles. Es posible que nos revelen algún contenido oculto que puede convertirse en desencadenante de futuras expresiones creativas. Expresarse creativamente desde esa profundidad tiene beneficios. Al ser fruto de lo vivenciado, le aporta sustento real y, una vez terminada la idea o la obra, se percibe auténtica.

Por otro lado, al darle forma, los sentimientos que deambulaban en nuestro interior, en penumbra, adquieren una identidad. Permitan el contacto consciente con las emociones, no las mantengan atascadas dentro de ustedes. Las personas suelen cerrar su potencial para protegerse de ser heridos o ser tomados por locos. A veces es útil abandonar el temor a ser dañados por los demás y abrirse a nuevos aprendizajes. Al permitirse vivenciar conscientemente tanto los sentimientos placenteros como los negativos, se pone en movimiento un caudal de energías totalmente transformable en maravilloso potencial creativo. ¡Tengan coraje y anímense a experimentar! Todo lo que es vivenciado de manera auténtica tiene valor, fuerza y construye la personalidad.

Si nos preguntan si esto es una forma de terapia, les decimos que quizás resulte terapéutico, aunque no es el propósito. Lo que sí tenemos claro es que expresar los sentimientos es clave para que brote y adquiera caudal la fuerza creadora en cada uno de nosotros. ¡Úsenla!

Capítulo 9

Fondo y figura

Revalorización del silencio y el espacio vacío

La mirada del arte

Ejercicios visuales

Los contornos del vacío

Personas haciendo "cola"

Ejercicios auditivos

La fuerza de los silencios

Fondo y figura en la comunicación

Palabra y silencio

Palabras y sonidos

Sonidos y emociones

Espejando emociones

9

Fondo y figura

Revalorización del silencio y el espacio vacío

Treinta rayos se encuentran en el cubo,
pero el vacío entre ellos produce la esencia de la rueda.
De arcilla nace la vasija,
pero el vacío en ella produce la esencia de la vasija.
Muros con ventanas y puertas forman la casa,
pero el vacío en ella produce la esencia de la casa.
Lo material encierra utilidad.
Lo inmaterial produce esencialidad.

Lao Tsé

Vivimos en un mundo completo, donde se entrelazan y complementan vacío y materia, figura y fondo, silencio y sonido, luz y sombra, lo material y lo inmaterial, la esencia y la sustancia.

En toda profesión creativa, tener en cuenta la totalidad e integrarla en una obra es un punto de partida deseable, pero frecuentemente se convierte en una meta a lograr. En general resultamos limitados para poder hacerla presente. Normalmente nuestra mente tiende a parcializar las percepciones y a fijar la atención en unos pocos aspectos a la vez. En la vida es común que recortemos la información que nos llega y busquemos formas de simplificarla para poder utilizarla.

El propósito de este capítulo es hacer consciente este mecanismo y, al asumirlo, lograr una visión más completa de la totalidad que siempre es más rica que los recortes. Para todo creativo es indispensable tener presente la totalidad.

La mirada del arte

En las diferentes formas de expresión artística encontramos múltiples ejemplos que ilustran este fenómeno. En la música o el teatro, el silencio y el sonido son elementos de igual valor que, al combinarse, dan origen a obras diferentes y únicas. En las artes plásticas es común trabajar sobre lo que se llama "fondo y figura". Al mirar un cuadro o una foto vemos una imagen principal situada generalmente en primer plano, complementada por el fondo. Nuestra vista registra la figura así presentada como lo importante. Sin embargo, al contemplar la totalidad de la obra descubrimos que para dar vida e importancia a la figura se necesita de la dinámica que producen las formas y el color del fondo. Éste potencia, sin que lo advirtamos, el mensaje total. Cuando se pinta un cuadro cada centímetro pintado tiene el mismo valor. Conociendo este concepto, podemos trabajar mejor el equilibrio y la integración de los diversos planos. El manejo de los espacios y las personas son elementos del juego escénico.

En publicidad también se hace un uso consciente del concepto de fondo y figura y se producen imágenes diseñadas para dirigir la atención sobre una determinada parte de la composición gráfica, mientras que el resto refuerza el mensaje inconscientemente. El mismo concepto está presente en las películas, donde la combinación de tomas, planos y luces permite destacar a los protagonistas (figura). ¿No es acaso curioso que en una multitud uno sólo mira o trata de identificar a los protagonistas? Sin embargo, si la multitud no estuviera presente la escena no sería la misma. Al integrarse la escena con el escenario donde transcurre la acción se logra la comprensión total del mensaje.

Este concepto de fondo y figura puede trasladarse también a la vida. Si en ella solamente registramos lo que resalta a la vista nos perdemos el resto; la excesiva focalización en ciertos aspectos de la totalidad impide ver las cosas como son. También es aplicable a la vida de relación. Una visión recortada de la identidad de las personas puede provocar conductas de discriminación o rechazo injustificadas. Por el contrario, cuanto más conscientemente logremos ver, comprender e integrar los diversos planos, más clara o precisa será la percepción de nosotros, de los demás y del universo; y por ello resultará más rico el proceso creativo. Comprender esto nos ayuda a expandir la forma de percibir, aplicar y expresar nuestro talento y visión, permitiendo que se desplieguen y brillen por igual los diferentes aspectos de la obra y de la vida. El potencial creativo también se enriquece. Lógicamente, se requiere un tiempo y un entrenamiento para acercarnos progresivamente a la percepción integrada de esa totalidad.

A partir de estos conceptos, hemos elaborado algunos ejercicios prácticos como un camino para descubrir el juego entre fondo y figura o entre sonido y silencio y, de esa manera, estimular la capacidad de integrarlos en una totalidad.

Ejercicios visuales

Los contornos del vacío

La siguiente actividad es un ejercicio ideal para practicar en cualquier lugar. Consiste en observar y descubrir las formas que adopta el vacío encerrado entre un grupo de objetos o elementos. Se puede realizar a partir de los espacios vacíos entre las ramas de los árboles, entre un grupo de edificios, entre la ropa colgada en una soga, u otros que ustedes puedan proponer. Lo sugerimos como una oportunidad de entrenar la observación.

Como ejercitación, proponemos observar los "**vacíos en una biblioteca**". Se requiere una hoja en blanco y algún elemento para dibujar. Observen los espacios vacíos y dibújenlos de a uno sobre la hoja en blanco. Al finalizar, cuenten la cantidad de figuras logradas. ¿Cuántas contaron?[52]

Personas haciendo "cola"

Este ejercicio es óptimo para hacer en un lugar donde haya gente haciendo "cola". Se ubican en un lugar apropiado para observar los espacios vacíos que delimitan a las personas, el piso y los objetos que ocasionalmente se encuentren alrededor.

Se toma el piso como límite inferior de las "figuras" a descubrir. El límite superior es una línea horizontal imaginaria que se traza a la altura de la cadera del más alto de la fila. Los contornos de las piernas, manos, bolsos, pantalones, sacos, etc., constituyen los límites verticales. Concéntrense en los espacios vacíos, en los espacios de aire que quedan entre el piso y la cadera de las personas. Observen el recorte de aire que se forma por las diversas posturas de las personas y de los

[52] Número sugerido, mínimo veinte.

objetos que cuelgan de la mano o del brazo. Todo lo que es sólido y visible pasa a ser el límite del vacío que de pronto adquiere forma. Seguramente nos asombre detectar tantos trocitos de aire diferentes. No es fácil porque no es aquello a lo que uno está acostumbrado, pero vale la pena intentarlo.

Al finalizar, repasen con la mirada las figuras detectadas y memorícenlas para poder dibujarlas posteriormente. Una vez que lleguen a un lugar donde se sientan cómodos, tomen papel y lápiz y traten de reproducir lo que quedó en la memoria. Si faltan datos, se puede volver con la imaginación a mirar hacia la fila para completar la imagen. Una vez terminado el ejercicio, se puede, mirando el resultado, valorar la diversidad de las formas encontradas.

Probablemente este ejercicio resulte más complicado porque invierte el sentido de la percepción, pero tiene el sentido de incentivarnos a estar atentos a aquellos detalles a los que comúnmente no damos importancia. Se trata de ver lo que normalmente no se observa, de ver con otros ojos, sin preconceptos; simplemente de ver con libertad, ¡sin prejuicios! Esta actividad de observación, además de dar una pauta clara de la diversidad de formas que están presentes en el vacío, también sirve para mover nuestra mente a pensar en los recortes que hacemos de la realidad y la forma en que podríamos completar la información que tenemos sobre los distintos temas. Es un lindo ejercicio para realizar cuando sentimos que estamos encasillados en un enfoque y necesitamos ampliarlo. Es una forma creativa de aprender a ver más.

Ejercicios auditivos

En la música, el concepto de fondo y figura se reproduce en la unidad que constituyen la melodía principal y las secundarias, así como en la secuencia de sonidos y silencios que los separan y entrelazan. También puede percibirse la melodía como una secuencia de silencios interrumpida por sonidos. Esto nos propone una manera diferente de apreciar la música en la que fondo y figura se invierten para revelar una nueva realidad.

La fuerza de los silencios

En esta ocasión, escuchando música, les proponemos experimentar con el sonido y el silencio. Elijan un tema que conozcan bien y les guste. Comiencen a escucharlo.

Hay varias maneras de realizar este ejercicio. Lo más sencillo, al principio, es prestar atención a la melodía principal; busquen los sonidos que resaltan, lo que perciben con mayor claridad, lo que actúa como hilo conductor. En este caso, la música se convierte en figura y el silencio, en fondo. El sentido del ejercicio, en este caso, es descubrir los contrastes que provocan los silencios sobre la melodía.

Pueden, también, invertir los roles y darle protagonismo al silencio. Empiecen por disfrutar los espacios que crea la ausencia de la música. Con el tiempo notarán que los silencios fortalecen la atención hacia los sonidos, que nos ayudan a vivenciar más intensamente el mensaje sonoro. Finalmente, con la atención focalizada en los silencios, traten de anticipar el momento en que retornará el sonido.

Otra forma de realizar este ejercicio es concentrándose en el tema que desarrolla el instrumento principal. Cuando tengan claro cuál es el instrumento principal, sumérjanse en la música y luego intenten dirigir su atención a la música de los demás instrumentos. Al trasladar el protagonismo hacia los sonidos secundarios, el tema principal queda en segundo plano, se convierte en "fondo". Al finalizar el ejercicio conviene volver a escuchar la música y descubrir si se enriqueció nuestra manera de percibirla.

Esta práctica permite aumentar la flexibilidad auditiva y revalorizar la presencia de los elementos tanto principales como secundarios. La práctica consciente de estos ejercicios puede contribuir, con el tiempo, a lograr mayor flexibilidad en la percepción de otras situaciones o realidades de la vida, a no perder la melodía de fondo.

Fondo y figura en la comunicación

En el universo comunicacional, la relación entre palabra, silencio, sonidos y estados de ánimo o emociones componen un todo. Sin embargo, los mensajes no siempre se reciben en su totalidad, porque filtramos o no percibimos estas formas de expresión más sutiles que completarían la información. Tanto los silencios como los sonidos que no son palabras, constituyen un modo alternativo de expresión. Advertimos que hay momentos en que las palabras encuentran en los sonidos una correspondencia. Por ejemplo, es común que los niños emitan sonidos para demostrar que están burlándose. En este caso, pueden parecerse a una "ñeñeñe" continuo. También es frecuente emitir un sonido parecido a "ejem", que equivale a un pedido de atención o a una advertencia, dependiendo del caso. O cuando alguien dice algo inconsistente, uno diga "bla, bla, bla".

El tono con que pronunciamos una palabra es otra forma de expresión sutil que le agrega matices al mensaje; puede emitirse con una enorme diversidad de modulaciones sonoras. El tono o sonido que utilizamos guarda, por lo general, una relación muy estrecha con la carga emotiva que queremos transmitir. Esta carga, entre otras, puede ser positiva o negativa, o expresar sinceridad o falsedad. Por ejemplo: alguien puede decir "te quiero", pero el tono de su voz dice "me aburres". O puede decir "sí, me encanta hacer esto", pero su tono de voz expresa "no pienso hacer nada". Esto nos demuestra que el sonido de la voz puede reforzar o debilitar lo que dicen las palabras. La entonación utilizada puede confirmar si el mensaje es coherente con la intencionalidad o la contradice. Por eso decimos que la voz tiene sinceridad.

Una buena obra teatral es un excelente lugar donde observar este juego de sutilezas entre palabras, gestos, sonidos y silencios que enriquecen y moldean la calidad del mensaje. Hacen del "fondo y figura" una totalidad. Tomar conciencia de este potencial disponible en la comunicación, amplía la manera de escuchar, percibir, comprender y expresarse. A partir de esto, desearíamos plantear algunos ejercicios que ayuden a integrar los distintos elementos para lograr una percepción más amplia del mensaje y, con ello, una mejor comunicación.

Palabra y silencio

Este ejercicio puede realizarse en cualquier lugar. Consiste en observar la cadencia y ritmo de una conversación entre dos personas; el tema queda en segundo plano. Aquí se trata de anticipar el momento en que una de las personas retomará la palabra después de un silencio. Primero se observa el ritmo de la conversación y la forma en que se alternan las palabras y los silencios. Los silencios actúan como fondo creando el marco donde el mensaje revela su intencionalidad y la profundidad de las palabras. Una vez que se puede percibir la duración de los silencios, el objetivo es entender cómo la suma de ambos permite completar la totalidad del mensaje.

Nos damos cuenta de que escuchar, prestar atención, es todo un arte. Se puede escuchar desde la mente, desde el intelecto; o bien se puede escuchar desde el corazón dispuesto a la comprensión.

Palabras y sonidos

Una manera de agudizar nuestra percepción de la fuerza contenida en los mensajes consiste en participar en un supuesto diálogo sin usar palabras. El objetivo es sensibilizarse a la recepción simultánea del sonido, la emoción y la energía.

Para este ejercicio[53] elijan a cualquier persona con la que suelen dialogar. Sugerimos que sea alguien de confianza y con quien exista un mayor conocimiento. Puede ser su pareja, un amigo, un hijo, un colega, alguien a quien puedan invitar a un diálogo diferente. Ambas personas tienen que estar de acuerdo sobre las reglas del juego y su sentido.

El ejercicio empieza desde el momento en que las dos personas se encuentran y salen juntas a dar un paseo de cinco a diez minutos. Durante este tiempo, el diálogo será diferente: no podrán decir palabras para comunicarse, sino que lo harán por medio de sonidos de cualquier tipo, pero manteniendo el ritmo y el tono de voz con que normalmente hablarían. Una de las personas comienza con-

[53] Es una variante de un ejercicio propuesto por Sven Dhner, PhD, MFA, psicoterapeuta, Mexico. http://psicologiaprofunda.com/sitioweb/index.php?option=com_frontpage&Itemid=1

tando algo. La otra persona debe escuchar atentamente para responder en la misma sintonía, como siguiendo una conversación real. Al principio cuesta un poco porque no hay un acuerdo en lo que significa cada sonido, pero a medida que avanzan se va encontrando la manera de comunicarse. Al finalizar el paseo, cada uno relata qué es lo que percibió que el otro le estaba contando. No se trata de adivinar la historia que el otro contó, sino de poner en palabras lo que se percibió a través del sonido. La idea es prestar atención a las cualidades del sonido, la duración, sus tonos graves o agudos, para desentrañar los cortes abruptos o las terminaciones suaves y todos los detalles que nos puedan contar algo. Percibir si los sonidos nacen en la garganta, en el corazón, en la mente, en el pecho o desde las entrañas.

Este ejercicio pone los sonidos en primer plano y cambia nuestra manera de escuchar. Aquí cada uno le hace de espejo al otro y entre los dos intentan aproximarse al diálogo que mantuvieron en el paseo. ¡Verán cuánto más se escucharon durante este ejercicio!

Sonidos y emociones

El mensaje que recibimos a través de la razón, escuchando las palabras y entendiendo su significado, llega envuelto en sonido o melodía que nos conecta con las emociones: es el tono de voz y la intensidad de las palabras. Estas emociones que surgen del corazón se reflejan además en la mirada y los gestos. Las personas contamos con un mecanismo —neuronas espejo—[54] que nos permite empatizar y sintonizar con las vivencias de la otra persona.

Espejando emociones

El ejercicio que se propone ahora es otra manera de entrenar nuestra percepción de las emociones. Se puede realizar entre dos o más personas; preferentemente en número par. De un modo similar a lo que fue dibujar los contornos del aire o revalorizar el silencio, este ejercicio busca darle una expresión visible a las emociones y mejorar en cada uno su receptividad. Esta vez, la consigna es reproducir en gestos las emociones percibidas.

Como preparación quien dirige el ejercicio prepara una cantidad de papeles igual al número de participantes. En cada uno anota una emoción: alegría, duda, euforia, indiferencia, calma, excitación, nerviosismo, felicidad, tristeza, rabia, incertidumbre, curiosidad, soledad, amargura, preocupación... Luego los dobla y los coloca en un recipiente. Cada participante toma un papel del recipiente sin mirar su contenido y elige un compañero o compañera. Ambos se sientan enfrentados a unos tres metros de distancia. En cada pareja, cada uno actuará por turno como emisor y como receptor de emociones. Antes de comenzar la experiencia,

[54] Ver nota 10 al final del libro.

respiran profundo y tratan de limpiar su mente de todo pensamiento ajeno a la situación: abren sus sentidos para recibir y expresar las emociones.

Una vez que están preparados, una de las personas —llamémosla A— toma un papel con el nombre de la emoción que tendrá que dramatizar. Su compañero (B) no debe saber cuál es. Antes de empezar, A se toma un minuto para ponerse en sintonía con la emoción, se pone de pie y camina hacia B con el pensamiento y el corazón llenos de esa emoción. Cuando queda a una distancia de uno o dos pasos, se detiene, mira a B y trata de comunicarle la emoción que está vivenciando utilizando únicamente la mirada. Si en el momento de recibir la mirada, el receptor, o sea B, no logra captar nada, le pide a su compañero que agregue algún sonido. Una vez lograda la transmisión de la emoción, A da la vuelta y se aleja.

A partir de ese momento, el receptor (B) vivencia la emoción que le fue transmitida con la mirada. Cuando su compañero ha vuelto a su lugar, se enfrentan nuevamente. Luego camina hacia A reflejando la emoción que percibió, pero esta vez moviendo el cuerpo. Una vez que están a un paso de distancia, B regresa a su lugar. Al finalizar, intercambian impresiones y verifican si se trata de la misma emoción en ambos casos. Se dialoga por espacio de dos minutos. Luego se repite el ejercicio invirtiendo los roles. Las experiencias de cada pareja se comparten en grupo; se relata lo que cada uno percibió del otro y se verifica el nivel de sensibilidad de su percepción.

Estos son ejercicios de observación, en los que se prestan igual atención al mensaje que a las emociones, resultan interesantes para ampliar la conciencia sobre cómo nos comunicamos. Las emociones, que son generalmente el telón de fondo de nuestra comunicación, pasan a primer plano. Darles un lugar, en nuestra comunicación, a que se expresen permite, desde el emisor, comunicar un mensaje más completo y, desde el receptor, tener una percepción más completa del otro y del mensaje. Además, permite aprender más sobre quién es el emisor y sobre sus circunstancias. Al acceder a un mensaje más completo se puede entender mejor al otro.

Cuando nos disponemos a ver, percibir y oír y nos ejercitamos en ampliar nuestros registros e integrar los opuestos, la riqueza de lo que somos y vivimos se amplía, porque pasan a un plano consciente mayor cantidad de detalles. Al darles igual valoración a la figura y al fondo, al sonido y al silencio, a las palabras y gestos, se enriquece la percepción de lo que "es" y se hace más completa. ¿Les gustaría intentarlo?

Capítulo 10

Técnicas creativas para "pensar" y "hacer" diferente

10

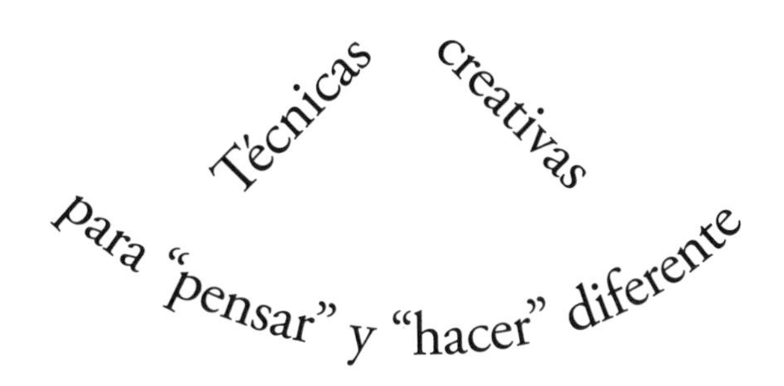

Existe, por lo general, una gran diferencia entre lo que imaginamos y lo que somos capaces de realizar. La fantasía y la imaginación pueden volar sin restricciones, pero el proceso de concreción impone sus propias condiciones. En cada ámbito de la vida, generar ideas y materializarlas o convertir bosquejos y proyectos en obras requiere tanto el libre fluir de la creatividad como la utilización de procesos y técnicas específicos.

Proceso de concreción

Para desarrollar y concretar la versión personal de una idea se pueden utilizar técnicas específicas que, según su finalidad, potencian la creatividad actuando sobre los diversos recursos interiores. Otras veces bastará con aplicar las técnicas propias de cada disciplina. Estas contienen reglas y procedimientos que ayudan a moldear la materia o a combinar elementos que, en conjunto, tienen la potencialidad de alumbrar el resultado deseado. El entrenamiento en técnicas y la práctica constante dan soltura, aumentan los recursos para trabajar la concreción y ensanchan el camino de la inspiración. Es justamente la mezcla de “inspiración” y de “transpiración” sostenida en el tiempo lo que permite, en algún momento, concretar una idea, materializarla.

El proceso de concreción, para muchos, se resume en el conocido dicho “*1% de inspiración y 99% de transpiración*”.[55] Nosotros le hemos agregado a esta frase una interpretación distinta que quisiéramos compartir. El 1%, asociado a

[55] Thomas Alva Edison.

la generación de la idea y al placer de crear, puede ampliarse si incluimos dentro de este porcentaje la gestación de la idea, porque debemos tener en cuenta que la creatividad comienza a trabajar desde el inconsciente y crece en un clima imaginativo, intuitivo, conectado con nuestras emociones y sensaciones.

Desde esta perspectiva, el tiempo de concreción no es sólo transpiración. Más allá de las reglas, los procedimientos rigurosos e incluso las rutinas que se deban aplicar, la ejecución deja lugar a nuevas ideas: la mente se libera, puede pensar y soñar. Por eso, el período de concreción se puede convertir, en parte, en un tiempo de descanso o de incubación de nuevas ideas y de gestación de otras incógnitas o interrogantes.

Al incluir en el proceso la retroalimentación entre creación y ejecución, se construye un círculo fecundo que abre espacios para nuevas inspiraciones. Mientras se concreta la tarea, se recorre un camino de hallazgos y aciertos, de inspiración y esfuerzos. Esta dinámica entre opuestos y la intensidad del deseo de dar a luz nuestra idea van señalando el camino del aprendizaje requerido. La intensidad y duración del esfuerzo depende de la magnitud de la obra y de la visión a alcanzar. A veces, se requieren horas y días interminables de dedicación, ensayo y error. Cuenta Picasso de sí mismo que, de joven, dibujaba al estilo de Rafael; sin embargo necesitó *"toda una vida para aprender a pintar como un niño"*.

Las dos caras de la exigencia

Además de buscar un resultado deseado, la tarea de ejecución presupone una actitud de autoexigencia. Hemos notado que hay dos tipos de exigencias: uno positivo y otro negativo. El positivo es un juicio constructivo que es capaz de sacar de nosotros lo mejor. Es el que nos alienta a sobrepasar nuestros propios límites, el que nos dice: "*Concentración*", "*Vas por buen camino*", "*Esfuérzate un poco más y lo lograrás*", o "*Seguí que ya te va a salir, no es exactamente esto, aún*", "*Replantéalo, lo estás por lograr*". Críticamente nos exige ir hacia adelante, paso a paso. La exigencia en su forma negativa actúa como freno, es un juicio prematuro y destructivo que nos paraliza. Es el que siempre nos susurra: "*No es suficiente*", "*No es bueno*", "*Esto no sirve*". Esta exigencia interrumpe el avance sin aportar nada a cambio.

Ser conscientes de estas diferencias nos permite estar más atentos. Con cierto entrenamiento podemos diferenciarlas y darnos cuenta de que la negativa es castrante y no nos sirve para avanzar. Cuando el juicio es constructivo, acompaña y estimula favorablemente el proceso. Con el tiempo, manteniendo la dinámica entre creatividad, autoexigencia constructiva y técnicas, es posible lograr tal naturalidad en la obra, que ya no se piensa en el esfuerzo ni en el trabajo que involucra.

Finalmente, para el observador, lo que cuenta es únicamente el resultado, es todo lo que vale. Pero, para el creador, al resultado obtenido se le suma lo "no visible" del camino recorrido, pues se enriqueció, trabajó, sufrió, creció, se apasionó; en otras palabras, "vivió".

Cuando el proceso creativo es individual, al talento se le suma la técnica. Cuando el proceso de creación es grupal, a ambos —talento y técnica—, se les suma el desafío de combinar e integrar múltiples "creatividades". Este desafío está presente en las empresas y en el mundo de la ciencia y de las artes, y se extiende a toda disciplina que busca resultados de cierta envergadura.

Técnicas creativas

Una técnica es un procedimiento o conjunto de procedimientos que permiten lograr un resultado determinado de un modo más efectivo. En sentido amplio, se distingue entre aquellas que involucran destrezas mentales (asociar, describir, conceptualizar, sintetizar, memorizar, proyectar, generar ideas, entre otras) y otras que requieren preferentemente destrezas físicas (fuerza, resistencia, coordinación, flexibilidad, motricidad fina, etcétera).

Cuando el resultado que se busca es aumentar las destrezas mentales, en particular la capacidad de generar ideas o de encontrar caminos creativos, hablamos más propiamente de **técnicas creativas**. Las técnicas creativas permiten actuar sobre los recursos interiores, les dan libertad y facilitan su intervención en el proceso creativo para que se expresen con mayor amplitud. De modo que, al emplearlas, tanto los sentidos, como la intuición, la imaginación, la fantasía, el ingenio, la capacidad de asociar, proyectar o transferir, pueden ser movilizados o desarrollados para dar magnitud, brillantez, originalidad o novedad al proceso y al resultado creativo.

Las técnicas, además de orientarse a estos objetivos, pueden aplicarse a otros más específicos como: generar nuevas ideas y conceptos, modificar modelos mentales, flexibilizar la mirada, eliminar obstáculos que inhiben el uso de la imaginación, de la fantasía o de la intuición; reforzar la confianza en uno mismo; convertir la creatividad individual en grupal; lograr ambientes propicios para proponer ideas osadas y audaces; generar alternativas; desestructurar las rutinas y animarse a lo novedoso; preparar el camino del cambio; innovar; diferenciarse; renovar la motivación. Todas ellas respetan como principios comunes: no juzgar nada de antemano; ejercitar la libertad interna; no temer al ridículo o a lo distinto y estimular la cantidad y diversidad de propuestas. Pueden ser puestas en práctica individualmente, pero su máximo potencial se alcanza, en general, cuando se trabajan en forma grupal.

En la etapa de concreción de la obra o proyecto aparecen, por lo general, nuevas demandas mucho más específicas que también hay que atender. A veces, los resultados no se logran no por falta de ideas sino por falta de los conocimientos o destrezas adecuadas. Hay que estar atentos y recurrir a las fuentes especializadas que nos ayuden a encontrar lo que nos falta.

Divergencia y convergencia

En creatividad, estos conceptos se utilizan para describir dos movimientos que realiza la mente frente a un hecho, planteo o acontecimiento.

Cuando el movimiento es divergente —frente a una situación, necesidad, pregunta o cualquier otra circunstancia—, la mente responde imaginando combinaciones y variaciones, buscando alternativas, posibilidades u oportunidades. El pensamiento divergente[56] se abre para incluir opciones o expresar distintas perspectivas, es inclusivo y multiplicador. Cuando se trabaja con **técnicas divergentes** se busca estimular la generación de cantidad y diversidad de ideas que traspasen los límites de lo posible, los límites convencionales, buscando lo que aún no ha sido dicho, apuntando a ampliar el universo de respuestas novedosas u originales.

La libertad, la espontaneidad y la claridad sobre el tema a trabajar potencian el fluir de la mente y la capacidad de asociación y combinación de ideas. Las técnicas creativas divergentes resultan útiles cuando se busca ampliar el espectro de respuestas, posibilidades y oportunidades en el marco de una situación dada. Es esencial suspender el juicio durante este proceso, así como es indispensable trabajar con un mínimo de restricciones ambientales que perturben el proceso creativo.

El pensamiento convergente responde a un movimiento de la mente que tiende a la síntesis y a la simplificación. Focaliza en un tema buscando puntos comunes, relevantes, pertinentes, etc. Generalmente utiliza parámetros o indicadores externos o de contexto, que sirven para organizar el proceso de síntesis en torno a un objetivo. Las **técnicas convergentes** resultan, en la mayoría de los casos, complementarias de las divergentes y se las utiliza para acotar el número de opciones e identificar las que tienen mayor potencial. Para ello, se establecen criterios y modos de clasificar o priorizar dichas opciones.

Tanto las técnicas divergentes como las convergentes están diseñadas atendiendo a esta dinámica y se enfocan, según el caso, a objetivos amplios o específicos. Sin embargo, para que el proceso creativo sea completo debe incluir tanto la divergencia como la convergencia.

Collage sobre mi mundo

Entre las técnicas dirigidas a conectarnos con nuestra joya interna, el uso de imágenes es uno de los recursos que podemos utilizar para descubrir o revelar más claramente lo que tenemos en nuestra mente y en nuestro corazón.

Anteriormente hemos presentado ejercicios usando la técnica del collage. En el siguiente se la utiliza para explorar nuestro interior y luego poder apreciar y compartir lo que descubrimos allí. Es un ejercicio creativo que se puede realizar en forma individual o grupal. Se trata de realizar, con recortes de revistas, un collage con imágenes

---

[56] William C. Miller, *The Creative Edge*, Creative Education Foundation Press, 1995.

que ilustren un conjunto de aspectos de nuestra cotidianeidad, tales como relaciones, actividades, hobbies e intereses varios que muestren la vida como uno la percibe en ese momento. Se colocan las imágenes sobre una hoja en blanco siguiendo los impulsos interiores. Estas imágenes se combinan intuitivamente durante un tiempo estipulado. Una vez lograda la imagen final, la contemplan y dejan aflorar impresiones o emociones que suelen revelar un contenido profundo. La interpretación del resultado final puede iluminar o hacer visible la mirada que en ese momento se tiene de sí mismo y de la relación con el entorno. Esta lectura puede ser hecha por uno o por terceros.

Hemos utilizado este ejercicio para que los participantes se presenten de un modo creativo, no convencional, con muy buenos resultados.

Técnicas divergentes

A continuación se presentan algunas técnicas creativas, tanto divergentes como convergentes, de gran versatilidad y cuya probada utilidad les ha otorgado una gran difusión.

Brainstorming (Charles Clark - 1958)

El Brainstorming o **tormenta de ideas** es posiblemente la más difundida entre las técnicas divergentes y es sumamente popular en las capacitaciones destinadas a empresas. Es una poderosa herramienta para generar ideas y alternativas en las distintas etapas del proceso creativo. El Brainstorming desata una cadena de asociaciones en la mente de los participantes que motiva una producción de ideas a veces impresionante en número, hecho que sustenta su popularidad.

Se trata de un ejercicio grupal que promueve la contribución espontánea de ideas de todos los miembros del grupo, neutralizando los efectos de una crítica prematura. Las **reglas básicas** son: **lograr cantidad** de ideas, **diferir el juicio**, **no discutir** las ideas ni externa ni internamente, **buscar lo nuevo**, **lo inusual**, **lo insólito**, perspectivas diferentes e ideas "locas". Para lograr un mejor resultado se aconseja que el grupo se integre con personas de diferentes perfiles y experiencias: hombres y mujeres de diversas edades, conocimientos, exposición al tema, apertura e idiosincrasia. Es importante que haya una o varias personas que registren rápidamente las ideas en relación al número de participantes. El ritmo de los aportes individuales debe permitir que todos los escuchen sin interrumpir o alterar el flujo de ideas. Las ideas se formulan en voz alta, de modo que no solamente se aprovecha el impulso de la propia imaginación sino que los aportes de cada participante funcionan como disparadores y estímulos para nuevas propuestas (fertilización cruzada). En ningún momento está permitido hacer un juicio de valor u opinar, objetar ni apoyar una idea planteada.

La tarea se optimiza cuando se genera un clima de total libertad y mutua aceptación. El hecho de que los participantes puedan decir lo que se les ocurre con relación al tema, sin restricciones y sin juicios u opiniones que los limiten, crea una energía y una soltura que abre la mente a nuevos espacios que resultan muy fecundos. La propia dinámica hace que el sentimiento de espontaneidad y libertad crezca generando un clima de juego y humor que refuerza esa libertad y fortalece el deseo de contribuir con nuevas ideas cada vez más desopilantes. Luego viene el proceso de refinamiento de ideas y, finalmente, el de darle forma a aquella que resulte con mayor potencial para dar respuesta a la necesidad o problema que se quiere abordar. Cuando se aplica esta técnica, es fundamental respetar y sostener las reglas de juego planteadas más arriba. Obtener resultados fecundos depende en gran parte de la comprensión y aplicación adecuada de los principios que sustentan este procedimiento.

Brainwriting (John Woods - 1979)

Esta técnica pone el acento en **escribir las ideas**. Se utiliza para descubrir los distintos aspectos involucrados en un tema o para sugerir soluciones de un problema planteado por el grupo. El proceso empieza escribiendo el enunciado del problema o tema a resolver en la parte superior de la hoja. Luego, cada participante escribe tres ideas o sugerencias para resolver el tema. Una vez registrados los aportes, deja el papel en un lugar acordado. De allí cualquiera de los miembros del grupo puede tomar la hoja y agregar sus propias sugerencias o, si lo desea, aprovecha como disparadores las ideas escritas. Finalmente se hace un listado completo de las ideas propuestas, eliminando las duplicaciones y combinando en una sola frase aquellas ideas que resultan semejantes.

Para estimular el vuelo de la imaginación o lograr la contribución individual de personas con dificultad para expresarse en grupos numerosos, se propone como variante el siguiente ejercicio. El objetivo es lograr la idea más revolucionaria. Se enuncia el problema y se distribuye, por ejemplo, diez tarjetas en blanco a cada participante. Cada uno elabora y escribe una idea osada, desopilante o absurda por cada tarjeta. Se exhiben todas las tarjetas y, en conjunto, se identifican, y eliminan posteriormente, aquellas ideas que ya han sido probadas y que funcionan. A partir de las ideas revolucionarias que permanecen, se busca una posible articulación entre ellas para crear un nuevo punto de partida en la búsqueda de una solución factible.

Análisis morfológico (Fritz Zuvicky y Myron S. Allen)

Así como el Brainstorming es un procedimiento general, el análisis morfológico es una técnica específica para encontrar ideas originales. Se puede aplicar individualmente o en grupo.

Es una técnica que consiste en un análisis estructural del tema, que tiene en cuenta los componentes y los distintos aspectos de su funcionalidad. Por ejemplo, puede incluir el funcionamiento de cada elemento, de su estructura, los usuarios, cuestiones tecnológicas, etc. Con esos datos se construye una matriz. La idea es analizar en forma combinada dos elementos por vez.

El primer paso consiste en identificar y listar verticalmente los atributos del producto, proceso o servicio en cuestión. De un auto, por ejemplo, podrían hacerse distintos listados sobre sus atributos técnicos o sus atributos de confort. En sentido horizontal se anotan, por ejemplo, los posibles usuarios. Se comienza con los más convencionales y luego se amplía el listado con otros menos probables. En nuestro ejemplo podríamos citar a jóvenes, adultos, discapacitados, y agregar niños, perros, felinos, monos, etcétera.

En el segundo paso se contempla la matriz y se deja que la imaginación establezca nuevos vínculos entre los dos listados. Para ello se elige un usuario —por ejemplo, "niños"— y se recorren en sentido vertical los atributos planteados. Usando la creatividad se proponen adaptaciones o cambios al producto original para que sean coherentes con el usuario elegido. ¿Será así cómo se inventaron los "autitos chocadores"?

Scamper[57] (Michael Michalko)

Esta técnica ofrece una lista de sugerencias relevantes para incentivar cuestionamientos que ayudan a pensar y ver las cosas de diferentes maneras. Se construye haciendo preguntas puntuales. Su creador afirma que lo nuevo surge de cambiar algo que ya existe. Para ello propone nueve caminos:

S ustituir algo (sustituir)
C ombinarlo con algo más (combinar)
A daptarlo (adaptar)
M agnificarlo, modificarlo, o agregarle algo (magnificar) (modificar)
P roponer otros usos / hacerlo útil para otro propósito (proponer otros usos)
E liminarle algo (eliminar)
R eordenar (reordenar)
R evertir / invertir la dirección o el sentido (revertir)

Las palabras que integran el Scamper son posibles vías para tratar la información y alcanzar un resultado novedoso. El desarrollo de cada opción implica una serie de pasos que varían según la naturaleza del tema. Se usan listados, combinaciones de atributos, relatos, etc., para despertar la imaginación y lograr nuevas conexiones.

Veamos algunos ejemplos:

De **sustitución**, es el "self service"; que resulta de sustituir el orden y el tiempo de atención por libertad de caminar por el negocio y elegir el producto.

De **magnificar**, podría ser el "shopping" que surge de imaginar un lugar que contenga múltiples tiendas.

De **combinar**, el "libro electrónico", que reúne tecnología y hábitos de lectura.

De **proponer nuevos usos**, sería el caso del celular que puede ser simultáneamente, reproductor de música, cámara de fotos, filmadora, etcétera.

---

[57] David Gonzalez. http://www.neuronilla.com/content/view/84/70

Uno de los grandes beneficios que se obtienen con la aplicación de esta técnica es la posibilidad de abandonar los parámetros conocidos e incursionar en nuevos territorios hasta descubrir y crear lo novedoso.

El Pensamiento Lateral[58] (Edward de Bono - 1967)

El pensamiento lateral integra una serie de técnicas que De Bono propone para "*sacar el pensamiento de sus vías habituales a fin de aumentar la cantidad de ideas alternativas que podemos generar*". No es en sí mismo un método único de resolución de problemas con pasos explícitos, sino una disposición y búsqueda de posibilidades. Reúne un conjunto de técnicas, tanto divergentes como convergentes, que se aplican a la generación de nuevas ideas y al cambio de conceptos y perspectivas. Estas técnicas se caracterizan por incluir tanto la búsqueda de alternativas como la aceptación de desafíos. **La cuota, la pausa, la provocación** son algunas de las más conocidas.

La cuota, por ejemplo, propone listar por lo menos veinte ideas o posibles soluciones sobre un tema, antes de tomar una decisión. La cantidad de ideas nos obliga a pensar en el tema desde diferentes ángulos, posibilitando un tratamiento más objetivo y completo del mismo.

En la técnica de **la pausa**, cuando analizamos un tema y se logra un flujo continuo de ideas, De Bono sugiere detenerse en un punto y cambiar el rumbo de los pensamientos. Éstos se pueden orientar hacia la búsqueda de aspectos específicos aún no considerados o a ampliar detalles de un tema secundario. Estas pausas resultan efectivas cuanto cortamos en el momento en que estamos más convencidos de avanzar en la dirección correcta.

Por su parte, **la provocación** propone hacer una afirmación ridícula o impensable cuando se analiza un tema o se buscan soluciones. Por ejemplo, estamos diseñando una casa. Usamos como provocación una frase: "la casa no debería tener techo". A partir de ella se consideran las consecuencias, los beneficios, las situaciones en que esto sería una solución, etc. Los pensamientos, juicios o ideas que surjan de su consideración se usan como disparadores de nuevas ideas. De lo planteado, podrían surgir ideas como techos corredizos y transparentes, o ambientar "livings" a cielo abierto, en el jardín, en una playa, etcétera.

El concepto de "**pensamiento lateral**" se ha difundido mucho y se lo identifica con la disposición a explorar múltiples posibilidades en vez de aceptar un único punto de vista.

Los Seis Sombreros para pensar (Edward De Bono)

Es una técnica muy útil para generar ideas. Frente a un planteo o situación, los Seis sombreros permiten identificar y valorizar cada una de las ideas que

[58] http://www.mindtools.com/pages/article/newCT_00.htm

provienen de los distintos rumbos del pensamiento. Por lo general, al considerar un tema, aparecen en forma simultánea en nuestra mente perspectivas, sensaciones o sentimientos a veces opuestos. El hecho de presentarse todos a la vez hace difícil encontrar un camino claro que nos acerque a la solución. Esta técnica permite tratarlos por separado sin perder lo que aporta cada uno.

Cada dirección posible es representada por un sombrero de distinto color. Al colocárselo real o imaginariamente, la persona enfoca el pensamiento en una dirección. Desde allí elabora sus respuestas, opina o sugiere ideas.

Cuando se trabaja en grupo, los Seis sombreros establecen ciertas reglas para el juego de pensar, permitiendo que todos participen y contribuyan desde los distintos roles asumidos. Sobre todo cuando se trabaja en grupo, su uso permite pensar y expresar ideas dejando de lado la perspectiva personal, ya que cada participante debe encarnar el rol que indica el sombrero que tiene puesto. El ego queda a salvo y resulta más fácil aceptar opiniones o puntos de vista diferentes. Concretamente, esta técnica permite dirigir la atención a seis diferentes aspectos de un asunto.

El **sombrero blanco** es el sombrero de la información, es neutro y objetivo. Se utiliza para identificar toda la información necesaria para la mejor comprensión de una situación.

El **sombrero rojo** es el sombrero de los sentimientos, la intuición y las emociones. Se utiliza para identificar los sentimientos generados por una idea o situación, sean estos positivos o negativos.

El **sombrero negro** representa la cautela, la precaución, la evaluación de riesgo y la crítica. Se utiliza para identificar las debilidades o dificultades y determinar por qué algo no puede hacerse o no va a funcionar.

Al **sombrero amarillo** se lo identifica con la lógica y la especulación positiva. Expresa, además, construcción y generación. Se utiliza para identificar aspectos positivos y beneficios de una idea y para generar las condiciones para que algo suceda.

El **sombrero verde** es el sombrero de la creatividad. Se lo utiliza para identificar ideas novedosas que permitan superar limitaciones, aumentar posibilidades o comenzar en una nueva dirección. Este sombrero se ocupa específicamente de las ideas nuevas y de las formas originales de enfocar las cosas, se ocupa del cambio.

El **sombrero azul** es el último y representa la visión panorámica, el control, la serenidad y el manejo del pensamiento. Se utiliza para establecer un equilibrio en el uso de los restantes sombreros, pero principalmente para monitorear si el proceso avanza en el sentido del objetivo planteado.

El uso reiterado de esta técnica amplía la manera en que nuestro pensamiento organiza la información, permitiendo pensar de un modo diferente, más potente y creativo.

Resolución Creativa de Problemas (CPS) (Alex Osborn y Sid Parnes – 1953)

Tradicionalmente, el proceso de resolución de problemas tiene tres etapas básicas que son: la identificación del problema, la búsqueda de la solución y su implementación.

La contribución de Sid Parnes y Alex Osborn, fundadores de la Creative Education Foundation, agregó pasos intermedios y sistematizó la alternancia de las etapas divergente y convergente a lo largo del proceso. Con esto ofrecieron un camino para superar algunas de las limitantes típicas que aparecen cuando buscamos soluciones como, por ejemplo, quedarnos con la primera idea que surge, no sobrepasar lo convencional, focalizar en el problema sin tomar en cuenta el contexto, trabajar sobre un problema que al profundizar resulta no ser el eje de la cuestión, etcétera.

En la versión más difundida del CPS, el proceso corre a través de seis etapas simbolizadas por seis rombos o diamantes. Se inicia el proceso con una etapa de divergencia y se cierra con una de convergencia.

Estos pasos son:

1. identificar y formular el objetivo amplio o ideal;
2. relevar datos sobre la situación y transformarlos en información;
3. encontrar y definir el problema;
4. encontrar ideas para elaborar una posible solución y refinar las ideas más prometedoras;
5. dadas las circunstancias, seleccionar la mejor y proponerla como solución;
6. encontrar aceptación y apoyo para su implementación.

Es un proceso que puede servir para fines tan diversos como revisar y modificar actitudes, hasta encontrar soluciones innovadoras a un problema dado. Permite abordar los problemas utilizando plenamente los recursos creativos individuales o grupales. Tiene la particularidad de que, al separar las actividades del pensamiento —divergente y convergente—, se optimiza el potencial de cada una. En la etapa divergente las ideas pueden crecer sin un enjuiciamiento prematuro; mientras que en la etapa convergente se pueden introducir criterios basados en el conocimiento y en la experiencia que le agregan realismo a la propuesta.

Con la repetición se adquiere una gimnasia para recorrer los seis pasos, abrir en cada uno decenas de posibilidades y ser capaz de sintetizarlas. Esto le otorga un amplio campo de aplicación. Quienes se están introduciendo en las técnicas creativas se les recomienda seguir los pasos de modo ordenado hasta que se haya internalizado la lógica del método. Logrado esto, se pueden combinar, alterar o modificar pasos según las circunstancias o naturaleza del problema.

Mindmapping (Tony Buzan – 1966)

El **Mapeo de la mente** es una técnica que se usa para representar gráficamente una idea y sus conexiones o implicancias en diferentes planos. Es muy efectiva para la generación de ideas y la representación de información mediante asociaciones.

¿Cómo se utiliza? Se coloca en el centro de una hoja la idea a trabajar —puede estar representada por una palabra o un dibujo—. A partir de esa idea, se generan otras que se dibujan como ramas. Cada rama representa un camino posible. A su vez, de cada rama surgen ramificaciones que son diversificaciones de la idea original. De esta manera va creciendo el gráfico. Mientras tanto, se evalúa cómo cada rama o ramita contribuye a la explicación o solución de la situación planteada. El mapa está terminado cuando el esquema contiene la información requerida para tomar decisiones.

Recomendamos consultar dos esquemas que nos parecen ejemplos interesantes de los niveles de detalles que se pueden lograr y las formas posibles de representación de un mismo tema.[59]

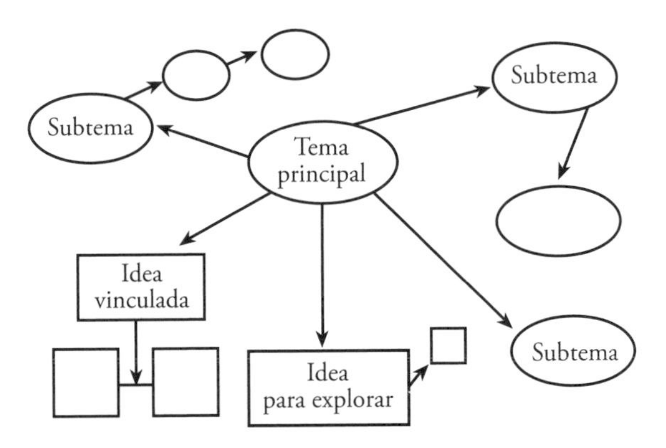

Esta técnica se puede utilizar para lograr una mejor comprensión de una situación compleja, clarificar el orden de importancia de los factores involucrados en un problema, sintetizar los elementos presentes en una cuestión particular, etc. Permite una visión simplificada de una idea, concepto o problema y hace visible sus conexiones con ideas de otro nivel o ámbito.

Analogías

Una analogía permite la comprensión, interpretación o construcción de una idea o concepto complejo o novedoso, sobre la base de algo familiar. Suele utilizarse el concepto conocido como una representación sintética sobre la cual se organizan los datos existentes *(es como estar parados sobre un volcán)* o como imagen que sirve de punto de partida para el desarrollo de las nuevas ideas. (Ver más adelante la *analogía del árbol* para la resolución de problemas).

[59] http://www.mapamental.com.ar/
Leonel More Basso, http://tientate.blogspot.com/2006/09/mind-mapping.html

Como técnica creativa posiblemente sea una de las más difundidas. Consiste en estimular la generación de ideas utilizando como disparador conceptos familiares transfiriéndolos de un contexto a otro. El pensamiento analógico se estimula con el uso de preguntas tales como: ¿a qué se parece esto?, ¿qué han hecho otros en una situación similar?, ¿dónde se puede encontrar una experiencia que se parezca a lo que me está pasando?

Cuando se aplica esta técnica, se busca descubrir una situación similar pero en otro contexto y utilizarla como disparador de nuevas ideas. Inventos como el velcro se inspiraron en los abrojos que se pegan a la ropa; algunas características de los aviones, en el vuelo de las aves. Se cuenta que la empresa Pringles Potato Chip, buscaba la forma de evitar que las papas fritas se quebraran al envasarlas. Encontraron la solución inspirados en las hojas caídas que cuando se mojan se pegan unas a otras y de ese modo no se deterioran. Así surgieron los tubos que permiten envasarlas apiladas y conservarlas enteras. La naturaleza es una fuente inagotable en este sentido. Son algunos ejemplos ilustrativos de lo que una analogía puede aportar al proceso creativo. Otro ejemplo interesante es el de Harare, Zimbawe, donde uno de sus edificios más grandes y emblemático alberga en su interior un sistema de refrigeración inspirado en el de las termitas africanas.

Relación forzada

Esta técnica está basada en el uso del pensamiento analógico. Consiste en realizar un listado de atributos pertenecientes a una realidad "x" y utilizarlo como fuente de inspiración para generar una gama de alternativas para otro tema o problema.

Supongamos que deseamos mejorar un producto. Hacemos mentalmente un resumen de sus características. Una vez realizado esto, elegimos un elemento al azar que nos despierte alguna resonancia. Por ejemplo: un caballo de carrera, un supermercado, un viaje inolvidable, etc. De él listamos la mayor cantidad de atributos que lo hacen atractivo. El trabajo consiste en utilizar cada atributo como disparador de ideas para mejorar aspectos específicos del producto a renovar. Los elementos o situaciones a utilizar como disparadores pueden ampliarse indefinidamente.

Proponemos utilizar la visualización de una nube como ejemplo práctico.[60] Después de haber realizado la visualización, se toma una hoja, se la divide en dos con una línea vertical y se escriben del lado izquierdo los atributos, las emociones y las sensaciones experimentadas durante la misma. Una vez completado el listado, se piensa en la situación que se quiere abordar. Por ejemplo: cómo desarrollar una presentación donde la gente se sienta tan bien como uno se sintió durante la experiencia de "ser nube". El paso siguiente es utilizar cada palabra del lado izquierdo como inspiración para generar ideas que permitan incorporar, al formato de la charla, nuevos atributos que la mejoren de acuerdo a los resultados deseados.

[60] Ver visualización de una nube en el apartado Visualizaciones.

En el cuadro siguiente se ilustra el proceso y un posible resultado:

Yo Nube	Qué hacer si mi charla fuera una nube
Luminosa	Utilizar juego de luces, video.
Suave	Introducir el tema con una poesía.
Etérea	Cuidar la densidad de los conceptos, mantener un relato con muchos ejemplos.
Veloz	Trabajar cada tema en bloques cortos. Hacer enlaces ágiles.
Importante	Buscar la participación de la audiencia. Involucrar al público desde la experiencia.
Inquieta	Formular preguntas y planteos que se vayan resolviendo a lo largo de la charla.
Sutil	Deslizar ideas para movilizar la audiencia y que cada uno los elabore a su tiempo.
Compañera	Buscar la complicidad, contar algo personal.
Flexible	Cambiar el tema o el ritmo de acuerdo a la respuesta de los participantes.

Seguramente, a partir del primer listado, se le ocurrirán nuevas conexiones. Ahí reside la potencia de la técnica, que, además, tiene la ventaja de que se puede aplicar prácticamente a cualquier situación.

Algunas técnicas convergentes

Como decíamos más arriba, con la etapa divergente se logran multiplicidad de ideas y alternativas. Para completar el proceso creativo se usan las técnicas convergentes. Ellas permiten, estableciendo ciertos criterios, reducir las opciones, focalizar en las de mayor potencial, facilitando así la selección de las más prometedoras. Entre ellas les presentamos las siguientes:

Highlighting (Firestein y Treffinger)

Es una técnica que se aplica para **resaltar los conceptos más poderosos.** Se utiliza cuando se debe procesar una cantidad considerable de ideas surgidas durante la etapa divergente. Es particularmente efectiva cuando la información obtenida es variada y no tiene orden de prioridad. La técnica tiene cuatro pasos. Se aplica sobre un listado de propuestas de solución previamente elaborado.

a) Hits / **Hallazgos**. De ese listado se buscan las ideas que impactan, que se destacan. Puede ser una palabra, una frase que sobresale entre las demás. Los "hits" capturan el significado, la esencia o el corazón de lo que se está tratando. En la práctica, se marcan con resaltador o se las circula.

b) Cluster / **Conjunto**. Con las palabras o ideas marcadas se arman conjuntos, integrando las que guardan una cierta relación y que se identifican como pertenecientes a un mismo universo de soluciones.

c) **Nominar el conjunto**. A cada conjunto se le da un nombre en función de la conexión que existe entre las ideas agrupadas. Esto sirve para marcar un área de importancia o significación donde concentrar la búsqueda de soluciones.

d) **Construir la solución**. Después de examinar el contenido de cada conjunto, se selecciona aquel que contiene la mayor cantidad de elementos como para generar una solución integral. Si un conjunto fuera insuficiente para generar una respuesta completa al problema, puede utilizarse una combinación de dos o más.

LCO (Likes, Concerns, Opportunities)

Esta técnica, al combinar **lo que gusta, los cuestionamientos y las oportunidades**, propone una manera sencilla de reducir el número de opciones. Se aplican a cada idea los tres conceptos, formulando las siguientes preguntas o similares:

1. **L** o que me gusta
   ¿Qué es lo que me agrada de esta idea?
   ¿Qué es emocionante, desafiante, único de esta idea?
   ¿Qué es lo que despierta en mi imaginación?
2. **C** uestionamientos o dudas
   ¿Qué aprensiones o reservas produce la aplicación de esta idea?
   ¿Cuáles son sus debilidades?
   ¿Qué elementos de la idea provocan inquietud o preocupación?
3. **O** portunidades
   ¿Qué beneficios traería la implementación de esta idea?
   ¿Se corresponde con el objetivo deseado?
   ¿D e qué modo podría beneficiarse la empresa?

Las preguntas son indicativas pero pueden variar y hacerse más específicas, según el tema que se analice. A partir de las respuestas que se obtienen durante el procedimiento, se resaltan los aspectos que las hacen factibles o que les restan posibilidad de ser realizadas. Se van eliminando las más distantes del objetivo y aquellas con las que se obtendrían menores beneficios. El proceso se repite hasta obtener la opción deseada. Recalcamos que la clave del resultado está en realizar este ejercicio paso por paso, sin saltear ninguno, aunque parezca obvio.

Matriz de evaluación

Después de haber identificado un número de posibles soluciones, se hace necesario medir el potencial de cada una de las ideas propuestas. La construcción de una matriz y la comparación de las ideas permiten identificar la de mayor potencialidad.

Para construir la matriz, se definen los criterios con los cuales se va a contrastar cada idea y la escala de medición que se va a aplicar. Se recomienda al principio no superar los cuatro o cinco ítems o criterios. La matriz se construye poniendo en cada eje uno de los conceptos. Por ejemplo, en el sentido de las filas, las ideas seleccionadas, y, en el sentido de las columnas, los criterios o requisitos que estas ideas deberían cumplir para ser consideradas "valiosas". En el casillero de intersección de la idea con cada criterio, se anota la puntuación que se le asigna a la idea de acuerdo a la escala elegida. La escala puede ser numérica o cualitativa. La fijación de la escala es arbitraria. Generalmente se usan escalas numéricas porque dan la posibilidad de una suma final, lo que facilita establecer el nivel de preferencia de cada propuesta. A cada idea se le asigna un valor de acuerdo al nivel de concordancia con el criterio que se evalúa. Por ejemplo, se pone:

0 cuando el atributo no existe o el criterio no se cumple;
1 si equivale a bajo o escaso nivel de concordancia;
2 cuando es bueno;
3 si es muy bueno;
4 cuando es excelente.

Una vez que se han puntuado todas las ideas, se suman los resultados en el sentido de las filas. La idea que obtenga mayor puntaje es la que se identifica como la de mayor potencial. Si se tiene clara la prioridad entre atributos, se les puede dar una ponderación. En ese caso, la suma total es igual a cien. A veces, para simplificar el proceso o para acortarlo, se eliminan al inicio aquellas ideas que carecen de algunos de los atributos. Otro modo de reducir las opciones es desechar la idea cuando la suma no alcanza un nivel mínimo establecido, aunque esto implique volver a buscar nuevas soluciones para considerar.

A continuación, se ejemplifica, a partir de una situación ficticia, el modo de utilizar la matriz para elegir la mejor forma de promover la creatividad. Las ideas se escriben en el sentido de las filas, y los criterios, en el sentido de las columnas.

Matriz de evaluación

Criterios Ideas	Llegar a muchas personas	Accesible en cualquier momento	Bajo costo de producción	Calidad	Suma	Rechazar	Reservar
Idea 1	2	3	1	1	7	x	
Idea 2	4	4	2	3	13		
Idea 3	1	1	1	3	6	x	
Idea 4	2	3	3	2	10		x

En este caso, la Idea 2 suma el mayor puntaje (trece puntos). Si no pesaran otros criterios, sería la elegida. A la Idea 4 se le ha encontrado potencial, por lo tanto se la señala con una cruz en la columna Reservar. Con esto se genera una base de ideas para considerar en una nueva ocasión. El resto, en este ejemplo, se rechaza.

Técnica del "Castillo"

Esta técnica se trabaja en grupos muy numerosos y cuando el número de ideas es considerable. Se desarrolla en varios pasos.

1. Se establece un límite de tiempo para la tarea, por ejemplo, una hora.
2. Se fijan tres criterios con los cuales se evaluarán las ideas. Por ejemplo:
   - aceptabilidad (si satisface el objetivo)
   - practicidad (si es compatible o atiende a las restricciones financieras, de tiempo u otras)
   - originalidad (si se logra innovar con la propuesta)
3. Cada participante debe votar por sí o por no cada una de las ideas propuestas. Se procede a la votación.
4. Medición de los resultados. Para cada idea se suman los votos positivos —los votos "sí"— y se restan los negativos —los votos "no"—. Las dos ideas que sumen el mayor número de votos positivos (descontados los negativos) se combinan en una nueva idea. Si se desean más opciones, se combinan las dos ideas que siguen según el número de votos positivos recibidos.

En este punto se puede pasar a la medición de los niveles en que cada idea satisface los criterios propuestos o se pueden utilizar otras técnicas convergentes para seguir achicando el número de opciones.

La utilización correcta de las técnicas de convergencia requiere tiempo. Por eso puede ser tomado como una debilidad cuando en realidad es lo contrario. Tomarse tiempo para evaluar detenidamente las opciones permite valorar los aportes, por una parte, y, por la otra, evita descartar prematuramente ideas que puedan resultar valiosas. En esta etapa también se pueden alternar nuevos momentos divergentes que permitan refinar las ideas y darles mayores oportunidades de funcionar.

Nuevas aplicaciones

La técnica de visualización, descripta en el capítulo 3 y que hemos utilizado con distintos propósitos hasta aquí, se aplicará integrada a otra técnica muy poderosa que consiste en la identificación con un objeto o sujeto sobre el cual se quiere actuar. Cuando se requiere un nivel de identificación menos profunda podemos utilizar otras técnicas.

La "identificación" con el objeto

La identificación permite fundirse con el objeto de tal manera que se puede ver, percibir y oír desde ese lugar. Consiste en hacer propias la esencia y las características de un objeto, tema o situación, volverse uno con él y usar este conocimiento como fuente de ideas creativas. Al vivenciarlo con el corazón, se vuelve tangible; se llegan a comprender sus características y su personalidad.

Es un camino que se inicia con el acercamiento y la observación detallada del objeto usando la información que nos ofrecen nuestros sentidos. Lo observamos y nos disponemos a "recibirlo". Para ello, el paso siguiente es entrar en sintonía con él. Para eso, poco a poco permitimos que sensaciones y sentimientos nos acerquen hasta lograr una identificación plena. Con este objetivo, se usan la percepción, la empatía, la imaginación, la sensibilidad, la receptividad. Los límites personales se disuelven con la fuerza de la imaginación. Desde ese lugar, se va percibiendo internamente lo que al principio era externo a nosotros. Internalizamos el objeto. De esta manera se pueden sentir y comprender visceralmente sus componentes, su funcionamiento, su esencia y la riqueza de su potencial.

Luego de esta experiencia, nuestra expresión o perspectiva es otra. Es muy diferente ver, oír y apreciar una rosa, una melodía, una puesta de sol, un árbol, que ser una rosa, una melodía, una puesta de sol o un árbol. Serlo nos aporta mayor riqueza y profundidad para expresarnos, porque lo que sentimos en carne propia supera ampliamente el conocimiento que podemos lograr como simples observadores. Ciertas identificaciones avivan sentimientos que resuenan muy profundo, revelando facetas personales a veces ignoradas.

La "identificación" en diferentes ámbitos

La identificación de la que se habla es la misma que vivenciamos en los juegos de la infancia cuando decíamos: "¿Dale que yo era...?". Ahora, como adultos, podemos reaprenderla conscientemente. Esta vivencia permite que aflore la creatividad.

En el mundo del arte, la fusión entre el "yo" y el objeto es una forma de enriquecer los sentidos, una vivencia propia del proceso creativo. La identificación alienta la inspiración e impulsa a profundizar y enriquecer las distintas formas de expresión. Da fuerza para percibir el entorno de distinta manera. Integrando los elementos que surjan de la experiencia la obra será mucho más plena, más completa, más vívida, más sincera, más personal y única. Si tuvieran que pintar o expresar un árbol, tienen que sentirse "árbol", procuren llegar a ser el árbol mismo con todas sus características, verlo, sentirlo y vivenciarlo. Si quisiera pintar o expresar el sol, deben "ser" ese sol. Si quisieran expresar una flor en una melodía, hay que convertirse en ella y escucharla. Este concepto de identificación con el objeto, tema o situación es parte de la experiencia cotidiana de un buen actor que logra transformarse en su personaje. También el pianista eximio vuela y se diluye en la interpretación; él es la música. En el proceso sucede algo mágico. Es como si el "yo" desapareciera por unos instantes: los sentidos y la mente quedan en suspenso, se entregan totalmente. No existe nada más sino esa experiencia pura. "Ser" algo o alguien distinto por un breve tiempo sin duda nos enriquece.

La posibilidad de convertirse en la situación u objeto de nuestra atención es una técnica que puede utilizarse exitosamente en los procesos creativos de otras actividades o tareas, o aplicarse a la resolución de problemas en otros ámbitos.

En la tarea de diseño, por ejemplo, convertirse en el producto o servicio permite incorporar la lógica y las emociones que uno le atribuye. Con la identificación, la persona le concede al objeto su potencialidad. Esto permite que el producto piense, sienta y desee sin restricciones. El libre juego de nuestra imaginación nos revela sus posibilidades, sus debilidades y usos alternativos.

En el análisis de situaciones, se repite la misma dinámica. Un hecho, asumido por una persona al punto de "convertirse" en la situación, incorpora todo el potencial lógico, afectivo y proyectivo propio del ser humano.

En la resolución de problemas, utilizar la identificación con el tema permite independizarse de los aspectos emotivos o de las limitaciones propias de la situación real.

El talento, la libertad y el esfuerzo, sumados a las técnicas y a la ejercitación, nos habilitan para crear nuevos espacios y formas de recorrer el camino de la creatividad.

En la práctica

Hemos elegido para la siguiente serie de ejercicios algunos temas que son arquetípicos. Son temas universales que naturalmente resuenan en nosotros y que es posible utilizar como analogías para profundizar en nuestra condición humana.

Un ejemplo sería "el árbol". Sus raíces evocan nuestras raíces, nuestro pasado y las tradiciones, lo que vivimos, lo que creemos, lo que constituye nuestro arraigo, nuestro fundamento. ¡Es bueno tener raíces fuertes!, ¡nos nutren y nos dan sostén! La copa con sus ramas y ramitas, sus hojas, flores y frutos, alude a lo multifacético de nuestro ser y al potencial que poseemos para expresarnos de mil maneras diferentes. El follaje refleja la capacidad de diversificarnos, ampliarnos, desplegarnos y, la vez, metafóricamente, contiene la potencialidad de proyectarnos en flores y frutos. Uniendo ambos se encuentra el tallo, una estructura sólida que conecta las raíces y la copa. De sus características, firmeza, solidez, grosor, entre otras, depende la característica del follaje. El tallo es su sostén. De modo similar, cada persona, según la estructura de su tallo, tendrá la capacidad de transformar sus talentos, conocimientos y experiencia en ideas o proyectos. Cada persona necesita conocer su estructura para desplegarse, así como cada árbol requiere de condiciones particulares para crecer. No hay un árbol igual al otro como no hay una persona igual a otra.

A continuación se desarrolla un ejercicio práctico en el cual mediante una visualización guiada se explora la personificación del árbol. Con la información resultante se procurará descubrir y establecer paralelos útiles para interpretar la propia realidad.

"Yo soy el árbol"

Visualización *CD: 15*

Me encuentro en un parque, lo recorro atentamente observando sus árboles. Un árbol me atrae especialmente. Me paro delante de él. ¡Me fascina con este árbol esbelto y majestuoso! A pocos metros veo un banco donde puedo sentarme a contemplarlo. Tomo asiento en este banco. Desde aquí, cómodamente, observo el árbol en su totalidad...

Después de esa experiencia, es necesario encontrar el modo de expresar lo vivenciado para afirmar el "aquí y ahora". Con los recuerdos aún frescos, prepárense para expresar a su modo el árbol que sintieron y visualizaron; lo pueden dibujar, pintar, describir, cantar o bailar. Lo importante es plasmar la vivencia mientras dure la sensación en el cuerpo, el acceso fue directo, cada uno fue árbol. Hay muchas maneras diferentes de darle forma a esta experiencia; pueden usar la palabra, el cuerpo, el color, el sonido... Con los cinco sentidos aún impregnados por la experiencia de ser un árbol, exprésense creativamente desde ese lugar. Con esta apertura de conciencia, rescaten lo valioso del árbol que hay en cada uno. En estas experiencias, aunque sea difícil expresarlo con palabras, ser árbol permite a veces entender algo más sobre uno mismo. Si la vivencia disminuye de intensidad y la imaginación se apaga, pueden evocar las emociones que tuvieron al ser árbol para que vuelvan a aportar sus imágenes o, simplemente, a sentirse libres de seguir sus impulsos creativos.

Ejercicio combinado
Si mi situación fuera un árbol...

En este ejercicio se reúne la riqueza de la experiencia de **identificación** con la resolución de un problema específico utilizando el pensamiento analógico.

Partimos de la información que reunimos a partir del concepto "árbol" y le sumamos lo que aprendimos de las vivencias obtenidas durante la visualización al identificarnos con él. Podemos utilizar lo que ahora sabemos del árbol para entender la estructura de una situación y resolverla. La técnica incluye dos momentos: la comprensión y la resolución. El ejercicio consiste en responder, paso a paso, las preguntas sugeridas que se formulan a continuación. Una vez familiarizados con la técnica, podrán proponer su propia secuencia de preguntas.

Primera parte. Preguntas orientadas a comprender la situación

El árbol posee una gran riqueza para representar una situación o problema. Cuando usamos el árbol como analogía, se pueden usar sus distintas partes —las raíces, el tronco, el follaje— para describir la situación que deseamos tratar.

Teniendo en cuenta la situación o hecho que les preocupa, imaginen qué tipo de árbol podría representarlo y dibújenlo. Luego, analicen sus distintas partes utilizando un abanico de preguntas que les permita captarlo con mayor detalle.

Nuestro árbol, así imaginado, ¿tiene raíces profundas o superficiales?, ¿tiene un tronco fuerte o frágil?, ¿tiene un gran follaje o sólo una pocas ramas? Y sus ramas, ¿están florecidas o desiertas de hojas? ¿Qué árbol es? ¿Qué necesita un árbol de esas características para desarrollarse plenamente? ¿Qué es lo que preocupa de su condición?

Con la imaginación, ubiquen al árbol en su ambiente. ¿Está aislado o vive en un bosque? ¿Está en el borde de un camino, a la orilla de un río, en una montaña o perdido en el medio de un monte hostil? ¿En qué situación está el árbol? ¿Es saludable y fuerte, o es un árbol golpeado y endeble? ¿Es un árbol sano o está en peligro? Quizás está sumergido en el agua... ¿pudriéndose? El árbol que imaginan, ¿transmite fortaleza o más bien parece un árbol triste? ¿Cuáles son las circunstancias que lo llevaron a esa situación? ¿Quiénes contribuyeron a que llegara a esa situación? ¿De quién depende que pueda cambiar su estado actual?

Una vez respondidas todas las preguntas, se destina un tiempo para analizar toda la información que surgió y, luego, se sintetizan los principales conceptos respondiendo a la siguiente pregunta: ¿qué les reveló el árbol? A continuación, se dedica un tiempo para registrar toda esta información.

Segunda parte. Preguntas orientadas a la resolución

Con el segundo paso, usando la misma analogía y el mismo lenguaje metafórico, se avanza en la resolución. En esta etapa se plantea en qué consiste la situación ideal y, a partir de allí, se delinea el camino para alcanzarla. Si durante la visualización inicial se ha vivenciado un árbol en todo su esplendor, se puede usar ese mismo árbol y toda la información recogida como disparadores de ideas para lograr el resultado deseado. ¿Cuál sería la situación futura ideal? ¿Qué forma tendría el nuevo árbol? ¿Se podría desarrollar en el ambiente actual? ¿Qué tenemos que cambiar para lograr que el árbol alcance la condición deseada? ¿Hay que trasplantarlo, agregarle nutrientes a la tierra, despejar alrededor? ¿De qué depende lograrlo? ¿Qué factores están a favor y cuáles en contra del cambio?

La ventaja de haber creado la analogía es que la situación bajo análisis se puede mirar con mayor objetividad. En otras palabras, la ventaja de esta técnica es que permite despojarse de muchas trabas o prejuicios cuando se describe la situación o se identifica a las personas directamente involucradas. Ofrece un lenguaje despojado de personalismos que todos pueden entender, lo que posibilita una saludable distancia con el tema. Ayuda a utilizar los recursos de la imaginación para poder mirar la situación desde distintas perspectivas.

La versatilidad del concepto "árbol" permitiría también utilizarlo en la aplicación de la técnica "Relación forzada", mencionada anteriormente.

"Yo soy la nube"

***Visualización** (CD 16)*

Me encuentro en el piso más alto de un imponente edificio, mirando por la ventana. Como la vista es espléndida, decido salir al balcón. Elijo un lugar cómodo y me siento a contemplar el cielo. Veo muchas nubecitas, algunas más grandes, otras más chicas. Me asombra cómo contrasta el azul del cielo con el blanco de las nubes. Observo el pasar de las nubes...

Con los sentidos impregnados por la vivencia de "ser una nube", exprésense con total libertad. Ahora sí la pueden dibujar, pintar, describir, actuar o cantar, porque "fueron nube". Abran la conciencia para rescatar aquellos elementos valiosos de la nube que permanecen en cada uno.

A partir de esta experiencia, se pueden realizar diferentes actividades para expresar lo vivenciado. Para ello, siempre es conveniente dejar los materiales listos, a modo de poder utilizarlos en el momento. También se pueden usar las palabras y crear una historia donde "yo-nube" sea el protagonista.

"Yo soy el sol"

Después de haber realizado dos visualizaciones de este tipo, los desafiamos a imaginar una situación en la cual ustedes logran sentirse "sol". Dejen volar su imaginación y fantasía para que surja una historia que los lleve a identificarse con él. Recuerden que es importante comenzar con una relajación y regresar al punto de partida desandando el camino realizado. Les señalamos un posible comienzo.[61]

---

[61] Ver el apartado final Visualizaciones, allí encontrarán nuestra versión.

Estoy caminando por un campo y veo que pronto se pondrá el sol. Me detengo para contemplar este hermoso espectáculo en el cielo. Encuentro un tronco caído y decido sentarme. ¡Qué hermoso sol! ¡Qué intenso es su brillo! Su luz se proyecta en diferentes colores. Brilla irradiando con generosidad colores cálidos en todas las direcciones...

Con esta apertura de conciencia, la esencia del sol queda en cada uno. Aunque lo que vivenciaron sea difícil de explicar algo queda vibrando en la profundidad. De aquí en más verán cada puesta de sol con otros ojos porque sintieron y experimentaron "ser sol". Con los sentidos impregnados por esta vivencia, exprésense con total libertad. Recuerden que es indispensable exteriorizarla de la manera que sea. Pueden dibujar, pintar, describir, cantar o manifestar su creatividad como lo crean conveniente. ¡Disfruten al hacerlo!

La magia del sol

El **sol** es uno de los elementos de la naturaleza que más clara asociación tiene con la vida, con la alegría y con el aspecto "dador". Durante un taller en el que participé como una de las facilitadoras[62] utilizamos esta percepción para revertir una situación que amenazaba con arruinar una maravillosa semana.

Nos había tocado la coordinación de uno de los grupos que asistían por primera vez a CPSI (Creative Problem Solving Institute) con lo cual su nivel de ansiedad era altísimo. Desde el comienzo se sabía que nos esperaba una semana con frío y lluvia a pesar de que estábamos en pleno verano. Les cuento cómo enfrentamos esta situación.

Pasó el domingo bastante bien, pero el lunes por la mañana la oscuridad nos obligó a prender la luz. El grupo, después de un primer día intenso, empezaba a sentir los efectos de la movilización interna y del aprendizaje. Costaba concentrarse y el ánimo lo notábamos muy por debajo de lo habitual. Entonces se nos ocurrió hacer un ejercicio. Le pedimos a la gente que dibujara todas las cosas que representaba el sol en sus vidas. Se entregaron cartulinas y crayones de todos colores. Trabajaron por espacio de media hora con una música de fondo apropiada. Las hojas se fueron poblando de trazos y colores cálidos; rostros sonrientes, libros, plantas, animales y decenas de otros elementos, expresaban en vivos colores sus recuerdos más alegres. Una vez finalizada la tarea, uno a uno presentaron sus imágenes y compartieron con el grupo la emoción y el sentido que traían a sus vidas. Cada testimonio era una pequeña luz que se encendía en el corazón de los participantes. Como seguía lloviendo sin cesar, se nos ocurrió cubrir el inmenso ventanal con todos los trabajos para evitar que la bruma pudiera influir en el ánimo. Luego sugerimos que, cuando alguien extrañara el sol, podía mirar las imágenes y recordar que el sol brillaba y les sonreía desde la ventana. Fue

[62] Creative Education Foundation. Annual Institute. 1997.

mágico, no tuvimos más comentarios negativos sobre el tiempo y una sensación de bienestar y complicidad unió al grupo. El resto de la semana pudimos trabajar con entusiasmo manteniendo el buen ánimo.

Esta experiencia sirvió para confirmar el valor que tiene rodearse de aquellas personas y cosas que, como el sol, traen luz, energía y alegría a nuestra vida.

"Yo soy la rosa"

Visualización *CD: 17*

Con la imaginación me traslado a un lugar cómodo y me ubico frente a una mesa. En ella hay un florero con una hermosa rosa roja. La observo minuciosamente; me conmueve esta hazaña, esta maravilla de la naturaleza. Sus pétalos suaves, aterciopelados, están ordenados con un cierto ritmo alrededor de su centro...

Con los sentidos impregnados por la vivencia de haber sido una rosa, exprésense. Pueden dibujar, pintar, describir, actuar, cantar o bailar, porque "fueron una rosa". Abran su conciencia para rescatar los atributos valiosos de la rosa que experimentó cada uno. Pueden preguntarse: "¿qué resonó en mí?, ¿qué movilizó en mí?, ¿qué aspectos desconocidos descubrí sobre mí?"

Desde ese lugar, exprésense creativamente, con total libertad. Expresen lo que surja, tal cual quiere ser manifestado. El paso a la práctica es indispensable.

Repasando las reglas

Los ejercicios anteriores en los que vivimos la experiencia de ser árbol, sol, rosa o nube, marcan un camino para explorar nuevos aspectos de nuestra personalidad. Es posible ampliar el número de elementos con los cuales identificarse, pero en esta etapa es fundamental que aquellos que se elijan cumplan básicamente con la condición de ser elementos "nobles" de la naturaleza. Lograda un cierto entrenamiento, se puede extender la aplicación de esta técnica a otras situaciones. Sabemos que el convertirse en un objeto, un tema o una situación, amplía enormemente la comprensión de lo que cada uno es. De esta manera se abre la posibilidad de abordarlos desde nuevos ángulos, completar la visión de contexto donde se ubica ese tema o situación y descubrir nuevos recursos e ideas para su resolución.

Se comienza por revisar los temas que preocupan o sobre los que se necesita tomar una decisión. Identifican uno. Se sitúan física o mentalmente delante de él y lo contemplan detenidamente como espectadores. Tal como en la ejercitación anterior, buscan un lugar cómodo, respiran en forma pareja y relajan el cuerpo. Cuando están listos miran el objeto o tema en cuestión incluyendo los cinco sentidos conscientemente, uno por uno. Analizan y observan cada aspecto hasta entrar en sintonía con él.

Llegará un momento en que con la imaginación lo hacemos tan nuestro, que nos sentimos como si fuésemos el objeto o tema elegido. Ese es el momento preciso en que se hace "el cambio".

Una vez logrado se disponen a vivenciar todo lo que pasa desde el punto de visto del elemento elegido. Obsérvenlo, percíbanlo, óigalo, perciban su olor y su sabor. Usen plenamente los cinco sentidos. Dejen actuar libremente la intuición e imaginación durante el tiempo que lo requieran. Una vez hecha la experiencia, se despiden, le agradecen su generosidad y regresan al lugar de partida recorriendo el camino inverso que hicieron hasta convertirse en el objeto o tema. Hagan fuerza con las manos, respiren varias veces conscientemente hasta que vuelvan a sentirse plenamente ustedes mismos, listos para la acción.

Mientras regresan, van grabando en la memoria el recuerdo de todo lo vivenciado. Las imágenes y vivencias todavía frescas permiten rescatar su riqueza para plasmarla posteriormente en la obra o en la acción. Después de un ejercicio de esta índole, es indispensable expresarse para afianzar el "aquí y ahora". Quienes se expresan a través de la plástica pueden lograr una obra que transmita esa emoción con mucha potencia, mucha vibración. Aunque técnicamente no sea tan perfecta, la fuerza que transmite esa obra será expresión de lo vivenciado, que es siempre profundo y, sobre todo, auténtico. Algo similar sucede con la expresión por medio del cuerpo, de la música, o si se expresan con la palabra: lo primero que sale será crudo pero puro, y por eso valioso.

Cuando esta técnica es utilizada en la creación artística, la imagen que el artista lleva del afuera hacia su interior puede actuar como un simple disparador hasta provocar una profunda transformación interior. Cada expresión devela algo íntimamente propio. En ese caso, la percepción externa internalizada se tiñe y modifica de acuerdo a sus características y circunstancias individuales. El creativo lo recibe a su manera y lo amalgama con su mundo interno. Lo que surge es tan inconsciente que se devela inclusive a los propios ojos. ¡Ocasiona asombro!

Tomemos el río como metáfora del proceso creativo. Su caudal se nutre de aguas subterráneas, de vertientes o del cielo; sin embargo, cuando fluye ya no se distingue de dónde proviene el agua. Cuando se expresa, ya no es posible distinguir lo que le es propio de lo que se ha apropiado del afuera. En este punto, la obra es reflejo de lo que el creativo es. Pero, a su vez, la obra de arte tiene su propia identidad. En cada obra se pueden rastrear las influencias, pero una vez que lo externo se encontró con el alma del artista, lo que él plasme será algo nuevo: una creación. La creación será siempre un misterio, una síntesis entre el adentro y el afuera potenciada por la inspiración.

Técnicas, su valor multiplicador

A lo largo de este capítulo hemos propuesto varias técnicas, algunas propias. En todas ellas se indican posibles caminos para explorar y desarrollar el potencial creativo de cada uno. Deseamos que sirvan como disparadores o guías de nuevas propuestas. Su propia creatividad puede generar nuevas técnicas o mezclar ideas con técnicas, hasta encontrar una solución óptima. El conocimiento de muchas técnicas creativas y la flexibilidad para combinarlas con diferentes conceptos constituyen una excelente base para toda concreción.

La concreción cierra el círculo de la creación, que se inicia con la gestación de la idea. Con la práctica y el uso de las técnicas se puede adquirir destreza para multiplicar las ideas, las alternativas, los caminos de realización y de resolución.

Los momentos de ejercitación de las diversas técnicas pueden ser un espacio diario de euforia, libertad, concentración, esfuerzo y ocio creativo donde permitirse "volar". Estudiar y practicar técnicas es indispensable porque se aprende "haciendo". Dependiendo de la técnica, inclusive se puede tomar los ejercicios como un espacio meditativo, haciendo repeticiones y repeticiones de los mismos, hasta que un día la acción se vuelve natural. Ese día habrán incorporado la técnica al proceso creativo. La calidad del gesto creativo depende de haber conocido y practicado las distintas técnicas. En la aplicación de cada técnica se recorren distintos momentos donde se moviliza todo: el intelecto, la pasión, el entusiasmo, la imaginación. Puede volverse un tiempo de vivencias intensas, que posibilitan convertirse en algo o alguien más. Un violinista puede convertirse en música, un pintor puede convertirse en color. Es cuestión de descubrir, en cada caso, el motor que enciende el impulso creador para jugarse plenamente.

Capítulo 11

Impedimentos a la creatividad

El miedo al error
Sus rostros
¿Se acepta el error?

Prueba y error, insumos para la creatividad
¿Cómo se revierte el miedo a equivocarse?
Sugerencia práctica

El creativo bloqueado
Tipos de bloqueos

La valoración de la sociedad y otros impedimentos
La presencia y el juicio de los otros
El apego a las reglas
Lazos con el pasado
Timidez social
Conformismo
El ambiente también puede sumar obstáculos

Conductas negativas
La rutina como encrucijada

Diferenciando los caminos
La droga
Soñar despierto
Elementos para una nueva mirada

Propuestas simples para entrar en el juego creativo
Salir de la comodidad de lo conocido
Probarse en algo diferente. Algunas opciones
Introducir el azar
Aprender algo nuevo
Incorporar los sentidos
Introducir la sorpresa
Crear situaciones hipotéticas

Rumbo hacia la creatividad
Pequeños pasos
Grandes pasos

11

Impedimentos a la creatividad

El error es el maestro de nuestra inteligencia.
Proverbio

Cada persona tiene el derecho fundamental a descubrirse y descubrir sus talentos, a desarrollar y expresar aquellas cosas que considera importantes para su vida y la de los demás. Este no es un camino lineal o que se recorra sin tropiezos, sino que está abonado por éxitos y fracasos, pruebas y errores, corazonadas y desencantos. De todos ellos se aprende, con todos ellos se crece.

Nos parece importante a esta altura del recorrido apagar las luces del escenario en que se despliega la magia de la creatividad y sentarnos en la intimidad a considerar aquellos elementos, situaciones y rasgos personales que nos impiden disfrutar del descubrimiento y despliegue de nuestra joya interna. A todos ellos queremos mirarles el rostro, aceptar que son parte de nosotros y descubrir alguna estrategia para dejarlos atrás. Para ello debemos mirar nuestra interioridad. A veces, nada más lejano que nuestra propia persona, el verdadero yo que se esconde bajo máscaras y múltiples excusas. Reconocerse en la debilidad no es grato ni fácil, pero tomar la determinación de ser "nuestra mejor versión" parece que costara mucho más. ¿Qué loco, no?

El miedo al error

Tanto si piensas que puedes, como si piensas
que no puedes, estás en lo cierto.
Henry Ford

Hablamos del miedo en primer término porque, en sus múltiples versiones, es el mayor inhibidor de la creatividad que conocemos. Errar, equivocarse, fallar, es parte de la vida y, como la mayoría de las cosas, tiene un lado negativo y otro positivo.

Equivocarse incomoda porque desnuda una realidad que está incompleta, algo que no sabemos o que no hemos podido hacer bien. Es el lado negativo. El error se considera como algo desagradable que lastima nuestra dignidad, que nos paraliza. Sin embargo, si el error fuera aceptado como resultado de la acción, podríamos encontrarle el costado positivo. Visto así, un error o una equivocación indica que estamos activos y que tenemos coraje y voluntad de "hacer". *Quien no hace, no se equivoca.* Así, una deficiencia o carencia contiene también un desafío u oportunidad de crecimiento y desarrollo.

Sus rostros

La palabra "error" —que a todos inquieta— admite una amplia gama de posibles sentidos. En el diccionario, encontramos como sinónimos: descuido, yerro, inexactitud, errata, lapsus, defecto, falsedad, aberración, etc. Esta variedad da lugar a diversas interpretaciones del término. Por un lado, se refiere al resultado de actos que derivan de una falta de atención o de conocimiento: "Me equivoco porque *no presté suficiente atención* o porque *no lo recuerdo*". Otras veces, se refiere a fallas respecto de algo preestablecido: "Me equivoco *porque ignoro algo*". Finalmente, también se refiere a un hecho o creencias que no se ajustan a un sistema de valores dados: "Es un error lo que hago o pienso porque *no coincide con las reglas vigentes*, con lo que es socialmente aceptado".

A partir de estas definiciones, podemos comenzar nuestra exploración. Por un lado, cometer errores permite detenerse y prestar atención a aquellos procesos y rutinas que generalmente no se cuestionan: ¿qué y cómo hacemos las cosas?, ¿seguimos procedimientos o improvisamos? También permite revisar expectativas mal enfocadas o demasiado exigentes, o examinar si los resultados nos conforman a pesar de no ser los esperados. El error plantea la oportunidad de descubrir que somos humanos e imperfectos y que, yendo más profundo, somos parte de un engranaje que tiene sus reglas de juego a las que hay que atender para continuar participando. El error enseña que las equivocaciones de uno pueden afectar los resultados de un grupo. Cometer errores ayuda a descubrir que los actos, por pequeños que sean, tienen consecuencias. Prestar atención al impacto que nuestro error produce en el sistema puede servir para tomar conciencia de la importancia de nuestra contribución, de la parte que jugamos en el todo.

A la vez no se debe perder de vista que el error o la equivocación son posibles porque existe algo que a priori se considera correcto. Esta valoración se sustenta en parámetros que se definen a partir de ciertas normas y pautas que varían según la cultura, las reglas de juego o la tradición del momento. Esto sucede también en el arte o en las ciencias, que tienen sus propias leyes, reglas particulares que permiten evaluar algo como error o como logro.

Aquí no vamos a abordar los errores por negligencia, por falta de interés o por falta de preparación. De ellos también se puede aprender si los interpretamos como llamados de atención o señalamientos para mejorar la atención o profundizar en un tema. Nos interesa el error desde el punto de vista del aprendizaje: *¿Cómo aprendo de lo que me sale mal?*

¿Se acepta el error?

Todos, en algún momento, como sujetos de un sistema educativo, como hijos, como directivos, padres, en fin, en diferentes roles, hemos sentido la presión de tener que hacer las cosas conforme a una regla que no admite matices. Es común que en nuestro desarrollo hayamos recibido instrucciones de cómo hacer las cosas o que hayamos sido evaluados por hacer las cosas de una única manera, *la correcta*. También nosotros, a veces, procedemos del mismo modo, ¿no es cierto?

La repetición de ciertas pautas a lo largo de los años condiciona la manera de juzgar a las personas o las situaciones y restringe la posibilidad de mirar o comprender la información que se recibe de nuestro interior o del contexto. Esto impone serias limitaciones a la imaginación y a la versatilidad del pensamiento y puede ser fuente de errores. Aceptar que nuestra percepción es incompleta o que la forma de abordar situaciones o temas no es la óptima, nos puede ayudar a aceptar el error cometido sin desvalorizarnos. Desde este lugar, se pueden enfrentar creativamente todas las deficiencias y falencias que lo producen y buscar el modo de superarlas.

Aceptar el error nos pone a salvo de una actitud descalificadora que proviene de relacionar el error con el valor de la persona. Si no se acepta el error cometido, difícilmente haya aprendizaje y crecimiento, porque sin el error no hay necesidad de revisar ni de modificar nada en nosotros: no hay necesidad de cambiar. Junto con la aceptación está el coraje de animarse. El coraje de arriesgar es muy importante porque quien nunca se anima a probar algo diferente es improbable que pueda descubrir otras opciones.

La falta de libertad interior por miedo a equivocarse condiciona o frena el acto creativo.

Prueba y error, insumos para la creatividad

La vida, como el mundo, es dinámica, cambiante e inasible en toda su riqueza. ¿Cómo podría entonces admitir una única respuesta? Lo que existe, gracias al desarrollo del conocimiento y de la experiencia, son caminos probados que conducen a mejores resultados. De todos modos, esto no los hace únicos. Y aquí es donde se abre la puerta a la creatividad.

Neutralizar el temor, hacer y rehacer nos permite avanzar. El así llamado "kilometraje" nos da el cúmulo de experiencia que sustenta la confianza de poder sortear obstáculos. La acción es el mejor remedio para no paralizarse ante el miedo a equivocarse o a no resultar *suficientemente bueno*. Esto es aplicable a la escritura, a la música o a cualquier otra forma de expresión o actividad. Esto ya lo vimos en la aplicación de técnicas creativas en las cuales una de las reglas principales es aportar todo tipo de ideas sin importar si son erróneas o acertadas. Es en esta diversidad donde se alimenta el caudal creativo. Cuando algo no sale bien, no debemos asustarnos, porque en ese momento puede actuar la creatividad revelando caminos no convencionales. No estamos acostumbrados a pensar de esta manera.

En el ámbito de la creatividad, el error es aceptado como disparador del proceso creativo y como estímulo para encontrar alternativas en la dinámica de resolución de problemas, aunque no es, ciertamente, el único factor que lo dinamiza. Lamentablemente, cometer un error puede provocar, en ocasiones, reacciones desmedidas y el deseo de ocultarlo, sobre todo cuando es de tal magnitud que afecta a seres queridos o impacta en el grupo o en la sociedad. Podemos tener distintas reacciones: enojarnos, ponernos irreflexivos o intransigentes, escondernos o defender lo indefendible, sólo por la vergüenza de reconocer nuestra equivocación. ¡Cuánto más sencillo sería aceptar que el camino de transformación de la realidad y del crecimiento personal implica cometer muchos errores, equivocarse, que las cosas no salgan como esperábamos! ¡Los errores nos aproximan a la verdad sobre las situaciones y sobre nosotros mismos! Es esta libertad interior la que dinamiza el acto creativo y lo convierte en una acción que nos representa plenamente.

¿Cómo se revierte el miedo a equivocarse?

Para que podamos aceptar estos miedos como algo natural, se proponen varias formas de amigarnos con ellos y de afianzar la confianza en nosotros mismos. Estas sugerencias las podemos aplicar a nuestra persona o a alguien a quien deseamos ayudar a superar sus miedos.

- **No juzgar** ideas o propuestas hasta que puedan alcanzar un cierto nivel de elaboración que manifieste su potencialidad. Es lo que se llama "postergar el juicio".

- Aceptar al **miedo como compañero**, ya que en situaciones de cambio no siempre la dirección ni las consecuencias son claras. Una manera de no paralizarnos ante él es preguntarse: *"¿qué haría si no tuviera miedo?"*.
- Aceptar que muchas veces **la meta no se va a alcanzar** o que la dirección elegida puede estar equivocada.
- Aceptar que hay **más de una solución correcta**. Esto es importante para descubrir las diversas opciones, desplegar libremente alternativas de acuerdo al contexto, y dejar que la intuición, la pasión, el conocimiento y la experiencia guíen la generación de respuestas.
- Considerar los **problemas como oportunidades**. Se logra transformando la mirada negativa en positiva y reconociendo el potencial de aprendizaje que cada hecho trae a nuestra existencia.
- Encarar la **tarea como algo nuevo**, intentando descubrir algún aspecto que motive a buscar caminos alternativos. Cambiar la perspectiva para hallarle una nueva cara al mismo tema.
- Conectarse con el **juego, el entusiasmo y el humor**.
- Darle a las cosas una segunda oportunidad. Permitir que nos revelen su potencial.

Sugerencia práctica

Tradicionalmente, cuando pensamos que algo no "está bien" o "no ha salido bien", lo asumimos como un error y, por lo tanto, el primer impulso sería descartarlo. Al darlo por perdido, se anulan las exigencias o expectativas. Una vez liberados del peso de los condicionamientos, se puede introducir el juego para aprovechar su potencial como disparador de nuevas ideas. Este juego consiste en generar variantes de cambio, soluciones o giros diferentes sobre el trabajo o tema con el que no estamos conformes. Se puede aplicar a cualquier forma de actividad o trabajo.

En caso de ser una obra plástica que no esté "resuelta" —ya sea una pintura, una escultura o un diseño—, sugerimos ubicarla en un lugar visible. Dedíquense a otras tareas, mientras tanto, dejen que la obra les hable al inconsciente. Como es un juego, cualquier ocurrencia es aceptable por más insólita que sea. Es cuestión de abrirse a otros enfoques, divertirse dándole otro rostro, agregar nuevas ideas, indagar minuciosamente en los detalles, variar el sentido; en fin, aceptar y jugar con todo tipo de ideas. Las propuestas pueden surgir incluso desde la obra.

Cuando llega el momento, la obra y su autor se enfrentan y entablan un diálogo. —*¿Qué otro fin le puedo dar a este desastre?*— preguntaría el autor.

—*Convertime en cucha de perro*— diría la obra.

—*¿Y si hago de ti un poncho...?*— respondería el autor.

Y así se avanza disfrutando de un clima jocoso.

En este diálogo van surgiendo respuestas y son estas respuestas las que generan nuevas ideas. Siguiendo la pista del poncho, podría surgir la siguiente pregunta: "¿Qué cambios debería introducir en esta obra para convertirla en poncho?". Las respuestas podrían ser: un tajo en el medio, ablandar la estructura, darle otra textura, etc. La obra puede volver a intervenir y sugerir que le haga varios agujeros. Desde la libertad del juego surgen muchas variantes. En este caso, los agujeros generaron la idea de incluir espacios vacíos. Se encontró un nuevo enfoque, digno de ser refinado. El resultado final puede que no se aplique a esa obra, pero ya quedan ideas creativas valiosas como germen de un nuevo rumbo.

El juego es un vehículo que neutraliza el miedo al error, no siempre resuelve pero muchas veces le da otra frescura, lo puede sacar del estancamiento y, a veces, ayudar a encontrar el giro deseado. Otras veces es recomendable comenzar totalmente de nuevo reviendo las consignas para descubrir si el planteo debe cambiarse.

El creativo bloqueado

El miedo al error no es el único impedimento para desplegar la creatividad. Hemos comprobado muchas veces la presencia de otros factores menos evidentes que provocan bloqueos. Por ejemplo: uso limitado de la información, extremado apego a las reglas, miedo al ridículo o mandatos, temor frente a lo nuevo o afán de evitar riesgos. Todos ellos imponen límites artificiales al potencial creativo. Estas situaciones, que pueden originarse en la familia, en la escuela, el trabajo, las asociaciones y en muchas otras circunstancias, funcionan como barreras que limitan o condicionan la mirada. Le agregan a la persona, además, una carga emocional negativa o introducen datos irreales que impiden ver adecuadamente el camino de las soluciones. A estas barreras las denominamos bloqueos. Verles la cara puede ayudar a superarlos.

Tipos de bloqueos

Se denominan bloqueos **emocionales** a aquellos que surgen como resultado de creencias o expectativas sub o sobredimensionadas. Los bloqueos emocionales se originan en creencias negativas sobre la propia persona, su valor y potencial. Se alimentan de mensajes descalificadores reiterados, que llevan a desconfiar de la propia capacidad para enfrentar desafíos y a subestimar la posibilidad de logros personales en ciertas áreas (el típico "*yo no nací para esto*"). Se manifiestan como emociones y sentimientos que limitan la libertad para producir o explorar ideas, para tomar decisiones o pasar a la acción. Frente a ciertas situaciones, creemos que tenemos negada la posibilidad de ser creativos en lo personal o profesional ("*jamás voy a poder...*"). Otras veces creamos límites artificiales e interpretamos o resolvemos problemas dando por sentado que existen reglas limitantes que en realidad no están escritas en ninguna parte. El temor a la novedad —una característica común a individuos y sociedades conservadoras— se puede convertir en un serio obstáculo a la innovación.

Estos bloqueos también afectan la comunicación y la sociabilidad.

Otro tipo de bloqueos son los **racionales** o perceptivos que provienen de la manera en que pensamos. La diversidad de miradas que tenemos sobre la realidad proviene, en gran medida, de la manera en que hemos aprendido y hemos sido formados intelectualmente. Ambos definen lo que somos capaces de percibir. El sesgo perceptivo resulta de estos condicionamientos. Cada disciplina tiene su enfoque o un ángulo distinto de observación. En las distintas profesiones, esto se hace evidente cuando un grupo multidisciplinario opina sobre un mismo tema: sus puntos de vista o la manera de tratarlo suelen ser totalmente distintos.

El bloqueo aparece cuando, empujados por aquellos condicionamientos frente a un problema o situación, se piensa que hay una única manera de abordarlos, y esa forma coincide exclusivamente con la que uno conoce. Los bloqueos racionales pueden condicionar, limitar o distorsionar la interpretación de un problema o de la información necesaria para resolverlo.

La tendencia a emitir juicios apresurados es otra forma en que se gesta este tipo de bloqueos. Provienen de evaluar sólo unos pocos datos evidentes o de elaborar respuestas "automáticas" basadas en la "experiencia". Otras veces, se produce cuando se pone excesiva atención en el problema y se ignoran las circunstancias que lo rodean. En todos los casos, se limita la posibilidad de considerar opciones o de imaginar alternativas.

Finalmente, se distinguen los bloqueos **conductuales** o culturales. Son aquellos que se originan en el modo en que enfocamos y resolvemos los distintos aspectos de la vida. Los bloqueos culturales se originan en creencias o en patrones de conducta vigentes cuando estos afectan la valoración de las cuestiones y las decisiones. En el concepto de cultura se incluye la influencia tanto de la familia como la de instituciones, incluso algunas de alcance mundial. Si en dichas culturas no se fomenta el riesgo, la tolerancia o la diversidad, es difícil que aparezcan masivamente expresiones creativas. Por lo general, en esas culturas, los creativos son considerados rebeldes o renegados. Por tanto, hay que ser muy valientes para actuar creativamente en un medio que no promueve los cambios ni la innovación.

El estudio de las neurociencias y sus descubrimientos sobre el funcionamiento del cerebro incorporan día a día nuevos elementos que amplían la comprensión del tema y su influencia en las conductas.[63]

---

[63] www.neurologiacognitiva.org y www.favaloro.edu.ar

La valoración de la sociedad y otros impedimentos

Advertimos hoy, mucho más que en el pasado, que se ha perdido la conciencia individual del valor de "ser persona" y es la sociedad quien dice si valemos o no. Los parámetros que ella usa mayormente son el dinero, la fama o el éxito alcanzados. De ahí que el trabajo que tenemos o lo que ganamos adquiere una importancia desproporcionada. Esto lo vemos, por ejemplo, cuando una profesional "vale" más que un ama de casa; un trabajador, más que un desempleado; el que sale en televisión, más que el que no tiene esa oportunidad.

En éstas y otras tantas comparaciones se pueden ver reflejados nuevos criterios de valoración que se han generalizado y de los cuales muchos se hacen eco. Esta combinación de pérdida de conciencia del propio valor y la tendencia a medirse por la fama alcanzada o el dinero logrado lleva, muchas veces, a que una persona que no tiene una actividad reconocida socialmente dude de su propia contribución y termine pensando que lo que hace no vale la pena y, que por lo tanto, no tiene valor como persona.

Estas distorsiones en la forma en que se suele valorar a las personas limitan y afectan la actitud con que se vive lo cotidiano, deteriora el valor del esfuerzo y también impacta en la opción de ser creativos. "*¿Para qué me voy a preocupar por mejorar algo si para ellos no existo?*" ¿Resulta familiar la expresión? Aquí es donde el cambio de mirada se hace indispensable.

Es importante darse cuenta de que, en la tarea cotidiana, allí donde la vida nos pide que resolvamos situaciones que aparentemente no tienen trascendencia, es el espacio donde se teje la trama secreta de las relaciones afectivas más profundas o el soporte necesario para que otras actividades funcionen.

En el caso del hogar, nos situamos en ese mundo donde se comparten sonrisas y se secan lágrimas: donde se vive sin máscara. Allí la ropa o la moda no importan sino los gestos de cariño, entrega y comprensión. Estos son espacios donde se ama y se es amado, donde un abrazo puede curar, confortar, consolar o impulsarnos a seguir adelante, a ser mejores. En las organizaciones, nos introducimos en el inmenso mundo de las actividades de soporte, del "servicio" en sentido amplio. A veces se trata de personas individuales o de departamentos enteros de una gran empresa que, si no existieran, el resto del sistema no podría funcionar.

¿Cómo podemos llegar a pensar entonces que no somos importantes, que no tiene importancia o que no vale lo que hacemos?

La presencia y el juicio de los otros

Como ya se mencionó,[64] en la convivencia diaria, las personas actúan como espejos que pueden devolvernos una imagen valiosa o, por el contrario, una imagen

[64] Ver capítulo 1.

mediocre, de poco valor. A lo largo del camino de la vida, hemos encontrado en personas que no fueron valoradas adecuadamente durante su infancia, diferentes conductas donde resalta la falta de confianza en sus talentos creativos. A continuación describimos algunas actitudes y conductas propias de personas que no reconocen o valoran su creatividad. Las presentamos con grandes pinceladas y sin pretensiones científicas, sólo con el deseo de crear espejos donde algunos de ustedes se puedan reconocer.

El apego a las reglas

Quienes son apegados a las reglas se esmeran muchas veces en realizar las cosas tal como otros "esperan" de ellos: cumplen con los mandatos, son conservadores, no se arriesgan a innovar, siempre tratan de complacer en todo a los demás. En definitiva, no dejan espacio para su propia voz interior.

Lazos con el pasado

Otros mantienen lazos estrechos con el pasado, son fieles a las tradiciones. Estas personas cuidan las costumbres, mantienen los hábitos y se aseguran de que todo siga siempre igual. Su seguridad se basa en mantenerse alejados de las sorpresas. Se sienten seguros cuando las reglas de juego son estables y permanentes en el tiempo. La confianza en sí mismos depende de un entorno regular en el cual las cosas no cambian o lo hacen muy lentamente. Por eso, un simple cambio impuesto en su rutina debilita su armonía, los desubica, los inquieta hasta el estrés y sufren, muchas veces, exageradamente. Esta actitud frena, en gran escala, cualquier decisión que los enfrente con cambios o que los obligue a asumir riesgos. Sin cambios y sin riesgos no hay creatividad.

Timidez social

Para otros, la presencia de terceros siempre genera tensión e incomodidad. No quieren exponerse porque piensan que pueden caer en el ridículo diciendo o haciendo algo que no se espera de ellos. Cuidan sus palabras y miden sus gestos; se retraen y tratan de pasar inadvertidos. Es natural que en este grupo se diluya cualquier incentivo para liberar el potencial creativo. Estas actitudes traducen una dependencia de la opinión de los demás que recorta las posibilidades de ser auténticos e inclusive, felices. De ser así se abre el desafío de recuperar la capacidad de verse tal como uno es y no a través de los ojos de los demás.

Conformismo

Es una actitud que incluye aceptación pero fácilmente se puede convertir en resignación o comodidad frente a lo que sucede. Esto implicaría aceptar lo que pasa sin buscar la manera de mejorarlo o cambiarlo.

El ambiente también puede sumar obstáculos

Es natural que las personas se formen una imagen de quienes frecuentan a diario. En el ámbito laboral, esta percepción sobre cada compañero de trabajo suele crear rigideces difíciles de superar. Por ejemplo si alguien se atreve a modificar algún hábito o rasgo de su persona, lo más probable es que sus compañeros de actividad lo conviertan en blanco de las bromas. A veces no es fácil advertir que esta actitud surge de la dificultad de aceptar lo diferente o de no poder lidiar con la demanda de cambio personal que aparece cuando el otro cambia. Toda modificación en uno desacomoda de algún modo a todos los demás. Lo negativo de todo esto, es que por temor a convertirse en blanco de las burlas se recorta la posibilidad de utilizar la creatividad.

En otros casos, la dificultad proviene de moverse en un ambiente laboral donde la creatividad no es valorada ni reconocida. Se trata, por lo general, de organizaciones o instituciones con un sistema rígido que limita la posibilidad de realizar aportes innovadores. No dejan espacio para la imaginación ni la originalidad. Con el tiempo, esto puede provocar que las personas se convenzan de que su vida ha transcurrido sin logros creativos. La cultura organizacional puede llegar a condicionar la forma en que la persona se ve a sí misma. En entornos muy formales, conservadores o estructurados, la creatividad no siempre es bien recibida. Al contrario, muchas veces consideran a las personas creativas incómodas y molestas, porque cuestionan los modos establecidos y los obligan a replantearse prácticas inconducentes o ineficientes, enquistadas en la cultura del lugar. Un planteamiento distinto asusta, por bueno que sea.

Frente a esta situación, sugerimos a los creativos que tengan en cuenta que, aunque a ellos no les cuesta nada cambiar, hay otras personas a quienes les cuesta muchísimo. Si notan esta limitación en el destinatario de sus ideas, no deberían avasallar o dar como "valiosas" las innovaciones o buenas ideas que tengan. Por el contrario, lo aconsejable es "bajar a tierra" estas ideas, desarrollarlas muy bien y luego plantearlas ordenadamente, de modo que una persona de perfil más conservador las pueda escuchar.

También hemos encontrado personas que, si bien niegan ser creativos, reaccionan positivamente ante algún cambio imprevisto o propuestas novedosas. Son los que conservan oculta la capacidad de aportar respuestas creativas. Evidentemente, poseen cierta flexibilidad y una capacidad innovadora, aunque no suficientemente estimulada por el ambiente.

Es muy posible que algunos se vean reflejados en las diferentes situaciones desarrolladas más arriba. Tómense el tiempo para releer y meditar si sintieron que algo resonaba. Pregúntense: ¿qué encuentro como propio de todo esto?, ¿dónde están los bloqueos e impedimentos?

En todo el proceso de descubrimiento y aceptación de lo que debemos cambiar es importante tener presente que todo lo que se acepta como propio puede ser modificado. ¡Cuánto más puede mejorar la vida reconociendo quiénes somos, ejercitando conscientemente la libertad interna y desplegando el caudal creativo!

Conductas negativas

A partir de nuestras observaciones hemos realizado una generalización sobre algunas conductas que tienen como consecuencia la negación de los espacios para la actividad creativa. Ellas son: vivir ocupado, vivir en piloto automático y vivir rutinariamente.

Vivir ocupado se caracteriza por una marcada inclinación a realizar actividades, sin dejar lugar para el descanso, el juego o la reflexión. **Vivir en piloto automático** es la conducta guiada por las obligaciones que deja a las emociones de lado. Cuando esto se extiende a la mayor parte de los aspectos de la vida, se pierde la capacidad de sentir. En el caso de **vivir rutinariamente** las tareas se cumplen con un orden preestablecido que nunca se cuestiona. No hay espacio para la novedad o el desafío.

Estos bloqueos y las situaciones inhibidoras de la creatividad que mencionamos más arriba —información recortada sobre el problema, extremado apego a las reglas, miedo al ridículo, mandatos, la falta de valoración de la innovación o el deseo de evitar riesgos— aparecen en las personas asociados a ciertas actitudes: sufren al afrontar los cambios, se sienten impedidos de utilizar su creatividad o les cuesta permanecer flexibles.

La rutina como encrucijada

Lo común en nuestra vida cotidiana, más allá de la actividad o profesión, es que tengamos conductas y respuestas automáticas basadas en la rutina, como, por ejemplo, el orden en que realizamos las tareas, el camino que recorremos, la gente con la que nos comunicamos, el mensaje que transmitimos, la forma de enrollar una servilleta, de tratar una cuestión… La reiteración fortalece cierto tipo de conexiones neuronales que hacen más eficiente la acción, pero a la vez debilita la posibilidad de modificar la manera en que la realizamos. De este modo, ciertos conocimientos o conductas se vuelven menos accesibles al pensamiento, se convierten en algo similar a un acto reflejo.

Lo cotidiano es un escenario vital —igual que cualquier otro— donde podemos desplegar y dar lo mejor de nosotros. Entonces, ¿por qué cuesta tanto darle valor a los actos de todos los días? ¿Por qué la tarea cotidiana termina en una rutina que nos aburre? ¿Será porque es difícil ver en la tarea repetitiva o en los quehaceres rutinarios una oportunidad para expresar nuestra capacidad de inventar nuevas respuestas?

Con una mirada apropiada, el escenario de la vida cotidiana puede ser fascinante. Son muchas las situaciones, importantes o pequeñas, que nos ponen ante los siguientes interrogantes: ¿cómo se resuelve esto?, ¿cómo se sortea aquello?, ¿cómo se puede mejorar esto otro? Sin embargo, la respuesta rutinaria desplaza, a un segundo plano, a la creatividad que podría demandar.

Nuestra mente es como una enorme base de datos que guarda sensaciones, percepciones, conocimientos y experiencias adquiridas; si no se la consulta a menudo, pierde agilidad y capacidad para hacer uso de los mismos. O sea que cuando estas conexiones se debilitan o interrumpen por falta de uso, lo que sucede es que los recursos se vuelven menos accesibles. Si nos olvidamos de que hay otros caminos o formas de hacer las cosas, nos volvemos menos creativos. Se produce como un círculo vicioso donde la falta de creatividad no permite abandonar lo conocido y esto naturalmente lleva a hacer de todo una rutina.

Algunas conductas nos podrían ayudar a combatirla. Por ejemplo:

- observar las tareas pendientes desde la libertad creativa, pero sin perder de vista su sentido final;
- recurrir confiados a nuestros recursos creativos;
- no conformarnos con la primera idea que aparece, sino buscar variantes;
- proponer nuevos enfoques o buscar nuevas respuestas para lo que tenemos que hacer.

Aplicar la creatividad permite replantear y resolver de modo original, novedoso, eficiente o divertido las actividades que consideramos "rutinarias". Con esta idea nos tomamos la libertad de proponerles nuestra receta para darle un soplo de aire fresco a la rutina:

Una porción de locura y otra de amor.
Un cucharón de imaginación.
Tres rodajas de fantasía.
Un puñado de coraje para equivocarse.
Dos cucharadas de risa.
Una pizca de excentricidad.
Una taza de confianza.
Espolvoreado con abundantes preguntas.

¿Qué otros ingredientes agregarían ustedes?

Diferenciando los caminos

El camino que la creatividad nos permite recorrer conduce hacia estados de mayor plenitud. Paso a paso, aplicando diferentes técnicas, se pueden alcanzar niveles de percepción, sensibilidad y emoción más elevados, y, además, una ampliación de la conciencia que permite acceder a nuevos estados del alma.

Somos testigos de que buena parte de la existencia se transita buscando sentirse realizado, ser original, destacarse, ser amado, compartir afectos, disfrutar de libertad interior, de prosperidad o de un camino espiritual. Hay, por cierto, distintas formas de entender la "felicidad". La mayoría de nosotros es consciente de que lograrla implica decisión, dedicación, perseverancia y una mirada atenta a las oportunidades y a los talentos.

La droga

Hoy en día un número creciente de personas, por impaciencia, debilidad, ignorancia u otros motivos, eligen a la a droga para acortar el camino. La eligen como una manera más simple, rápida e irresponsable de alcanzar esos estados de euforia, éxtasis, irrealidad o creatividad.

Por falta de información, muchos creen que sólo mediante el uso de drogas pueden lograr disminuir los miedos, cambiar su suerte, suprimir inhibiciones o atraer a las musas, a la inspiración. No advierten que, aunque logren estados ideales, incluso "creativos", los efectos negativos provocan alteraciones físicas, emocionales e intelectuales que destruyen, en corto tiempo, la genuina capacidad de crear. Estas sustancias provocan una mayor sensibilidad pero suprimen los controles sobre el juicio y la conciencia moral. Además, crean una dependencia destructiva, una adicción, capaz de provocar la muerte cuando se pierden los límites. La droga no discrimina entre ricos o pobres, somete a ambos a una cruel esclavitud.

Los resultados de nuestra experiencia indican que no es necesario recurrir a las drogas para alcanzar nuevos estados de conciencia. Tanto en la ejercitación personal como en talleres hemos comprobado que las técnicas, muchas de las cuales planteamos a lo largo de este libro, habilitan caminos para desplegar el potencial de imaginación y fantasía, asegurando un respeto a la integridad y a la dignidad de la persona. Todos nacemos con un potencial para imaginar, soñar, intuir y visualizar que se puede desarrollar tanto con técnicas de respiración y de meditación como con las técnicas de creatividad. Estos son caminos diferentes, pero igualmente válidos. Con la práctica y ejercitación continua de las técnicas que proponemos se desvanecen los impedimentos para ser creativos y se intensifica el flujo de nuevas ideas. Esta afirmación tiene un respaldo científico[65] porque se ha comprobado que frente a ciertos estímulos el cuerpo produce sustancias

---

[65] Joe Dispenza, *Desarrolle su cerebro. La ciencia para cambiar la mente,* Kier, 2009.

que estimulan o inhiben reacciones. En este caso la producción de neurotransmisores como la dopamina o endorfinas producen un estado de excitación saludable para la persona. Incluso pueden alcanzarse estados de euforia, entusiasmo, apasionamiento y expansión de la conciencia similares a lo que describíamos más arriba, aunque sin los efectos devastadores e irreparables de las drogas. También su ejercicio nos prepara para afrontar con mayor ímpetu, flexibilidad y fortaleza los cambios, las dificultades, los sufrimientos y los desafíos que la vida propone. Creemos que *la peor vida es la que no se vive*.

Decidimos incluir este tema, porque valoramos profundamente a cada ser humano y nos apena ver que se pierden tantos talentos y vidas por falta de información y respeto de si mismos.

Soñar despierto

¿Nos equivocamos al juzgar como "falta de iniciativa", la dificultad de los jóvenes para ponerse en marcha, para concretar proyectos? ¿Es posible que se confundan los sueños diurnos con indolencia o vagancia?

Esta es una situación que se da con bastante frecuencia en jóvenes de todos los niveles sociales. Lo que resulta preocupante de esta confusión es desconocer que, en esta etapa de la vida, los sueños son la expresión de posibles caminos a recorrer. ¿Qué tienen de particular estos sueños? El soñador da libertad a su fantasía y la fantasía le permite crear un mundo mucho más ancho y atractivo que el que vive cotidianamente. Él está casi siempre en el centro del suceso y satisface así sus deseos de tener un rol protagónico. Tiene la libertad de elegir y alcanzar lo que desea.

Se observa con frecuencia que los jóvenes aparecen desinteresados y pasivos, como si se automarginaran o no les importara nada. Sin embargo, interpretamos que en algunos casos estas actitudes disimulan fuertes deseos de autoafirmación, búsqueda de protagonismo, estima y reconocimiento que parecen inalcanzables. Por eso optan por sumergirse en ensueños diurnos donde las situaciones pueden cambiar o donde encuentran satisfacciones personales que suponen que la vida les niega. En este mundo ficticio encuentran la contención y los afectos que muchas veces no pueden recibir en la vida real.

Al señalar este hecho, queremos rescatar el valor que la experiencia de soñar despiertos tiene como disparador de procesos y actos creativos. Lo que nos preocupa de esta situación es que, en muchos casos, todo el potencial creativo que encierran los anhelos o sueños de cada uno quede sin concretarse y se pierdan los frutos de esa creatividad.

Es importante mostrarles a esos jóvenes que ese potencial les permitiría construir un mundo a su medida si se animaran a concretarlo; porque soñar es el primer ingrediente de todo proyecto. Y aquí viene el paso difícil: encontrar la forma de canalizar ese potencial en un motor que lo transforme en acciones concretas y positivas. Esto implica encontrar la forma de cambiar la pasividad en un entusiasmo que despierte las ganas de hacer y de protagonizar una historia que traiga felicidad o un mayor bienestar.

Quisiéramos compartir una historia que nos contaron y que sirve para ejemplificar lo que planteamos hasta aquí. *En una villa donde jóvenes y adolescentes compartían la dureza de estar en "situación de riesgo", vivía un joven, que llamaremos Víctor. Había nacido en ese lugar y llegó a ser, vaya a saber de qué manera, empleado en la municipalidad a la que pertenecía su barrio. A su lugar de trabajo llegaban los vehículos que la municipalidad descartaba por estar chocados o sin arreglo posible. Preocupado por los otros jóvenes de la villa, se le ocurrió que podría recuperar algunos de los camiones que había allí. Se apasionó con la idea de darle un nuevo sentido a sus vidas y hacerlos sentir útiles. Pidió autorización para disponer de un camión y les propuso que si los jóvenes lograban hacerlo funcionar les darían permiso para trabajar con él. Esta idea que nació del corazón tuvo tal impacto en estos jóvenes que la aceptaron sin dudar. La idea fue aprobada por la municipalidad y pusieron manos a la obra.*

Aunque no tenían ni conocimientos, ni recursos, ni los elementos necesarios para repararlo, contaban con una gran dosis de creatividad. Fue sorprendente lo que pasó. Los chicos apelaron a todos los medios a su alcance para aprender lo que necesitaban y hacerse de las piezas que faltaban. Tardaron meses, pero el entusiasmo no decayó en ningún momento. Al cabo de casi un año lo pusieron en marcha. ¡Fue increíble el modo en que se las ingeniaron! El resultado fue doble, obtuvieron el camión y además aprendieron nuevas destrezas que le serían útiles.

Sigue la historia. *En la precordillera hay pueblitos donde reina la pobreza, falta el agua, falta todo. Enterado de estas necesidades, Víctor propuso al mismo grupo que junto a una médica fueran a ayudar a los necesitados de esas zonas inhóspitas. Cargaron el camión con donaciones, colchones, alimentos, remedios y otros elementos para atender necesidades básicas y partieron hacia allá. Estos jóvenes, que no habían completado la escuela, que nunca habían trabajado en una actividad ordenada, cavaron pozos para sacar agua, asistieron a la médica en su atención a enfermos, ayudaron a limpiar la basura del área habitable. En síntesis, gracias a las ideas de Víctor, cambiaron el rol de necesitados a dadores. ¡Qué gran cambio! "Poder hacer", sentirse útiles y recibir reconocimiento. Esto los ayudó a ganar respeto por sí mismos y el respeto de los que los rodeaban.*

Hay otras historias similares, como la de un grupo de jóvenes —también en situación de riesgo— que, organizados en un club, hicieron una experiencia como voluntarios en la Fundación Nuestro Hacer,[66] dedicada a la recreación de jóvenes con discapacidad mental.

Es habitual que en los sueños de adolescentes y jóvenes, al igual que en los adultos, esté latente el deseo de ser alguien, de que sus vidas tengan un sentido,

---

[66] www.nuestrohacer.com.ar

de ser protagonistas. Por eso, la pasividad y esta condición de soñar de los jóvenes no es negativa —como parecería a primera vista—; por el contrario, nos interpela, porque puede convertirse en valiosa en la medida en que podamos ponerla en movimiento presentando proyectos que permitan canalizar su imaginación y convertirla en hechos. Como adultos, tenemos una parte de la responsabilidad para que esto suceda. La Fundación Ph15, por ejemplo, y tantas otras iniciativas están haciendo su aporte desde hace años.

Elementos para una nueva mirada

Ser derrotado es a menudo una condición temporal,
Abandonarse, es lo que hace que sea permanente.
Marilyn vos Savant

Después de estas reflexiones, queremos destacar la importancia de: reconocer y aceptar nuestros miedos y errores, y de saber que vamos a fracasar muchas veces y que no por eso somos menos valiosos. Les proponemos estar atentos de aquí en más a lo que ellos nos enseñan, mirando los cambios positivos que suceden a partir de una equivocación o un impedimento, así como los giros creativos que les exige cada situación.

El animarse a cambiar la actitud frente al error o frente a otros impedimientos, sin duda, afectará nuestro futuro. Esto se puede trabajar progresivamente a partir de reforzar nuestra capacidad de entrar en el juego creativo

La forma de ser se estructura sobre experiencias del pasado y del presente. Además, como dice un proverbio Brahmán:[67]

Observa tus PENSAMIENTOS
pues serán tus palabras,
observa tus PALABRAS
pues se harán tus actos,
observa tus ACTOS
ellos formaron tu carácter,
observa tu CARÁCTER
porque serán tu DESTINO.

De la forma como pensamos resulta en gran medida nuestro destino.

---

[67] Fuente desconocida.

Propuestas simples para entrar en el juego creativo

Para las personas que no se sienten creativas o que les cuesta mucho dar el primer paso, hemos reunido una serie de sugerencias. Son juegos, actividades o ideas muy simples para animarse a salir de la comodidad de lo conocido y probarse en algo diferente. Seguramente, algunos les resultarán familiares, pero los incluimos porque son efectivos. Es importante destacar que la actitud de cambio y de exploración de lo desconocido debe sostenerse en el tiempo para que sea eficaz e influya en el pensamiento.

- **Salir de la comodidad de lo conocido**

Cambiar cosas de lugar. Algo muy sencillo es cambiar alguno o varios muebles de lugar, tratando de lograr un ambiente más agradable, una intimidad mayor o una sensación más acogedora. Esto moviliza emociones y cambia la percepción de lo conocido.

Cambiar hábitos y rutinas. Esto abarca una amplia gama de posibilidades. **Modificar el camino** que se toma cada día para ir a trabajar; optar por diferentes alternativas y aprovechar para participar con los cinco sentidos en el descubrimiento de nuevos lugares. Esto incentiva nuevas conexiones neuronales que motivan a modificar rutinas. **Utilizar la mano que no es dominante** para realizar tareas habituales: escribir, planchar, ajustar un tornillo, pintar, afeitarse, abrir y cerrar canillas, pulsar botones, teclas, etc. **Modificar horarios**. Flexibilizar la hora de levantarse, acostarse, de realizar ciertos llamados.

Cambiar la elección. Cuando se sale a comer, cambiar la opción habitual del menú, probar un gusto diferente de helado y saborearlo conscientemente. Modificar algún detalle de la vestimenta, cambiar los accesorios, el peinado, el color de pelo.

- **Probarse en algo diferente.** Algunas opciones

Incorporar el juego. En las reuniones familiares proponer algún juego que integre a mayores y jóvenes como lotería, bingo o cartas. Armar un partido entre amigos. Otro tipo de juegos, estimulantes para la imaginación y desinhibidores, son los que utilizan disfraces, caretas, sombreros, o narices de payaso. Jugar al payaso —la película *Patch Adams* sería un ejemplo de sus amplias posibilidades— u organizar un baile de disfraces.

Lanzar desafíos. Como un juego mental más, podemos plantearnos preguntas: ¿cómo le explicaríamos a un extraterrestre la utilidad de usar reloj?, ¿qué profesión elegiríamos si tuviéramos que vivir un año en una ciudad bajo el mar?, ¿qué elementos cotidianos tiraríamos a las llamas para mantener un fuego ardiendo toda la noche?

Otro juego. Prender la televisión y mirar entre cino y diez canales deteniéndose entre 30 segundos a 1 minuto en cada uno. Registrar en cada caso personajes o diálogos sobresalientes; con esos elementos, armar un guión. Se puede jugar en equipo y luego votar la historia más original.

* **Introducir el azar. Elegir** un cine al azar y ver la película que estén dando; lo mismo con un teatro. **Abrir** el índice telefónico o la lista de contactos en una página cualquiera y llamar a la persona que haya dejado de ver por más tiempo e invitarla a un café. **Escribir** en papeles diferentes palabras relacionadas con su negocio. Elegir tres de ellas y armar el esquema de un nuevo negocio.

* **Aprender algo nuevo**: un deporte, fotografía, un idioma, astronomía o astrología, alguna forma de arte, investigar un tema, navegar por internet con un tema que ronda —como un intruso— en nuestra mente; integrar y participar de una comunidad virtual.

* **Incorporar a los sentidos**. Tratar de reconocer por el tacto los números en una moneda. Reconocer la marca de productos por su olor o fragancia. Realizar una cata a ciegas con diferentes bebidas. Usar la vista o el oído para reconocer a distancia la naturaleza de una conversación.

* **Introducir la sorpresa**. Éste es un recurso muy apreciado para estimular las respuestas espontáneas. Organizar reuniones sorpresa, regalar algo en un momento impensado, hacer algún truco de magia, decir algo totalmente inesperado, hacer un chiste. Una vez nos propusieron a la entrada de una conferencia tomar un trozo de un rollo de papel higiénico. Entre risas nerviosas cumplimos la consigna. Luego, cada uno tuvo que presentarse mientras enrollaba el papel alrededor de su mano. La sorpresa como recurso ayuda a derribar rigideces y prejuicios.

* **Crear situaciones hipotéticas**. Generalmente éstas se introducen con una frase como "¿Qué pasaría si...?" o "¿Qué haría si...?".

Les proponemos las siguientes preguntas:

¿Qué harían si encuentran humedad en la pared y no pueden arreglarla por equis motivo? Posible respuesta: decorar la pared usando un degradé de colores en la gama de la mancha. Usted, ¿qué haría?

¿Qué haría si durante un viaje en avión lo confunden con un personaje famoso y le dan tratamiento VIP? ¿Qué pasaría si antes de aterrizar descubren la equivocación?

¿Qué haría si al apoyarse en una vidriera, se rompe el vidrio y suena la alarma? ¿Qué haría si en ese momento alguien roba el lugar?

¿Qué haría si se encuentra con el presidente de la compañía en un lugar inapropiado?

¿Qué haría si le avisan que se va a cortar la luz durante dos semanas y usted vive en un piso quince y sale todos los días a trabajar?

Ahora es su turno, invente otra situación y elabore sus posibles respuestas.

Otro ejercicio. Los participantes realizan un listado de elementos "indispensables" para su vida diaria, o de condiciones como privacidad, silencio, etc. Por turno, cada participante elige un elemento y supone que éste no va a existir por un tiempo mínimo de un día a un tiempo máximo de cinco años. El ejercicio consiste en imaginar las nuevas conductas, compararlas con las habituales y ver qué cambiaría. Luego puede analizar en qué puede beneficiar a futuro la ausencia de ese elemento.

También se puede practicar el ejercicio diseñando situaciones complejas o extremas que requieran de cierto ingenio para encararlas. Ejemplo: se espera una gran crecida del río que atraviesa su ciudad. Otra situación: aterriza un helicóptero en la terraza de su casa, desciende una persona que es igual a usted diez años atrás.

Ahora es su turno. Hay una infinidad de ejercicios que pueden flexibilizar nuestros hábitos mentales o costumbres. Todos ellos permiten "correrse" de la zona donde uno se siente cómodo. Lo importante es que cualquier acción que se tome les permita experimentar algo diferente, abandonar el orden preestablecido o descubrir o hacer algo "nuevo". Con estos ejercicios y con la decisión de ser más creativos, esperamos que puedan avanzar hasta percibir una mayor flexibilidad y disposición para ver alternativas. Todos ellos se encaminan a lograr que la creatividad se convierta en un ingrediente natural de sus decisiones.

Rumbo hacia la creatividad

Los ejercicios, historias y técnicas mencionadas son caminos que permitirán realizar actividades cada vez más complejas con el objetivo de entrenar y desarrollar los propios recursos creativos. Esta ejercitación tiene para cada persona su propio tiempo, que hay que respetar. El progreso puede ser lento o explosivo. No hay que atropellar ni forzar situaciones, simplemente alentar a las personas y respetar el ritmo de cada uno. Finalmente, debemos entender que la vida es un don y un misterio que se revela de un modo diferente en cada uno. Nunca es "tarde" para descubrirlo.

Pequeños pasos

Cuántas veces añoramos tiempo y espacio para actividades fuera de la rutina: tiempo para expresarnos creativamente. Sin embargo, en la práctica vivimos preocupados, inmersos en una vorágine de decisiones y acciones que no nos dan respiro. El tiempo no alcanza literalmente para todo lo que quisiéramos hacer. ¿Cómo podríamos alcanzar ese tiempo necesario para dedicarnos a crear?

En nuestra experiencia, hay muchas maneras, pero no exentas de dificultades. La primera dificultad con que se van a encontrar es la elección del modo de expresión propio, un modo que los haga sentirse bien y que sea placentero. En los talleres y seminarios que damos hemos encontrado que las formas que adopta la expresión plástica —como dibujar, hacer collage, trabajar con plastilina (o equivalente), pintar o escribir— son un medio simple y fecundo de conectarse con el interior. Al principio, cualquiera de ellas puede servir sin importar si uno tiene o no condiciones. Lo que importa es abrir un canal que permita la expresión de emociones y pensamientos que no encuentran otra salida. Para elegir el modo de expresión personal, pueden tener en cuenta si son visuales —entonces el dibujo o la pintura sería lo adecuado— o si son kinestésicos —en cuyo caso disfrutarán más si eligen hacer collage o moldear figuras sobre algún material—. Otros se sentirán naturalmente inclinados a la expresión escrita. En este caso, dejaremos de lado opciones igualmente válidas como el canto, la música, la danza o el teatro porque requieren otro tipo de organización.

Una vez elegida la forma de expresión, suele aparecer una segunda dificultad: organizarse y empezar a trabajar. Hay que ubicar los materiales, ordenarlos, usarlos y volverlos a guardar. Esto que parece tan sencillo a veces se convierte en el principal impedimento. Para esta dificultad recomendamos algo simple: tener las cosas preparadas. En casi todas las actividades se requieren algunas acciones preparatorias que permitirán tener los elementos necesarios a mano en el momento indicado. Por ejemplo, si elegimos la escritura como forma de expresión creativa, podemos armar una carpeta —real o virtual— y archivar en ella todo tipo de frases o textos que nos gusten. Acumular frases o textos pone en funcionamiento la mente, ya que estos textos, al mismo tiempo que en la carpeta, se guardan en la memoria y trabajan a nivel inconsciente. Cuando volvemos a ellos, una nueva lectura puede devolvernos no sólo su sentido inicial sino todo lo que nuestra mente tejió a su alrededor a partir de nuevas conexiones. En el caso de la expresión plástica, resulta útil tener una caja a mano donde se colocarán todos los elementos que parezcan pertinentes. Podrán ser témperas, lápices o botones, tapitas, telas y demás. El secreto es que esté a mano, disponible para abrirla en cualquier momento.

La tercera dificultad que puede aparecer es la creencia de que se necesita mucho tiempo. En realidad, esta objeción admite más de una respuesta. En este caso, como se trata inicialmente de un cambio de mirada sobre la posibilidad de expresarnos creativamente, el tiempo es un factor que juega a favor. Diez minutos son mejores que "nada". Y diez minutos diarios, al cabo de un tiempo, pueden generar un cambio sorprendente. Lo que estamos diciendo es que empezar de a poco pero con perseverancia cambia la actitud respecto de muchas cosas.

Compartimos el testimonio de una persona que siguió nuestra sugerencia. "*...Totalmente nuevas resultaron las prácticas de pintura. En lo referente a colores, con gran sorpresa, me vi con un pincel en la mano estampando colores, aunque sin poder hilvanar qué reflejaba cada pincelada. Creo que comencé eligiendo los colores por comodidad, pero ahora hay un poco más de comunicación, de sentimiento en la pintura... A partir de esta práctica, veo y juego con más colores en la vida diaria, hay más tonalidades en la cotidianeidad.*" Lo principal —en el caso de esta persona— no es su dedicación al arte, al menos por el momento, sino la posibilidad de utilizar su percepción ampliada del color para la decoración de su nuevo departamento.

Grandes pasos

Una vez que hemos logrado incorporar a nuestra agenda estos momentos creativos, empieza un trabajo más profundo: determinar dónde aplicar estos recursos que empezamos a reconocer en nosotros mismos.

En el testimonio anterior se esboza una relación entre la práctica y lo cotidiano. Lo que al principio comenzó siendo una tarea —hacer trazos y usar el color— sin mayor sentido, con el tiempo fue dando lugar a una expresión acabada de un mensaje interior. A partir de esta práctica, también hemos sido testigos del crecimiento profesional de muchas personas en áreas tan diversas como el management o la cocina gourmet, debido a que lograron transferir las nuevas vivencias a su mundo laboral. Cada pequeña obra suma placer y experiencia para abordar desafíos cada vez mayores, y ayuda a formar un vínculo con los materiales y el hábito de expresarse a través de ellos.

Poco a poco nos amigamos con estos ratos y, en la medida en que nos sentimos cómodos y que la creatividad fluye, los empezamos a disfrutar porque es posible materializar las ideas o las emociones que surgen en esos momentos. En este punto, es fundamental no esperar logros maravillosos desde el principio. Al tomarlos más bien como una distracción, una diversión, o un relax, se convierten en momentos placenteros para probar y equivocarse, un tiempo para aprender del error y perderle así el miedo.

Durante este camino, se puede complementar el crecimiento con algún estudio adicional o con clases en un taller. Una vez que se logra romper la inercia, se desvanecen los impedimentos y se abren nuevas posibilidades. Se trata de prepararse para "jugar" el juego de la libertad creativa, dejando que ésta encuentre su modo de expresión y su mensaje.

A lo largo del tiempo descubrirán:

- que no siempre se necesita "mucho tiempo", sino que pueden expresarse en lapsos cortos e inclusive aislados;
- que se puede comenzar dedicando breves momentos del día;
- que tener preparados y a mano los materiales que se van a utilizar ayuda a aprovechar esos breves momentos;
- que una vez que se permiten esas pausas creativas, cada vez encontrarán más y mayores espacios para crear;
- que, al tener ejercitada la creatividad, encontrarán con mayor facilidad soluciones a temas cotidianos.

Esta práctica sencilla puede convertirse en un camino donde crece el conocimiento y la confianza en uno mismo. Es un buen antídoto para los miedos y el temor al error.

Parte 2

La creatividad transversal a la vida

Capítulo 12

Creatividad en acción

Creatividad, un potencial divino
Conexiones misteriosas

Creatividad y solidaridad

Creatividad en la adversidad

Creatividad para la supervivencia

Creatividad y actividad laboral
Buscar trabajo desde el talento
Creatividad y profesión
Libertad para combinar

Creatividad y educación

Creatividad, juego y diversión

Creatividad e improvisación
La improvisación como juego
La improvisación como técnica
La improvisación como respuesta espontánea

Creatividad y humor
Historias recientes

El ocio creativo

Haciendo espacio para la creatividad
"El placard de mi vida" CD: 18

La creatividad como forma de vida

12

Creatividad en acción

La creatividad es transversal a la vida porque en cada acto del ser humano se abre un espacio para la creación. Es por eso que existe para cada uno, hombres y mujeres de todas las edades, el desafío y la oportunidad de combinar, desplegar, desarrollar e integrar sus recursos creativos en la propia tarea. Este potencial está siempre disponible y nos acerca a lo que soñamos lograr, tanto en la vida cotidiana o profesional, como en cualquier otro escenario de nuestra existencia.

En este capítulo veremos distintas maneras de explorar y utilizar los recursos creativos en los más diversos ámbitos. En todos ellos se presentan habitualmente situaciones engorrosas, problemas, dificultades o limitaciones. Con la actitud y la mirada apropiadas se descubren en este proceso, nuevas vías y usos alternativos para cada recurso, hecho que aumenta nuestras posibilidades de alcanzar respuestas innovadoras. La sinergia entre conocimiento e intuición, entre emoción y percepción, apertura y curiosidad, libertad y técnicas, aviva la pasión y brinda, como al artista, el gozo maravilloso de ser creativos.

De los relatos que aquí presentamos, surgen ejemplos de toma de decisiones y acciones innovadoras que, por su enfoque original e inesperado, generaron las opciones o alternativas que permitieron su resolución. Son expresiones plenas de creatividad.

La pregunta, entonces, que nos desafía es ¿cómo la convocamos?

Una manera simple es hacerse preguntas. Preguntarse, por ejemplo, si el modo en que se realizan las cosas es el mejor o más eficaz, dadas las circunstancias, o si los resultados son los deseados en cada momento. Esta forma de interrogar a nuestro "hacer" también se puede aplicar a la forma de pensar o de decidir. Cuestionarse con frecuencia ayuda a mantener despiertos los recursos interiores y a realizar pequeñas modificaciones que, sumadas, al cabo del tiempo, pueden producir cambios profundos.

El mundo de lo cotidiano está poblado de creativos que, con escasos elementos, inventan una comida riquísima; con ingenio, reemplazan piezas de una máquina transformando elementos existentes; con sentido estético, reciclan vestimentas poniéndolas a la moda; con humor y maquillaje, convierten un granito de la cara en una flor; con imaginación, convierten maderas y desechos en juguetes atractivos; con fantasía, transforman un elemento común en algo inusual o destacado. Son los creativos anónimos por quienes sentimos una gran admiración.

Puesto que la creatividad proviene del "Gran Creador" y atraviesa la vida en sus distintas manifestaciones, es posible utilizarla en cualquiera de los ámbitos donde se desempeña cada uno: desde la creación artística, al armado de un negocio; desde la planificación de un viaje, hasta la invención de un chiste; desde el diseño de un edificio, hasta la forma de realizar los quehaceres cotidianos; desde el trabajo científico más sofisticado, hasta la creación de un gran espectáculo o la preparación de una clase atractiva.

Creatividad, un potencial divino

Hemos utilizado muchas veces la palabra "creatividad". Si miramos su estructura, advertimos que su raíz es la misma que "creación". La "creación" tiene como fuente... ¡al "Creador"! y, para nosotros, el único y máximo creador es el Creador del Universo. Nos damos cuenta de que estamos tocando un tema muy profundo. También creemos que hay una conexión misteriosa entre cada persona y el Creador y que gracias a ella tenemos la posibilidad de realizar actos creativos. En el momento de realizar un acto creador, algo incomprensible sucede en nosotros. Cuando estamos inmersos gozosamente en un proceso creativo, palpita, muy dentro de nuestro ser, una emoción muy particular. Alcanzamos un compromiso con el hacer que nos involucra física y espiritualmente. Nos olvidamos del tiempo e, incluso, a veces, hasta del lugar donde estamos. En ese momento se amalgaman la habilidad, la idea y el espíritu para generar algo nuevo. Esta interrelación fusiona el espíritu de la persona con la esencia de la obra hasta que ésta toma su forma propia. Algo de lo que somos se imprime en la obra. ¿Será así como fuimos creados? ¿Será por eso que resultamos ser a Su "imagen y semejanza"?

Conexiones misteriosas

En muchos casos, esta relación con el Creador hace más fecunda la obra de una persona. Aquí sigue el relato de una mujer ejemplar llamada Natty Petrosino que, impulsada por su fe, le pide ayuda a Dios y obtiene una respuesta impensada que supera ampliamente el pedido original.[68] Es una persona altruista que vive profundamente esta relación y entrega su vida demostrándonos que esa conexión existe.

En 1978, en Bahía Blanca, Natty fundó el Hogar Peregrino San Francisco de Asís, donde instaló una olla popular. En épocas de crisis, llegó a dar de comer a unas siete mil personas todos los días del año. Su preocupación era lograr que la gente no sufriera las inclemencias del tiempo mientras esperaban su ración de comida. Según sus palabras: "*Le entregaba números a cada familia para que la gente viniera en el momento preciso a buscar su ración y no esperaran bajo la lluvia o sufrieran el frío o el calor. Pero, a pesar de ello, la gente hacía la cola, sin importarle el tiempo que hiciera. Esta situación me desvelaba. No sabiendo ya qué hacer, fui a la pequeña capilla que tenía en el hogar para pedirle al Señor que me diera la solución. Esa misma noche, Jesús se presentó en un sueño dándome una respuesta tan simple como inesperada. 'Este es mi negocio y yo manejo la publicidad', me dijo. Me sentí sorprendida por el lenguaje inusual y no entendí qué podría significar el sueño y menos aquellas palabras. A la mañana siguiente, alguien tocó a la puerta y, al atenderlo, el señor me dijo: 'vi la cola impresionante de gente ayer al pasar por acá y me conmovió tanto que decidí traer todo esto para colaborar con tu obra, Natty', y me entregó una cantidad enorme de ropa, alimentos y dinero. Y no fue el único, sino que toda la ciudad de Bahía Blanca comenzó a donar elementos, comida y dinero para la obra que hacía en nombre de Jesús*". Para ella, lo que sucedió es una prueba más de que "*Él maneja todo y decide el modo de resolverlo, sólo debemos entregarnos y confiar*".

Creatividad y solidaridad

En ámbitos donde abundan necesidades y faltan recursos, la creatividad se despliega naturalmente. Hay instituciones, empresas, ONGs, grupos o personas que, como muchos de ustedes, buscan dar respuesta a numerosas familias e individuos que carecen de lo más elemental para vivir. La gama de acciones es variadísima como lo es la diversidad de necesidades del ser humano. La escasez de recursos puede motivar la creatividad para que surjan soluciones originales, nexos inusuales, obras con poder multiplicador que resuelven muchos temas —lamentablemente, no todos—.

El uso de la creatividad se proyecta y amplifica en los beneficiarios cuando se les ofrece participar como protagonistas en la resolución de sus propios problemas.

---

[68] Fue distinguida como La Mujer Internacional del Año 2006. http://nattypetrosino.blogspot.com/2008/12/natty-petrosino-fotomontaje-de-su-labor.html

¿Cómo se podría lograr este efecto motivador? Se puede comenzar enseñando con el ejemplo el valor del esfuerzo personal. Del trabajo que realizan estas personas y grupos comprometidos, los beneficiarios pueden aprender nuevas formas de manejar sus limitaciones y de superarlas poco a poco. Asimismo, a través de su dedicación, testimonian el valor que reconocen en cada persona. Con esta actitud y con el respeto que muestran, los ayudan a cambiar la mirada sobre ellos mismos y sobre su situación, venciendo la sensación de que hay "escrito" un destino adverso e imposible de cambiar.

Muchos de ellos, al sentirse valorados, se animan a usar su potencial creativo y pueden convertirse en protagonistas con ideas, proyectos y propuestas, factibles o no, pero iniciativas al fin. Cuando hay expectativas, hay esperanza de futuro y de allí surgen las iniciativas. Día a día, este enfoque multiplicador cobra más importancia porque "la necesidad" crece y se requiere fe, esperanza, solidaridad, voluntad, corazón, acción y creatividad para enfrentar las miles de situaciones adversas que se viven cotidianamente.

Creatividad en la adversidad

Ser optimistas y no deprimirse frente a las dificultades,
es mucho, pero no suficiente.
Herbert Benson[69]

En diferentes momentos de la existencia de una persona se presentan situaciones difíciles o inconvenientes que interrumpen el flujo normal de la vida. Aparecen limitaciones que impiden el próximo paso, se cierran caminos que parecían dados o se reciben golpes inesperados que nos hacen tambalear. También las dificultades pueden encender la chispa del ingenio.

Somos testigos, en nuestra experiencia personal y profesional, de incontables ejemplos en los cuales las personas, dentro de su ámbito y frente a dificultades concretas, desarrollaron una forma espontánea y práctica de creatividad. Como elementos comunes de esas conductas, se destacan:

- **confiar en uno mismo**. Se logra al dejar de lado las dudas y sentimientos negativos hacia uno mismo que debilitan o dispersan. Con ello es factible alcanzar una mayor lucidez y concentrar la energía y las ideas en lo que sucede. Esta actitud es la base para aceptar la situación, afrontar su magnitud y avanzar en la decisión.
- **recurrir al conocimiento y la experiencia**. En esos momentos críticos, es útil replantearse si hubo anteriormente una situación similar y cómo se resolvió. Si no es el caso, se puede avanzar identificando cuáles son las posibilidades y recursos disponibles para inventar otro camino.

---

[69] Herbert Benson MD y William Proctor, *El Poder de la Mente*, Grijalbo, 1987.

- **creer que existe la solución y que uno la va a encontrar**. Esta disposición disminuye los miedos y fortalece el camino de la creatividad.

Ser creativos frente a la adversidad requiere, además:

- **estar alerta a las oportunidades**, de modo que no pasen inadvertidas.
- **prepararse para recibir información interna y externa** e identificar la que sea relevante para superar o resolver el impedimento.
- **sumar los recursos interiores** para generar respuestas y tomar decisiones que permitan vivir adecuadamente, a pesar de las circunstancias adversas.

Se puede estimular la creatividad revitalizando el niño interior, fortaleciendo la capacidad para indagar y asombrarse y el impulso por jugar y descubrir lo nuevo. Es muy útil, también, preguntarse con frecuencia si hay otra manera de ver, entender, decir, hacer, sentir... Estas y otras actitudes y acciones, mencionadas más arriba, posibilitan estar alertas para ampliar la mirada y encontrar nuevos medios con los cuales superar las situaciones adversas.

En la vida hacemos elecciones constantemente. Frente a lo que sucede, uno puede elegir estar bien o estar mal. Mucho depende de nuestra actitud. Las cosas son como son, sin embargo, la perspectiva que se adopta puede cambiar la mirada sobre los hechos. La elección depende de cada uno.

Quisiéramos ilustrar el punto reconstruyendo con su ayuda una breve historia.[70] ¿Se animarían a ser el camarógrafo y filmarla como si fuera una película? Aquí vamos...

El escenario: la habitación de un geriátrico, limpia, sencilla, con una pequeña ventana. Dos camas separadas por una mesa de luz ancha, donde se apilan fotos, libros y algunos remedios.

Los actores: dos hombres muy mayores, postrados y silenciosos. En sus rostros se adivina la gravedad de su situación. Casi no se conocen. Hace sólo unos pocos días que comparten la habitación...

Nos situamos a unos cinco metros de los personajes. Cámara, acción...

Juan, el que está al lado de la ventana con el rostro vuelto hacia fuera, comienza, una tarde, a describir el increíble paisaje que ve a través de ella. Inspirado por esta visión, se anima poco a poco y las palabras fluyen como un río cristalino. La cámara va de un rostro a otro.

Su compañero, Luis, se agita para ver, pero no puede. Le pide cambiar de lugar, pero Juan se niega. Después de un tenso silencio, Luis entrecierra los ojos y, resignado, le pide que continúe.

"(...) Niños corriendo entre los jardines de una inmensa plaza. No muy lejos un papá ayuda a su hijo que está aprendiendo a caminar; una pareja de jovencitos

[70] News de Creatividad N° 4. www.abcreativa.com.ar. Inspirado en un relato de autor desconocido.

estrenan su primer beso; hombres de negocios desfilan serios y apurados; la dueña de la farmacia charla animadamente con su vecina de al lado. (...)"

Después de hablar un par de horas casi sin interrupción, la mayoría de los personajes del barrio han sido presentados. Exhausto, se deja caer en la almohada. Los dos están sonrientes. Hace mucho tiempo que no se sentían así.

El rito vuelve a repetirse día tras día. A veces se incorporan al relato nuevos personajes y las historias de los conocidos crecen en detalles. Parece que a la dueña de la farmacia le apareció un pretendiente... Comentan hasta altas horas de la noche lo sucedido en ese día. Las historias de la calle son disparadores de intensos recuerdos que comparten sin pudor.

Al cabo de unas semanas, Juan muere. La cámara se aleja respetuosa y en silencio. Volvemos al día siguiente. Luis, ansioso, le pide a la enfermera que lo cambie de lugar.

Hasta ahora su cámara no ha tomado ningún exterior. Avanzamos contagiados por el entusiasmo y la curiosidad. La lente no capta nada, sólo algo gris. Vuelve a enfocar, la ajusta... Sí, ahora es más claro pero... sólo hay un paredón gris y descascarado... No hay nada más para ver... Los ojos de Luis se resisten a creer, igual que nosotros... Sin darnos tiempo a reponernos, se abre la puerta y entra Roberto, el nuevo compañero de cuarto. "¡Qué suerte tiene!", exclama, "¡Le tocó la ventana! ¿Qué se ve?"

Luis no responde. El silencio se hace cada vez más denso. Con la mirada clavada en su compañero, le pregunta: "¿Realmente quiere que le cuente qué se ve...?" Se incorpora un poco más y con una voz entrecortada comienza:

"Niños corriendo entre los jardines de una inmensa plaza. No muy lejos, un papá ayuda a su hijo que está aprendiendo a caminar; una pareja de jovencitos..."

Sonreímos emocionados... La cámara hace un primer plano de los ojos de Luis, húmedos por el recuerdo. Luego, la cámara avanza hacia la ventana. La imagen se congela sobre la cortina que flota con el viento.

En este ejemplo, advertimos una combinación de actitudes y decisiones:

- voluntad para cambiar los efectos de la adversidad sobre sí mismo y sobre su compañero;
- uso de la "limitación" como disparador de ideas originales;
- nuevos puntos de referencia desde donde mirar el pasado y lo que sucedía cada día;
- ingenio y lucidez para utilizar al máximo los recursos disponibles.

La actitud creativa de Juan logró transformar la espera en una novela apasionante. ¿Cuántas veces podríamos transformarnos en el Juan de nuestra propia historia?

Creatividad para la supervivencia

En tiempos de crisis, la imaginación
es más importante que la inteligencia.
Albert Einstein

El hombre siempre encontró ideas creativas para su supervivencia. Las trampas, la balsa, la canoa, el anzuelo, el arpón, la red para pescar, el iglú, las chozas, son ejemplos de esta capacidad natural. El tiempo pasa y las situaciones cambian, pero no se agota la capacidad humana para encontrar soluciones novedosas.

Hablamos de supervivencia cuando está en riesgo alguno de los recursos o fuentes que nos proveen lo indispensable para la vida propia o de quienes dependen de nosotros, —alimento, abrigo, vivienda, seguridad básica—. Como en el mundo abundan los casos de hambre y falta de techo, es sumamente necesario ejercitar el pensamiento creativo para contrarrestar estas carencias. De hecho, las limitaciones que se originan en la falta de recursos operan como un disparador para el rebusque o para generar una salida creativa de mayor impacto y permanencia. Es interesante notar cómo, a partir de algunas de estas experiencias surgieron productos, servicios o inventos basados en la idea de solución. Veamos algunos ejemplos.

Las guerras producen situaciones dramáticas donde las familias quedan diezmadas y socialmente vulnerables; a veces, sin techo, sin suministros, sin ingresos, sin trabajo remunerado. En medio de esta escasez es necesario arreglarse con lo que hay, tener sentido práctico. Lo que en otras situaciones hubieran sido residuos, en estos tiempos son materia prima valiosa. Todo se recicla: las sobras, los residuos, se reinventan convirtiéndose en alimento, en abrigo, etc. Hubo personas que, en tiempos de guerra, con un mínimo de recursos, se ingeniaron y lograron transformar los escasos elementos disponibles en formas alternativas de comida para sus familia. ¡Hasta la corteza de ciertos árboles se convirtieron en alimento! Esta misma creatividad desarrollada en condiciones adversas y bajo presión puede ser un inmenso capital utilizable en tiempos de paz. Hay muchos platos que nacieron en tiempos de necesidad. Por ejemplo, la *Rote Grütze*, que se hacía con frutitas silvestres recogidas en los bosques, con el tiempo, llegó a formar parte de sofisticados menúes.

El clima riguroso propone a su vez nuevas situaciones donde usar el ingenio. Como defensa frente al frío se puede colocar diarios debajo de la ropa como aislante para conservar el calor por más tiempo. Se trata de un ejemplo de uso alternativo de un material. A su vez, esta idea de superponer materiales, bastante antigua por cierto, se repite como principio en la confección de ropa de abrigo.

Frente al hambre de tanta gente en el mundo y la cantidad de alimentos que un supermercado descarta cada día, una persona encontró una forma de que estos alimentos pudieran llegar a quienes los necesitan. Organizó la Fundación Banco de Alimentos,[71] a la cual cada supermercado le entrega la mercadería que está por vencer o que tiene poca salida. La Fundación la almacena en su galpón. Cada institución acreditada para trabajar con personas sin recursos puede retirar lo que precisa pagando un precio simbólico por cada kilo de alimento. En este emprendimiento no se lucra con el dinero recaudado, sólo se paga a los empleados. Con el tiempo, esta iniciativa se difundió por el mundo.

Una actitud de rebeldía o de no resignación frente a situaciones de limitación puede ser inspiradora de ideas novedosas.

Las crisis económicas mundiales recurrentes han hecho resurgir la búsqueda de alternativas creativas para generar ingresos. Entre ellas: usar espacios no convencionales para uso productivo, como el cultivo de hortalizas o frutales en terrazas, baldíos, balcones, macetas, o la recolección y venta de desechos útiles. Gran cantidad de afectados por la falta de trabajo recogen para vender: papel, cartón, envases y otros elementos que encuentran en la calle, haciendo de esta actividad una fuente de trabajo estable y, eventualmente, el germen de una empresa. La imperiosa necesidad de preservar la vida hace florecer ideas e iniciativas. Allí, la creatividad resulta vital para encontrar salidas inmediatas, pero... ¡hay que estar dispuesto a hacer el esfuerzo!

Hay otras situaciones que ponen en riesgo la supervivencia del hombre, aunque sus efectos no sean plenamente asumidos hasta el momento. La cantidad de residuos, material de descarte o basura que se acumula diariamente plantea la necesidad de una toma de conciencia y una respuesta inteligente por el riesgo que implica para la supervivencia del planeta. Los residuos tóxicos, como los que no son biodegradables, se han convertido en una gran preocupación y amenaza. La abundancia de residuos va de la mano de la abundancia económica. Ignorar el peligro de la contaminación creciente agrava seriamente las condiciones de vida para nosotros y para las próximas generaciones. Hay muchas comunidades e instituciones científicas que trabajan en la reducción de los efectos nocivos de la contaminación que producen ciertos residuos.

Es un problema de gran envergadura que nos plantea el desafío creativo de neutralizar sus efectos o convertir el residuo en materia prima útil aplicable a usos alternativos. En este caso la responsabilidad social y el uso de nuevas tecnologías permiten obtener resultados sorprendentes. Un ejemplo interesante es el trabajo de la empresa Recypack[72] que transforma materiales, post industriales y post consumo de sus productos Tetra Brik, en tejas irrompibles, atérmicas, livianas y de fácil montaje. Otro ejemplo es el proyecto de diseño de juguetes construidos con prendas de descarte y materia prima de la marca Levi´s.[73]

---

[71] La Fundación tiene una representación en Buenos Aires, Argentina. www.bancodealimentos.org.ar

[72] www.tetrapak.com/ar/environment/recicladores/pages/default.aspx

[73] Centro Metropolitano de Diseño. www.cmd.gov.ar

¿Se imaginan cómo sería el mundo si todas las personas se apoyaran en su capacidad de imaginar y la utilizaran con compromiso y actitud creativa para suavizar la dureza de situaciones extremas, compensar carencias o superar privaciones de quienes están o se sienten excluidos de la sociedad?

Creatividad y actividad laboral

Las expresiones como "no tengo trabajo", "busco desesperadamente un trabajo", "necesito trabajar" nos ponen, una vez más, ante el desafío de utilizar la creatividad para conseguir un trabajo remunerado.

Buscar trabajo desde el talento

Las opciones más comunes de trabajo remunerado provienen de actividades en relación de dependencia así como del trabajo autónomo. Es natural que una gran mayoría aspire a pertenecer a una empresa u organización ya constituida porque eso le garantiza una regularidad en los ingresos y una cierta estabilidad en el tiempo. Pero esta situación está cambiando pues las empresas prefieren, en muchos casos, contratar personal por plazos cortos o atar la remuneración a resultados, con lo cual la estabilidad y la seguridad del sueldo a fin de mes se relativizan.

Hay dos formas extremas de reaccionar cuando no aparece el trabajo deseado. Una es paralizarse o desanimarse al pensar que no se tiene un lugar en la sociedad productiva. El extremo contrario sería afirmarse en los propios talentos y habilidades y estar atentos a posibles oportunidades, o disponerse a crear una salida laboral propia. Para animar esta segunda opción, les proponemos posibles pasos a seguir. Ellos sirven para generar elementos de juicio que los ayudarán a plantear opciones y a valorar otras alternativas.

Como punto de partida sugerimos confeccionar un **listado exhaustivo** de los conocimientos, destrezas y talentos personales, indicando en qué situaciones podría aplicarlos. Es importante tener en cuenta los estudios y la práctica realizados, agregar rasgos de carácter, tipo de personalidad, más todo tipo de habilidades innatas o adquiridas, intereses, etc. Podemos reconocer, por ejemplo, el talento organizador, la perseverancia, la capacidad de innovar y de proyectar el crecimiento de una idea, el discernimiento, el manejo de finanzas, la flexibilidad, la visión, las destrezas deportivas, la inclinación a trabajar en grupo o en soledad, etc. Al elaborar este listado es muy importante ser específico y realista sobre las condiciones personales para completar la construcción de un perfil diferente y más rico. También deberían incluirse, aunque pueda sonar raro, las tareas que se desarrollan en el ámbito hogareño, como arreglar el jardín, limpiar las ventanas, hacer trámites, barrer la vereda, cantar, usar la computadora, conducir vehículos y los hobbies. En este proceso, los conocimientos, las emociones, los intereses, los sueños, etc., que identificamos, se transforman en algo externo a nosotros. Esta información resulta sumamente valiosa puesto que refleja más acertadamente el potencial con que cuenta uno para insertarse adecuadamente y enriquece los criterios con los cuales se discierne y construyen las oportunidades.

Una vez **elaborado el listado, se trabaja sobre él**. En primer término, se analiza detenidamente lo que fue escrito y, luego, dando libertad al pensamiento creativo —y, quizás, con el uso de alguna técnica— se cruza esta información con potenciales destinatarios, dejando que surjan propuestas impensadas o disparatadas. Una vez lograda una cierta cantidad de ideas, se refinan hasta lograr alguna que pueda convertirse en una oportunidad de inserción laboral.

Los talentos, nuestra personalidad y las cosas que sabemos hacer marcan el rumbo por donde seguir. Desde nuestra perspectiva, cada persona tiene un lugar reservado en el mundo y sus talentos son parte de la trama que lo sostiene y lo hace funcionar.

El siguiente paso consiste en **mirar atentamente el entorno y buscar las oportunidades**: escuchar las quejas, descubrir las falencias, lo que aún no está hecho pero puede ser útil. Por ejemplo, a muchas personas mayores no les interesa aprender a manejar una PC, pero sí les interesa aprovechar sus ventajas. Una persona con un manejo eficiente de la computadora podría combinar sus conocimientos dedicándose al trabajo con personas mayores, como secretario o auxiliar rotativo de un grupo de ellas. Esta misma necesidad podría disparar la idea de un cyber para mayores con atención personalizada, al que se le podría agregar un sistema de transporte, de recreación, de restaurantes especializados en dietas específicas, etc. Estemos alertas a lo que nos propone el entorno, es muy posible que allí haya espacio para que surja un trabajo remunerado. Utilizar la creatividad para unir los conocimientos y talentos con una necesidad puntual convierte al entorno en una fuente más de inspiración para descubrir o inventar trabajos posibles.

Los siguientes relatos ejemplifican cómo una persona creativa puede utilizar hábilmente sus conocimientos específicos para crear una interesante fuente de ingresos. El primer ejemplo se refiere a un señor que habla cinco idiomas, viajero incansable y con amplios conocimientos de cultura general. Nos contó que con este perfil se ofreció, hace muchos años, para dar conferencias en barcos de lujo que viajan alrededor del mundo. Entre puerto y puerto, introduce a los pasajeros en la cultura del país o de la ciudad que van a visitar. "*¡Qué bueno que existan estos puestos!, ¿verdad?*" fue la respuesta a su relato. Y él contestó: "*No, este puesto no existía, yo lo inventé… Estoy contento y ellos están fascinados conmigo*". En el segundo ejemplo, redecorar los propios muebles se convierte en el germen de un emprendimiento. A una señora se le ocurrió redecorar sus propios muebles. Aplicando ideas, destreza y buen gusto, logró no solamente conservar sus muebles queridos, sino modernizar la estética del ambiente. A partir de estos resultados originales e ingeniosos, surgió la idea de hacerlo para los demás.[74] Un nuevo negocio había nacido. ¡Cuántas veces encontramos historias similares en los orígenes de empresas de servicios! Un ejemplo clásico son las empresas de "catering" que comenzaron en la cocina familiar con la idea de cocinar para otros. Su actividad fue creciendo y hoy existen muchas empresas que se dedican a ello.

Encarar la búsqueda de trabajo o empleo con actitud creativa permite abordar la realidad con la mente y el espíritu abiertos a los desafíos y al futuro. La creencia de que hay más de un camino para satisfacer nuestros objetivos es parte de esta actitud.

Una última recomendación: no tengan vergüenza de estar desocupados. Estar desempleado se asocia, muchas veces, con pérdida de prestigio, sobre todo en algunos ambientes más tradicionales. Pero en un mundo dinámico, donde las organizaciones y las lealtades desaparecen, esta sensación de falta de reconocimiento se transforma en una cuestión personal. Es uno el que debe decidir cómo y cuánto permitirá que estas circunstancias lo afecten. Posiblemente los comentarios de algunas personas refuercen el desánimo pero también existen otras personas que nos valoran y pueden ayudarnos con sus consejos o contactos; podemos ir eligiendo con quiénes compartir y a quiénes pedirles ayuda. Cada persona es un potencial apoyo. Además, las redes sociales, potenciadas con el uso de Internet, constituyen un excelente recurso en la búsqueda de nuevas posibilidades.

Por otra parte, no deben ignorarse las causas del desempleo. Es importante reconocer, por ejemplo, si hemos sido desvinculados del cargo como consecuencia de una reducción presupuestaria o por haber tomado la decisión de no continuar aceptando las condiciones adversas del ambiente laboral. Ambos casos revelan la presencia de cambios tanto propios como en la organización o el contexto. Son señales que deben ser tenidas en cuenta y, como tales, nos traen la posibilidad de una renovación.

Creatividad y profesión

Cualquier profesión puede transformarse en *algo más* usando la creatividad. El planteo surge de observar el dinamismo de ciertas profesiones y la magnitud de sus logros en contraste con otras que no logran trascender. ¿De qué depende?

En este punto nos referimos a la manera en que puede ampliarse el campo de acción de una actividad cuando se incorpora la mirada creativa. Es previsible que, al incorporar fantasía, audacia, nuevas percepciones y mayor conocimiento, se logre ampliar sus límites y flexibilizar y enriquecer sus contenidos.

---

[74] www.almapropia.com.ar

Este "algo más" nos conduce al concepto de "arte", ese lugar donde se unen el talento, la técnica y el espíritu. Para lograr un resultado significativo, no puede faltar el compromiso con la obra desde el corazón. Este compromiso alimenta el entusiasmo indispensable para desplegar el espíritu creativo, perseverar y lograr la aceptación de la idea.

El espectro de las profesiones es tan amplio que es imposible nombrarlas en su totalidad y menos describirlas una por una, así que nos limitaremos a unos pocos ejemplos en los que la creatividad es un ingrediente reconocido.

Una "arquitectura" de avanzada, de nivel internacional, que marque una tendencia y haga "historia" es el resultado de sumar al conocimiento, audacia, ingenio, libertad creativa, imaginación y estética. Requiere, también, fortaleza para exponerse al error y sobreponerse a la crítica. Esta combinación de conocimientos y creatividad es válida para todo tipo de arquitectura. Las catedrales, palacios, monumentos, bibliotecas y jardines construidos hace siglos son testimonios históricos de lo que es posible lograr cuando se combinan audacia, arte y visión. Más recientemente, la construcción de lugares de trabajo, centros culturales, rascacielos, shoppings, resorts y espacios para convenciones constituyen el nuevo reto a la capacidad de combinar la funcionalidad con el criterio artístico en un contexto ecológicamente sustentable. En estos nuevos espacios se manifiesta un vínculo más explícito entre negocio y estética que exige nuevas formas de expresión que desafíen la imaginación. Estos conceptos aplicados al diseño de una casa, una escuela o una fábrica hacen que la obra, además de satisfacer la necesidad propia de su funcionalidad, se transforme en expresión artística que embellece el entorno.

Para quienes ejercen profesiones que demandan destrezas visuales, armar una obra requiere vincular armoniosamente una gran variedad de decisiones con pequeños pasos. Ella exige decidir el tipo de estética a usar y organizar los espacios, los silencios, los despliegues visuales, las secuencias, los ritmos visuales y todo el esquema compositivo. Para esto, es importante tener clara la síntesis a lograr y haber desarrollado una gran capacidad visual. Pero la técnica no es todo. El creativo suma su empeño por lograr un exquisito manejo del color que seduzca, que impacte o emocione por su sutil lenguaje vibracional. Cuando logra armonizar en un hábil juego la forma y el color, la idea y el sentimiento, sucede algo mágico: en el resultado, la propuesta original es inconscientemente trasmitida, el mensaje llega. La creatividad, también en este caso, hace la diferencia.

De modo análogo, muchas otras profesiones se expresan a través de la palabra, crecen con el ingenio verbal y expresivo. La creatividad aporta ideas inesperadas, ocurrentes o geniales que fortalecen su posicionamiento, su argumentación y amplían la proyección a mundos desconocidos. También en estos aspectos la base profesional tiene que ser sólida y contar con los conocimientos y técnicas apropiados.

El mundo avanza y, con él, las profesiones evolucionan de la mano de nuevas necesidades, nuevas demandas individuales o del mercado, nuevos escenarios: desde el microcosmos hasta el mundo virtual. Con más creatividad, los profesionales pueden crecer y destacarse.

Entre tantos ejemplos, elegimos la profesión de cocinero o chef. Muchos de ellos son jóvenes que convierten recetas conocidas en nuevas creaciones combinando hábilmente lo dulce y lo picante, lo crujiente y lo cremoso. Usan los cinco sentidos para construir una danza insolente entre los sabores, las fragancias, las formas y el color. Para sorprender a la vista y el paladar audaz, enriquecen, adornan y presentan sus platos logrando una aventura inesperada. En este camino, muchos profesionales descubrieron que su creatividad los podía llevar a un nivel internacional.

En todos los casos, el desafío reside en conjugar, por un lado, el conocimiento profesional, la capacidad de identificarse con el tema y el registro de los requisitos solicitados, y, por otro, una actitud positiva que permita despojarse de las reglas conocidas, replantear los temas desde la libertad total, soñar, divagar y poner a volar la creatividad.

Libertad para combinar

La combinación de nuevas demandas y el avance de conocimientos y tecnologías abren caminos de diversificación profesional, aun en carreras tradicionales como medicina, derecho, ingeniería, entre tantas otras. Para poder aprovechar estos avances es necesario mantener los conocimientos actualizados. Asimismo, tener libertad interna y apertura amplía la mirada para poder vincular lo tradicional con nuevas profesiones o conceptos.

Incluir conocimientos de otras áreas expande el abanico de posibilidades. La versatilidad del conocimiento y de las nuevas tecnologías, y el dinamismo de un mercado que demanda simplicidad, calidad e innovación, permiten muchas veces integrar distintos quehaceres en actividades novedosas en sí o interesantes para cada uno. A continuación, se incluyen algunos ejemplos. Una persona que está formada en Historia del Arte, por los avatares de la vida, se convierte en empresaria. Años después, combinando arte con principios empresarios, funda una empresa que organiza ferias de arte. Otro ejemplo es el de un exitoso director técnico de un equipo de fútbol que se convierte en consultor de empresas, trasladando su experiencia de trabajo en equipo a ese ámbito. O una campeona de ski que luego estudia psicología y trabaja actualmente en asistencia psicológica para deportistas. Las opciones ingeniosas que surgen como resultado de combinar distintas áreas profesionales se ven cada día más.

Permanecer abierto y actualizado facilita encontrar vías disponibles para encauzar nuestros intereses y talentos. ¿No sería genial que haciendo uso de este recurso, pudiéramos adecuar nuestra profesión a nuestros sueños y anhelos? Los estímulos que nos mueven para encontrar nuevos caminos en nuestra profesión son muy diversos. A veces son potentes y surgen desde el interior, como las expectativas personales de dejar una huella, de hacer el bien o de hacer historia. Otras veces nos sentimos incentivados o tentados por concursos, dinero, fama, honores, etc. Lo que no puede estar ausente es la pasión por la profesión. La pasión enciende la fuerza creadora capaz de transformar todo. Si no la siente, ¡búsquela!

Creatividad y educación

Una persona es más que una botella que hay que llenar,
es una luz que hay que encender.
Atribuido a Michel de Montaigne

De todas las profesiones creativas, la docencia ocupa un lugar muy especial, porque tiene el poder de despertar y moldear el potencial creativo de las nuevas generaciones. La creatividad en la educación es un área inmensa que incluye el quehacer de docentes, padres y responsables de los diversos niveles, tanto públicos como privados.

Educar en la creatividad se materializa, por un lado, preparando la mente y el espíritu del estudiante para descubrir su propio potencial y, por el otro, estimulando creativamente el placer de aprender. Inducir el descubrimiento del propio potencial y desarrollarlo se logra alentando a los estudiantes a atreverse a generar ideas o soluciones innovadoras o desafiantes, a crear alternativas y oportunidades o a anticipar el futuro. Esto conlleva el desafío de trasmitir los conocimientos de modo diferente, divertido, interesante y con alegría. Es decir que todo contenido —ya sea convencional, tradicional o novedoso—, debería tener la capacidad de atraer y mantener el interés y el entusiasmo del alumno por querer asimilarlo. Para ello es conveniente proporcionar un contexto de libertad, donde se pueda experimentar y jugar con las ideas y conceptos y donde haya lugar para la fantasía y el error.

El film *La sociedad de los poetas muertos* es un ejemplo típico de cuánto es capaz de estimular un docente creativo a sus alumnos. De la creatividad del maestro depende reinventar cada día diferentes maneras de transmisión, encontrar caminos nuevos por donde transitar, jugar con las posibilidades, comunicar con su ejemplo los valores y las convicciones más profundas. De esa manera, el aprendizaje se torna dinámico, interesante, participativo y placentero.

"*El arte del maestro*, dice Stephan Nachmanovich, *es vincular, en tiempo real, los cuerpos vivos de los alumnos con el cuerpo vivo del conocimiento. Educar significa sacar o evocar aquello que está latente. Por lo tanto, educación significa sacar afuera las capacidades de la persona para entender y vivir, no llenar a una persona pasiva de conocimientos preconcebidos. La educación debe abrevar en la estrecha relación entre el juego y la exploración... Debe haber una valoración del espíritu exploratorio, que por definición nos saca de lo ya probado, lo verificado y lo homogéneo.*" El enseñar de este modo crea, a su vez, un círculo virtuoso donde alumno y maestro se enriquecen mutuamente. El aporte del estudiante se convierte en disparador de nuevas ideas que el maestro aprovecha para generar o ilustrar nuevos conocimientos. Aprender se convierte en un dar y recibir constante, en el cual uno inspira al otro en un proceso inclusivo. Este punto se alcanza con mayor facilidad cuando se crea una empatía entre ambos. Finalmente, estos docentes son los maestros que uno recuerda con reverencia durante toda la vida. Ellos saben calar hondo y logran despertar lo latente en cada uno.

Enseñarás a volar,
pero no volarán tu vuelo.
Enseñarás a soñar,
pero no soñarán tu sueño.
Enseñarás a vivir,
pero no vivirán tu vida.
Sin embargo…
En cada vuelo, en cada sueño, en cada vida
perdurará por siempre
la huella del camino señalado.
Madre Teresa de Calcuta

¡El buen maestro es aquel que logra que su alumno lo supere!

Creatividad, juego y diversión

El juego es materia prima de la diversión, y ambos, juego y diversión, son disparadores del proceso creativo. Con ellos se convoca a nuestras musas. Estos recursos constituyen formas amenas y sencillas de canalizar conocimientos y emociones y de agilizar el flujo de ideas que impulsan la innovación o la superación de una situación difícil.

Una familia que tenía, como único alimento por día, pan abundante con una sola rodaja de salame para cada uno, para mantener un buen clima, inventó un juego. Se llamaba "el salame deslizante". Cada uno tomaba una rodaja de pan, ubicaba el salame encima y al morder tenía que hacer que el salame se deslizara de modo que solamente mordía un pedacito. Esto se repetía en cada bocado. Ganaba la persona que llegaba a comer la máxima cantidad de rodajas de pan saboreando una misma rodaja de salame.

Jugar y divertirse provocan euforia y una sensación de libertad sin restricciones. El juego puede ser individual o grupal. En grupo, tiene, además, el beneficio de multiplicar la energía creadora, pues el entusiasmo de algunos puede contagiar a los que menos se animan. Convocar a la creatividad a través del juego nos conecta con el niño que llevamos adentro, ayuda a superar miedos, trabas internas o situaciones difíciles de afrontar de otro modo. Es la creatividad por la creatividad misma, un juego de libertad, felicidad y "amorosidad" donde no se busca nada permanente, sino la alegría del instante y del hacer efímero.

Cuando nos disponemos a realizar actividades lúdicas, nos abrimos a la espontaneidad, a la libertad de disfrutar el momento sin el rigor intelectual ni la presión del tiempo. El juego permite aligerar las expectativas al no tener impuesto un horizonte concreto de exigencias. Es un escenario de riesgo cero. Por eso se da, con más facilidad, que las personas llevadas por el clima del juego, produzcan nuevas ideas, improvisen respuestas insólitas o descubran un sinfín de posibilidades. En el ejercicio de cualquier profesión, el juego creativo es una opción como vía de exploración de nuevas ideas, porque ayuda a superar barreras y bloqueos al minimizar el temor al error. La dinámica del juego libera nuestra capacidad al construir un ida y vuelta entre propuestas, materiales, temas y resultados. Cada vez más se utiliza el juego como un elemento valioso en el entrenamiento de nuevas destrezas, justamente porque provoca esa apertura, la posibilidad de nuevas conexiones entre los dos hemisferios y facilita un ambiente donde es posible la suma de creatividades. Muchas de las técnicas mencionadas en el capítulo 10 incluyen distintas formas de juego.

Cuando elegimos el trabajo manual como el modo de juego creativo, nos encontramos con la oportunidad de utilizar la sensibilidad y la imaginación para descubrir usos alternativos de los elementos a disposición. Muchos de ellos pueden ser de uso cotidiano, por lo cual, lo que usamos diariamente o lo que nos rodea se convierte en una fuente formidable de materiales. Frente a ellos lo mejor es adoptar una mirada fresca, como la de un niño que desconoce sus usos habituales. El color, la forma, la flexibilidad o rigidez de cada material son las piezas del juego, los elementos a integrar en una nueva creación. Cuando jugamos, es posible percibir el potencial de cada uno. Surgen así múltiples ideas insólitas y divertidas, a veces geniales, que incitan a seguir creando. Uno se olvida del tiempo. Esta sensación de plenitud se denomina "momento blanco".

Al jugar con diversos elementos, pueden revelarse talentos y habilidades que ignorábamos. Esto lo han aprendido muchos creativos. Por ejemplo, *David Ogilvy*, citado por *Morreall*,[75] dice que, cuando la gente no se divierte, no puede producir buenos comerciales. En muchas agencias y empresas de avanzada, los creativos disponen de una infraestructura, juguetes y elementos diversos con los que estimulan el proceso creativo. Google es un excelente ejemplo de una empresa preocupada por crear un lugar de trabajo pleno de elementos lúdicos.

Es positivo jugar y que haya espacios para el juego y la diversión porque son una opción fructífera que anima la exploración y permite la generación de ideas innovadoras.

---

[75] John Morreall, *Humor Works*, Human Resource Development Press, 1997.

Creatividad e improvisación

La improvisación es un acto efímero en el que se conjugan frescura, tensión, e inspiración, con conocimiento y técnica. Surge como chispazo de nuestra creatividad, como el mensaje de una musa. Algo oculto se nos revela, como si se corriera un velo. Surge a veces como explosión, con la energía de una sorpresa, como expresión de lo profundo que fluye y se renueva indefinidamente en el tiempo. Sucede en el aquí y en el ahora; nos ofrece momentos irrepetibles que valorizan lo que tiene de único cada instante.

A continuación, utilizaremos el término improvisar en tres sentidos diferentes: la improvisación como juego, la improvisación como técnica y la improvisación como respuesta espontánea frente a una dificultad.

La improvisación como juego

Cuando jugamos, la improvisación se puede desarrollar aplicando reglas muy sencillas. Pensemos en un juego simple y conocido como "Dígalo con mímica". La actuación improvisada debe permitir reconocer el nombre de una película, de un libro; con pocos gestos es posible lograrlo. ¡Cuánta creatividad surge espontáneamente, cuánto talento histriónico se revela!

Los juegos de improvisación también son aplicables a distintas formas de arte. Podemos destacar numerosos ejemplos.

- Dos pianistas que se sientan al mismo piano pueden tocar improvisando en cada extremo, creando un diálogo musical dinámico o divertido.
- Un pintor puede comenzar una obra y otro, seguirla con su estilo, pero respetando la idea original. Así, continúan alternándose durante un tiempo establecido. Esta experiencia se puede ampliar a más participantes.
- También se puede improvisar una imagen a partir de una música.
- La figura del mimo es otra expresión de espontaneidad en la cual las acciones improvisadas dependen del público presente o de la idea que le inspira esa situación particular.
- Un ejemplo de mayor complejidad sería la "performance" en arte. Este es un concepto muy actual. El artista crea en el momento, logrando conexiones flexibles y cambiantes entre forma, color, movimiento, sonido e imágenes. La improvisación, en este caso, se manifiesta en un proceso dinámico que combina el impulso creativo con las ideas previamente pautadas y las circunstancias que se dan en ese momento. Este tipo de improvisación se usa como recurso en el mundo del espectáculo.

La improvisación como técnica

Es un ejercicio que se desarrolla a partir de una consigna clara, en un tiempo y un espacio precisos. La persona desarrolla espontáneamente una actividad usando conjuntamente su talento, inspiración, sensibilidad, sentimientos y conocimientos específicos. Quien improvisa, se deja llevar por su intuición y se expresa durante el tiempo asignado siguiendo una pauta dada. Esta técnica es valiosa porque, si bien se basa en una estructura formal, aprovecha el talento creativo y el impulso de la inspiración para dar a luz obras espontáneas que viven durante el tiempo de su ejecución. Lograr una buena improvisación como trampolín de una nueva creación requiere confiar en el conocimiento y en el talento natural, tener conciencia del aquí y ahora, ser auténtico y estar totalmente presente. La pasión puesta en la improvisación alimenta una conexión con el público que potencia enormemente la calidad de la misma.

Improvisar es escribir en el aire con mi cuerpo, mi voz y mi imaginario, una propuesta de trabajo escénico valiente.[76] La improvisación como técnica teatral, individual o grupal, proporciona la oportunidad de activar la imaginación, la fantasía, la poesía, los sentimientos y la emotividad, a partir de los recursos disponibles. Sirve para explorar los diversos personajes que llevamos dentro. El instante permite que surjan, a la vez, el actor, el director y el dramaturgo que viven en nuestro interior, revelando nuestra propia versión del personaje.

En la improvisación libre, tocamos los sonidos y los silencios y, a medida que los tocamos, desaparecen para siempre.[77] El jazz es el ejemplo más difundido de improvisación en la música; es su esencia. No pretende una lectura fiel de una partitura única, sino que, en cada ejecución, los intérpretes recrean libremente un tema central respetando una determinada estructura. La obra materializa una vibración grupal armónica, a la vez que da espacio para la destreza, la pasión, el talento, la fantasía y la sensibilidad de cada intérprete. También los payadores gauchescos son otro ejemplo de improvisación que combina la música con la poesía popular.

Improvisar un discurso es un ejercicio que estimula la generación espontánea de ideas y vínculos entre diferentes temas. Puede convertirse en una danza entre ideas y palabras. Cuando se da la posibilidad de tener un hilo conductor, la improvisación se sostiene en una red donde dialogan el tema y la imaginación. La creatividad crece con el entrenamiento continuo. La improvisación nos ayuda a expresar nuevos estados del alma desde donde surgen formas originales. Viene acompañada, por lo general, de una descarga de adrenalina que predispone a la persona a lograr estados de mayor lucidez, concentración

[76] http://www.teatroasura.com/cursos/improvisacion.html

[77] Stephen Nachmanovitch, *Free Play*, Paidós. SAICF, Buenos Aires, 2004.

y elocuencia. La práctica, el coraje, la perseverancia y el kilometraje mejoran los resultados. Cuando una improvisación es excelente, se logran momentos creativos irrepetibles, magistrales y hasta gloriosos que permiten vivenciar en un mismo instante lo que significa la creatividad como don, como proceso y como resultado.

La improvisación como respuesta espontánea

Encontramos dificultades tanto en las pequeñas cosas o momentos de la vida de todos los días como en situaciones extraordinarias. Frente a una situación inesperada, cuando el tiempo apremia y las soluciones conocidas o clásicas no alcanzan, la improvisación es nuestra mejor aliada. Las respuestas que surgen desde ese lugar adoptan formas originales que permiten resolver de un modo espontáneo un tema crítico.

Como ejemplo comentaremos una historia referida a la ingeniosa respuesta del chofer de Albert Einstein. *Se cuenta que tras obtener el premio Nobel de Física era invitado constantemente a dar conferencias en universidades y organismos científicos. Con el tiempo comenzó a aburrirse de tanto viaje y de tener que repetir siempre lo mismo. Esto se lo comentó a su chofer, quien le propuso cambiar los roles, con el siguiente argumento "He oído su conferencia tantas veces que me la sé de memoria; si usted quiere, cualquier día puedo sustituirle y darla yo". Einstein aceptó y dejó que su chofer lo reemplazara en una conferencia donde había muy pocas posibilidades de que alguien lo reconociera. Él mismo participó como oyente. La presentación fluía, nadie lo había reconocido hasta el momento, pero las cosas se complicaron cuando alguien le hizo una pregunta cuya respuesta el chofer no tenía ni idea.*

¿Cómo les parece que salió de esa difícil situación? Improvisó una respuesta muy ocurrente: "*Su pregunta, caballero, es tan sencilla que estoy seguro de que hasta mi chofer podría contestarla, así que dejaré que sea él mismo quien lo haga*". De este modo salvó la situación.

La improvisación va de la mano de la creatividad. Funciona con mayor vigor cuando hay confianza y flexibilidad para aplicar el ingenio y los conocimientos que se tienen. Cuando urge una solución en situaciones de presión o crisis, se siente cómo corre la adrenalina por el cuerpo pidiendo acción inmediata. La improvisación se manifiesta como una estrella fugaz que se plasma en acciones efímeras que alcanzan para iluminar o cambiar un instante en la vida.

Creatividad y humor

El humor divierte celebrando la incongruencia. Es un recurso que nos permite mirar o expresar situaciones desde ángulos totalmente nuevos que combinan el absurdo y la sorpresa. Provoca la risa o la sonrisa pero no necesariamente tiene que ser optimista. Es más, muchas veces, es un medio para acercarse creativamente a lo que no queremos admitir, a lo que está oculto, negado o en sombras.

Por otro lado, el humor aporta un mecanismo que deconstruye y construye a la vez. El grupo musical Les Luthiers es un excelente ejemplo. Logran enfrentarnos con nuestras limitaciones como sociedad y, a la vez, nos enseñan a reírnos de nosotros mismos. Utilizan el potencial del humor para convertir lo desechable en abono fértil y generar así nuevos pensamientos. Presentan la realidad desde otro punto de vista o desde una perspectiva más amplia, provocando la sonrisa. Sus presentaciones musicales son una celebración de talento musical y fino humor. Han desmitificado la solemnidad que rodea la figura del artista, logrando hacerla más cercana. ¡Cómo nos hacen reír!

Con humoristas como Mordillo, Nik o Fontanarrosa, pasa algo similar. Se nos dibuja la sonrisa en la cara a pesar de que, con pocos trazos o palabras, tienen la capacidad de desnudar situaciones —a veces muy duras— que están ocultas o no queremos reconocer. El humor se usa como una alternativa creativa capaz de expresar una visión aguda de la realidad y hacerla más comprensible o tolerable. Esta perspectiva facilita la aceptación de los mensajes, aun de los más duros. Pensemos en Woody Allen, cuando desde el humor plantea temas complejos. ¡Cuánto más fácil nos resulta asimilarlos! La pintura de Karl Spitzweg,[78] "El poeta pobre", nos hace sonreír y, a su vez, comprender su idealización de las condiciones en que vive.

El humor tiene la capacidad de situarnos inicialmente en un espacio o en un tiempo usualmente familiares o, por lo menos, conocidos. A partir de allí, en un instante, a través de palabras o imágenes, nos hace aterrizar en un destino totalmente diferente al esperado provocando nuevas conexiones. Aporta una mirada punzante sobre la realidad que capta y desnuda, a la vez que permite mirarla con la cabeza fría y la distancia suficiente como para mantener una sonrisa. Estas conexiones activan la creatividad que se vale de la intuición, la percepción y la fantasía. Es un recurso que apela a la imaginación y a la memoria del lector o espectador. El humor ayuda a sobrepasar barreras.

Historias recientes

Hasta fines del siglo XX, la tradición, las creencias y costumbres pusieron una barrera entre la risa y el ámbito laboral o el aula. El humor era sinónimo de desinterés, falta de responsabilidad y compatible con la cobardía y la indolencia.[79] Su presencia era impensable en ámbitos como el educativo o el laboral. Aún hoy quedan resabios de estas posturas. En las aulas se usa la frase *"¿de qué se ríe?"* como un modo de poner en evidencia que se está fuera de las normas o conductas esperadas. Desde esa postura, el humor y la posibilidad de aprender son incompatibles. Esto dejó huella en los métodos pedagógicos que sobrevaloran el orden y la seriedad como condiciones ideales del aprendizaje. Hoy sabemos que no es tan así. El humor refresca la mente y con ello se logra mantener la atención y el interés durante más tiempo. Algo similar sucedía y aún sucede en algunas empresas que no ven con agrado los ambientes alegres o jocosos. La baja tolerancia al humor perjudica el clima laboral y la eficiencia. Hoy, más que nunca, se necesitan la espontaneidad y la alegría como nutrientes para responder a las exigencias de renovación constante. Ambos elementos predisponen favorablemente a la activación de los recursos creativos. El humor provoca un estado de lucidez y vitalidad de la mente que fomenta la apertura y el espíritu de colaboración. Al regenerarse la energía se elevan los niveles de motivación para crear e innovar.

Una persona con humor tiene la dignidad y la picardía de tomar distancia de su problema, dándole otra mirada. Al distenderse la tensión que provoca la situación y al disminuir la densidad del tema, se reubica en otro plano que la hace menos vulnerable. Por eso podemos reírnos de lo que de otra manera nos haría llorar. La risa que produce el humor aporta salud y equilibrio a la vida. Por lo tanto, su efecto es positivo porque activa mecanismos de la mente y sustancias químicas que proveen al cuerpo de sensaciones de bienestar. La chispa creativa del humor hace que el cansancio se desvanezca y, de esa manera, aumente el rendimiento requerido.

---

[78] http://www.reprodart.com/cuadro/Carl_Spitzweg/El+Poeta+pobre+/10591.html

[79] John Morreall, *Humor Works*, ob. cit.

El ocio creativo

El ocio es algo maravilloso, aunque a veces menospreciado. Es permitirse la libertad y el silencio interior. Este silencio nos conduce a estados de meditación, de quietud y de paz. Allí los sentimientos afloran y fluyen sin limitaciones Se vivencia cuando no hacemos nada o en los momentos en que el cuerpo está libre de tensiones y la mente descansa relajada. Es un momento de reposo, de la "mente en blanco". ¿Cómo lograrlo?

Es cuestión de escucharse y estar abiertos y sensibles a lo que anida en lo profundo, sin dejar que el tiempo nos limite. Hay personas que necesitan espacios abiertos para lograr así una distancia con la realidad cotidiana; otros lo encuentran en la intimidad de su estar. Otras veces simplemente sucede. Esta disposición nos sumerge en un estado que opera como una fuente de inspiración que provoca una regeneración de la capacidad de realizar conexiones. Con ello se abre un espacio para que puedan emerger, desde lo más profundo del ser, ideas o vivencias inesperadas o desconocidas. Al tener vía libre, aparecen espontáneamente; la mente se libera de condicionamientos externos y, en algunos casos, internos, y vaga a sus anchas por territorios inexplorados. Esto hace del ocio un tiempo creativo. Allí se abre una puerta a la intuición, a la fantasía, a la divagación y a la imaginación desde un lugar natural, sin imponérselo; sucede simplemente. Todos estos elementos se aúnan para liberar la energía creadora. Como no tiene un objetivo concreto ni un propósito utilitario, se asoma de diferentes maneras. A veces titila sutilmente; otras, aparece como regalo del inconsciente o surge como un sueño diurno que toma forma.

Muchas personas se sumergen en este ocio durante la práctica de algún hobby como la pesca, la navegación o la carpintería. Éstas son actividades en las que existe una amplia sensación de libertad y cierto automatismo, donde hay una ocupación física sin demasiada exigencia mental y, lo más importante, donde no hay límite ni presión de tiempo. Después de dedicarnos a lo que nos gusta, nos sentimos más descansados, con la mente más fresca, con menos nivel de tensión, de mejor humor, con mayor energía e ímpetu para emprender lo que viene. Es humus fértil para las ideas creativas.

Incorporar el ocio creativo en lo cotidiano supone reservar tiempos y espacios de distracción y libre expresión de habilidades y destrezas, o crear momentos donde simplemente "estar". Hay otras personas que viven las situaciones de ocio como sinónimo de aburrimiento. ¿Será quizás que no encuentran valor en lo que surge de su interior? ¿O no habrán aprendido a escucharse?

El ocio es importante porque da lugar a que emerja el caudal de conocimientos que guarda nuestro inconsciente y ayuda a descubrir formas originales de abordar temas no resueltos. Los artistas, en particular, reconocen la importancia del ocio creativo, porque perciben que las barreras se debilitan y suceden conexiones que hacen florecer ideas novedosas e inesperadas De este libre juego no se pretenden resultados ciertos o concretos, pero lo real es que muchas veces surgen ideas prometedoras. Cuando se le preguntó a Gerd Binnin,[80] Premio Nobel de Física, cómo los líderes podrían ser más creativos respondió: "*Creo que deben saber menos y pensar más lentamente... El ser humano debe comenzar a soñar. No se debe dejar dominar demasiado por la vida cotidiana y debe crear siempre espacios libres. Los espacios de calma son extremadamente importantes para que las ideas nuevas o las relaciones entre ideas ya existentes, pero hasta ahora aisladas, lleguen a la conciencia. Quien quiere trabajar creativamente, necesita pausas... Es naturalmente muy difícil crear espacios libres... El tema es que el inconsciente siempre está trabajando. Y si lo alimento constantemente con nuevas impresiones, no le doy respiro... Por un tiempo debemos tratar de no aprender nada*".

Haciendo espacio para la creatividad

En este "*ida y vuelta*" entre actividad y ocio creativo, se abren los espacios para desarrollar nuevas ideas. Los factores culturales y personales que se combinan de manera única en cada uno pueden potenciar o limitar su proyección. Las limitaciones surgen de las creencias, la predisposición o la educación, que finalmente se expresan en el modo como usamos nuestro tiempo.

"El placard de mi vida"

La tarea que presentamos a continuación está destinada a explorar la distribución que hacemos del tiempo disponible. Propone una mirada sobre aspectos comunes de la vida de cada uno, es un primer paso que nos habilita a introducir los cambios que consideramos deseables. Podemos rever conscientemente los temas desde el lugar del observador y volverlos a ordenar.

Este ejercicio se puede adaptar a las ocupaciones individuales o a cualquier otro aspecto que forme parte de nuestra agenda.

Para comenzar nos ubicamos en un lugar apropiado, realizamos varias respiraciones profundas hasta alcanzar un estado de paz y libertad. Nos disponemos a vivenciar la siguiente experiencia.

Visualización *CD: 18*

Guiado por mi imaginación me dirijo hacia donde está mi placard.

Me paro frente a mi placard, lo abro, abro mi placard y veo sus diferentes divisiones. Reveo el espacio dedicado a ropa de abrigo, a la ropa interior; veo dónde están ubicados los vestidos y la ropa de fiesta, los trajes. ¡Cuánto espacio abarcan los panta-

[80] "El Proceso Creativo", Deutschland Magazine, octubre-noviembre de 2004, N°5 www.magazine.deutchland.de

lones, las camisas, el calzado, todos mis zapatos! Ahora miro el espacio de la ropa para actividades físicas o al aire libre. Recorro con la vista cada espacio, identifico de esta manera los diferentes espacios en mi placard, tal como yo ordeno mis cosas. ¿Cuánto espacio le doy a cada parte de mis atuendos personales?...

Para consolidar este nuevo orden recomendamos plasmarlo, como primer paso, en un dibujo, o materializarlo de alguna manera, darle un aspecto real. Todo camino, aunque sea difícil como éste, comienza con el primer paso, con traspasar el umbral que va de la idea a la acción. Una vez que se logra romper la inercia, se puede armar un ordenamiento nuevo.

No podemos cambiar la duración del día, pero sí el modo en que usamos el tiempo. Alcanzar un nuevo orden supone: rever, con lucidez, la manera en que asignamos el tiempo disponible entre los múltiples intereses que atendemos cotidianamente y utilizar la creatividad para abrir nuevos espacios o redimensionar los existentes, a fin de lograr una vida mejor.

Tiempo[81]

Date tiempo para la creatividad
es la llave para tu libertad.
Date tiempo para trabajar
es el precio del éxito.
Date tiempo para pensar
es la vertiente de tu caudal.
Date tiempo para jugar
es el secreto de la juventud.
Date tiempo para leer
es la base de tu conocimiento.
Date tiempo para ser amable
es el portal de la bienaventuranza.
Date tiempo para soñar
es el camino hacia las estrellas.
Date tiempo para amar
es la real felicidad.
Date tiempo para ser alegre
es la música del alma.
Date tiempo para planificar
así tendrás tiempo para todas las demás.

[81] Traducción y adaptación de un poema irlandés de autor desconocido.

La creatividad como forma de vida

La creatividad, además de ser un instrumento de transformación, también puede ser entendida como forma de vida. Al adoptarla, el hombre abre una puerta a su interioridad y al descubrimiento de su propósito.

La creatividad se convierte en una forma de vida cuando:

- elegimos apoyarnos en lo que somos;
- optamos por permanecer abiertos y flexibles a la novedad y a las oportunidades;
- decidimos que cada problema e inconveniente nos traen una oportunidad de ser, de aprender, de dar…;
- estamos dispuestos a arriesgar, a probar y errar, a reajustar, a elaborar, a volver a empezar;
- confiamos en quienes somos y en lo que podemos llegar a ser;
- incorporamos a nuestro hacer los recursos interiores.

¿Pudieron verse reflejados en este abanico de situaciones? Estas experiencias abren un camino de esperanza que parecería indicar que, aun en los peores ambientes y situaciones, las personas contamos con recursos para ponernos en movimiento. Al entrar en diálogo con nuestro potencial creativo y trabajar desde ahí, adquirimos la fuerza para atravesar dificultades o para generar caminos de realización diferentes. Dejemos que la creatividad enriquezca cada aspecto de nuestra vida.

Capítulo 13

Creatividad en las organizaciones

Creatividad y emprendimientos

¿Cuándo es necesaria la creatividad?
Resolver problemas
Superarse o innovar
Transformarse

Creatividad en los negocios

Ciclo creativo
Renovar y reinventarse

Fuentes de inspiración para innovaciones y negocios
El aporte de la creatividad

¿Hay espacio para la creatividad en las organizaciones?
Fijar la dimensión de un proyecto

¿Cómo se fomenta la creatividad en las organizaciones?
Alineación
Permiso
Espacios
Diversidad de estímulos
Comunicación

Trabas para su adopción

Liderazgo y creatividad
El desafío

Impulso creador

13

Creatividad en las organizaciones

La diferencia se logra al crear
conforme a una nueva perspectiva.
Charles Chic Thompson

Cuentan que en la ciudad de Dallas, Texas, en 1951, vivía una mujer llamada Bette Graham. Orgullosa de su trabajo de secretaria ejecutiva, quería evitar que se notaran las faltas de tipeo en sus escritos. Inspirada en lo que hacían los pintores cuando cubrían la tela de un color uniforme para volver a utilizarla, se le ocurrió mezclar témpera blanca y aplicarla al papel. Lo llevó a la oficina y comenzó a usar la mezcla como corrector. Había inventado el Liquid Paper. Pronto le llegaron pedidos de sus compañeros y, luego, de otras oficinas. La demanda aumentó en forma sostenida hasta que, finalmente, decidió renunciar para fundar su propia empresa. Ésta creció de tal forma que fue adquirida por Gillette a fines de los años 70 en alrededor de cincuenta millones de dólares. El primer nombre del producto fue "elimina errores".[82]

Esta historia contiene varios elementos, para tener en cuenta, que predisponen al acto creativo: el orgullo y la confianza por la tarea que se desempeña; la aspiración a realizar un trabajo de calidad; el deseo de minimizar errores. También se da una conjunción entre una mirada atenta sobre el contexto, sentido práctico e idea innovadora —la protagonista toma ideas prestadas de otro ámbito y las adapta al suyo—. A ellos se suma la receptividad del medio: el apoyo de sus compañeros resultó vital y la decisión de seguir creciendo: cuando el volumen de

[82] En boletín de Ideavip. Sección "Historias de creatividad" www.ideavip.com

la demanda alcanzó niveles significativos, da un paso todavía más audaz y arma su propia empresa.

Los elementos presentes en esta historia se repiten en muchas otras que relatan los comienzos de empresas u organizaciones con perfiles muy diferentes. Sin embargo, este relato también puede ser mirado desde otro ángulo. Bette Graham ocupaba un lugar en una empresa, pero cuando su creatividad se despertó y se focalizó en un objetivo, la empresa perdió una empleada. ¿Se podría haber evitado esto? ¿Se podría haber descubierto antes su potencial innovador y capitalizarlo para la empresa?

La creatividad llega a las organizaciones de la mano de personas que se animan a pensar en hacer las cosas mejor o de un modo diferente. Pero, para que fluyan los aportes, se requieren culturas y ambientes propicios y una conciencia clara sobre el valor que este don tiene en cada persona. Esta fuerza creadora está disponible para diseñar todo tipo de respuestas que satisfagan o anticipen necesidades, que permitan lograr resultados y cumplir con su misión. Allí, donde convergen dos o más personas, emerge un reservorio natural de talentos que puede o no ser aprovechado. En esta perspectiva, cada organización cuenta con un capital hecho de creatividad, ingenio, audacia, conocimiento y experiencia. Las personas son, en definitiva, las que pueden aportar originalidad y lograr la diferencia. Esta riqueza que les permite distinguirse depende, en gran medida, de la síntesis que las organizaciones, las empresas y las sociedades sean capaces de realizar a partir de los aportes, ideas e iniciativas generadas por cada uno de sus miembros.

Creatividad y emprendimientos

La creatividad humana **genera una gama inagotable de iniciativas** que mueven el mundo y dan sentido a la actividad de miles de millones de seres humanos. Se materializa en emprendimientos que abarcan desde lo micro y doméstico hasta verdaderos gigantes económicos que tienen presencia mundial.

En el mundo de los negocios, la necesidad de respuestas creativas crece con cada dificultad o nuevo requerimiento. A su vez, la sumatoria de buenos resultados permite que un emprendimiento individual se convierta, con el tiempo, en una organización. Cada producto o servicio debe guardar correspondencia con las necesidades presentes o futuras que quiere satisfacer. Como sabemos, éstas cambian todo el tiempo. Además, el producto debe ser funcional a su propósito, realizable, vendible y acorde a un presupuesto. Por otro lado, debe adaptarse al cambio en el gusto, al poder adquisitivo y a la composición y características del mercado. Su éxito depende, en algunos casos, de su practicidad. Finalmente, debe permitir recuperar la inversión y producir ganancias antes de que termine su ciclo de vida, entre otras exigencias.

El emprendedor sabe que éstos y muchos otros factores ponen en riesgo su proyecto a cada momento. Es bueno entender desde el principio que no todo marchará siempre bien y que el fracaso y las dificultades son parte del camino. Pero es esta conciencia de "límite" lo que opera, muchas veces, como disparador de la creatividad y hace que todo el potencial creativo se concentre y se canalice hacia un rumbo único. Hemos hablado ya de la fuerza de las limitaciones para despertar instintos y sentimientos que potencian la imaginación[83] y, por eso, es posible que surjan respuestas inesperadas que den buenos resultados. En la conjunción de incertidumbre, riesgo y acción, las empresas y organizaciones se convierten en escenarios donde la creatividad se despliega de múltiples maneras.

Las organizaciones y, en particular, las empresas que comercializan productos o servicios, son una compleja conjunción de seres humanos organizados a partir de visiones, objetivos, procedimientos, relaciones y propósitos diversos pero a la vez coincidentes. En su dinámica se conjugan sueños, decisiones, intentos, éxitos y fracasos. La tecnología ha encontrado en la imaginación y la fantasía herramientas valiosísimas. Ellas, a su vez, han encontrado en la tecnología un territorio para fertilizar. La organización que crece combina de manera original sus recursos para dar las respuestas que el mercado demanda. Esta originalidad constituye la base de la diferenciación. En cada actividad, la decisión que toma sobre: la concepción y armado de un negocio, la elección de los valores rectores, el diseño de una nueva estructura, la revisión de las reglas y procedimientos, la formación de equipos, la modificación de la forma de producir, vender o financiar se presenta en una secuencia que abarca desde la idea hasta su concreción e incluye un espacio esencial para la creatividad.

En las organizaciones, la creatividad ayuda a crear un mundo donde la anticipación y la imaginación diseñan nuevas reglas que modifican conductas y van gestando nuevos estilos de vida. Si uno quisiera imaginar el rumbo de las nuevas propuestas, tal vez debería mirar hacia las distintas sociedades —las ricas y las pobres, con sus potencialidades, discapacidades y futuras carencias—, y preguntarse qué necesitarían para vivir plenamente.

Los límites de lo posible se corren permanentemente y en esas situaciones se recomienda ser muy cautos con lo que se desea conseguir. "Cuídate de tus deseos, puede ser que se cumplan", nos dice, con una sonrisa, la sabiduría popular.

¿Cuándo es necesaria la creatividad?

A diario se presentan situaciones complejas que requieren de soluciones y enfoques novedosos, efectivos, desafiantes y factibles. Una manera sencilla y bastante difundida de responder a la pregunta inicial es partir de los diferentes tipos de decisiones que se toman en la organización y agruparlas según su finalidad.

---

[83] Ver capítulo 11.

Cada una tiene una dinámica particular que se relaciona con el pasado, el presente y el futuro y, por ello, demanda un abordaje creativo diferente.

Resolver problemas

La finalidad **es solucionar fallas, ineficiencias o defectos** en los productos y servicios ya existentes, en los procesos y estructuras, o en la relación e interacción entre personas pertenecientes a ámbitos tanto internos como externos, entre otros. Se trabaja en la detección de problemas. Cuando se detecta una situación o resultado que no alcanza un nivel aceptable, se trabaja para mejorarlo. El impulso arranca desde el pasado. Se aplica la energía en detectar de qué otra manera podrían hacerse las cosas para minimizar los problemas, las ineficiencias o los conflictos existentes.

Superarse o innovar

La finalidad **es alcanzar niveles más altos de rendimiento, desempeño, calidad o satisfacción. También se busca obtener resultados novedosos** que permitan a la organización diferenciarse y ampliar la brecha con relación a sus competidores. En este caso, se trabaja sobre las fortalezas para mejorar los resultados en el futuro. El objetivo consiste en mejorar o innovar sobre la base de lo que ya se está haciendo bien. Se exploran nuevos conceptos y se combinan tecnologías para alejarse de lo tradicional o conocido. Se trabaja en la anticipación de problemas o demandas, en el descubrimiento de nuevas oportunidades y/o en la búsqueda de mejores niveles de novedad y exclusividad. El impulso comienza en el presente.

Transformarse

La finalidad es **asegurarse un lugar en el futuro**. Esto puede implicar la decisión de sostener o aumentar la competitividad, superar el posicionamiento alcanzado o asegurarse el liderazgo en el tiempo. El trabajo se concentra en revisar las experiencias y el trabajo realizado y reorganizarlos en una constelación de significados nuevos, capaz de renovar las reglas de juego y proyectarse desde un nuevo escenario. La visión de lo nuevo, se articula y configura en algo distinto, en una nueva forma de ser, en nuevos formatos para la actividad o el negocio. En este caso, el impulso comienza en el futuro. Esta transformación influye en toda la organización y normalmente desafía los paradigmas vigentes. Por eso, es fundamental que el cambio surja desde el interior de la organización, donde la cultura, los valores, la estructura y las decisiones respalden el riesgo creativo.

Creatividad en los negocios

La creatividad se despierta en mundos donde
la anticipación y la imaginación tienen cabida.

En la historia de muchas empresas y de sus productos se pone de manifiesto cómo una intuición, una corazonada o la búsqueda de una solución movilizaron la curiosidad y la atención de una persona, permitiéndole captar la potencialidad de ciertos hechos o elementos. Las ideas, moldeadas por la investigación y el trabajo en grupo, han alumbrado productos, servicios o dieron a luz nuevas reglas que, con el tiempo, cambiaron conceptos y paradigmas, modificaron conductas, gestaron nuevos estilos de vida y se convirtieron en fuente de incontables ganancias.

Estas ideas son el origen de inventos y de muchas innovaciones exitosas, como es el caso del Liquid Paper, la fotocopiadora, el teflón, la penicilina, los post-it, el velcro, la luz eléctrica, la radiografía, el Ipod, Internet, la conexión wifi, las bebidas gaseosas, por mencionar algunos de los menos sofisticados y más difundidos en el mundo. También hay que decir que muchos de estos inventos no siempre tuvieron una aceptación o un éxito inmediatos sino que tuvieron que esperar a veces décadas para convertirse en innovación.

La mayoría de las historias sobre ideas que resultaron negocios exitosos registran un momento en el que se dio una conjunción de **factores** que hicieron posible que la idea original tomara vuelo y pudiera concretarse. Ellos son: la factibilidad tecnológica, la receptividad del mercado a un nuevo producto o servicio y el equipo para llevar adelante el proyecto.

La **factibilidad tecnológica** reconoce las capacidades disponibles dentro y fuera de la organización para concretar la idea.

La **receptividad del mercado** alude a la disposición del público a pobrar un producto o servicio nuevos y al momento en que la cantidad de consumidores justifica la producción. La demanda de un nuevo producto puede ser interpretada como expresión de una necesidad genuina o creada; también puede surgir como proyección de tendencias actuales y futuras. *Clayton Christensen dice: "Las firmas que orientan sus productos a las circunstancias en las que se encuentran los clientes, antes que a los clientes como tales, son las que están en mejores condiciones de lanzar productos previsiblemente más exitosos. La unidad de análisis crítica es la circunstancia, no el cliente".*

Los estudios de la demanda también pueden revelar cuáles son los nichos más permeables a la innovación dentro de cada mercado. La falta de masa crítica provoca muchas veces que buenos proyectos no puedan materializarse.

El tercer factor se refiere a las individualidades y a los **equipos** con que la empresa cuenta. En todo proceso de innovación, es tan importante la presencia de la persona creativa como contar con un equipo que sea capaz de desarrollar la idea y concretarla. Contar con un equipo competente, multidisciplinario o con capacidades complementarias que esté compenetrado con un objetivo común, facilita que las personas se entreguen al trabajo que demanda el proyecto. La pertenencia y la unidad de metas les otorgan una fortaleza adicional para superar el desánimo y la sensación de derrota cuando aparecen dificultades que aparentemente son insalvables. *Sin el apoyo de un equipo creativo, competente y leal, es posible que pueda concretar su idea en un invento, pero no en una innovación.*[84]

El concepto de trabajo en red expande, actualmente, los horizontes del equipo más allá de los límites de la organización. El intercambio de "*expertise*" y los aportes individuales y grupales a través de redes y foros virtuales permiten potenciar el conocimiento y superar muchos de los obstáculos que se presentan en el camino de la implementación.

Ciclo creativo

En el desarrollo de un negocio —así como en proyectos o emprendimientos sociales liderados por instituciones, asociaciones profesionales y ONGs—, se presenta una serie de momentos que pueden convertirse en parte de un círculo virtuoso si se aplica el potencial creativo de la organización en cada una de las etapas. Ellas comprenden:

- la aparición de la idea,
- la dedicación y aceptación del riesgo,
- la viabilidad y ejecución,
- la prueba y consolidación, y
- la decisión de cambio, renovación o reinvención.

En cada etapa, las decisiones se potencian con creatividad. Su articulación en un todo coherente supone lucidez y visión, disciplina y humildad, apertura y flexibilidad.

Toda iniciativa arranca con una **idea** que, a veces, es un esbozo, apenas un bosquejo; otras aparece nítida, pero en todos los casos mueve a la acción. La idea pide ser expresada y se convierte en el centro de nuestros pensamientos.

La **dedicación a la idea** es un requisito para que ésta despliegue toda su potencia. Esta etapa tiene dos aspectos. Por un lado, comprende el tiempo y esfuerzo que conscientemente se dedica a desarrollar la idea apostando a que funcione y, por el otro, es un espacio abierto en el que se asume el riesgo de que la idea crezca y se convierta en otra cosa o fracase. Si este concepto no está claro y sólo se apuesta al éxito,

[84] Ing. Jorge Arturo del Toro Saab, mail: torosaab@yahoo.com.mx

cualquier desvío o ausencia de resultados netos será interpretado como fracaso y se asumirá que el tiempo y los recursos invertidos en su desarrollo han sido una pérdida total. En este punto se quedan muchas de las ideas que tenemos, porque frente a la posibilidad de fracaso se prefiere simplemente no asumir el riesgo de verlas crecer.

Aceptado el riesgo, empieza el camino para darle **viabilidad** a la idea. Se le da forma y se prueba bajo qué condiciones podría funcionar. Cuando se encuentran dificultades que no se pueden resolver en forma independiente, es útil consultar a otros que saben o que tienen mayor experiencia. Aquí las opiniones se dividen, porque una buena idea puede significar mucho dinero si es exitosa y hay gente sin escrúpulos dispuesta a quedarse con ella o venderla al mejor postor. Aun corriendo este otro riesgo, vale la pena chequearla con terceros, especialmente con posibles compradores o usuarios de la idea.

La **"prueba piloto" o testeo de mercado** es otra forma de avanzar en la materialización. Consiste en poner a prueba el producto o servicio en condiciones, simuladas o reales, en las cuales tendrá que competir. Tanto las situaciones como los tiempos son acotados. Si los resultados son positivos se avanza en la concreción de la idea.

Se suceden las etapas de desarrollo y producción, y posterior llegada al mercado. Una vez que el producto o servicio ha ganado un lugar en el mercado y esta situación se prolonga en el tiempo, se llega a la etapa de **consolidación**.

Alcanzado este punto, la empresa obtiene beneficios y un posicionamiento satisfactorio. A muchas organizaciones les cuesta ir más allá. Quedan aferradas a lo que ya han logrado. Para la mayoría, resulta difícil darse cuenta en qué momento el modelo se agota y cuándo es necesario introducir cambios. El éxito suele tender trampas difíciles de superar.

Renovar y reinventarse

Renovarse y reinventarse son desafíos ineludibles para toda empresa y para toda organización que desee mantenerse competitiva y posicionada a través del tiempo. Por eso es importante recordar que, en un grupo u organización, la creatividad y su capacidad de generar resultados innovadores está disponible en todo momento.

Para cultivarla es necesario mantener vivos algunos interrogantes sobre el presente y sobre el futuro, facilitar ambientes adecuados para el intercambio y fomentar la libertad para compartir, experimentar y pulir las ideas hasta que encuentren su forma definitiva.

Fuentes de inspiración para innovaciones y negocios

Innovar depende, en gran medida, de la libertad y del potencial creativo de que se dispone. Para que dicho potencial florezca en la organización —a nivel individual o grupal—, se requieren estímulos e incentivos tanto intelectuales como sensoriales. Con ellos se fomenta la capacidad para descubrir o construir oportunidades y se estimula la pasión por imaginar futuros prometedores.

Las situaciones que movilizan, desafían o alteran un ordenamiento dado son, potencialmente, fuentes de inspiración de futuros negocios o de innovaciones.[85] Algunos ejemplos son los siguientes:

- los problemas que no pueden ser resueltos mediante los productos y servicios del presente;
- las tendencias globales que marcan potenciales cambios en la conducta de los consumidores;
- las fusiones, con la inclusión o integración forzada de personas y equipos con distinta formación técnica y de culturas diversas;
- la escasez de materias primas o equipamiento;
- los cambios en la demanda;
- la mayor o menor disponibilidad de mano de obra calificada;
- la sustitución de productos importados por otros de producción nacional;
- los reclamos y exigencias de los clientes propios y los de la competencia;
- los competidores tradicionales y los emergentes;
- la necesidad de reducir costos;
- la incorporación de nuevas tecnologías;
- el rediseño de procesos con ahorro de ciertos recursos;
- las crisis financieras;
- las crisis globales de distinto origen;
- la aparición de nuevos productos o nuevos servicios sustitutivos o complementarios.

Es decir que las organizaciones pueden innovar con mayor facilidad si poseen una cultura que se mantenga abierta y permeable al flujo creador del entorno. Cuanto más lejanos estén los límites geográficos y temporales que nos imponemos, mayor será el número de fuentes disponibles para ideas innovadoras.

[85] Lynda M. Applegate, *Jumpstarting Innovation: Using Disruption to Your Advantage*, http://hbswk.hbs.edu/item/5636.html. Sept, 2007

El aporte de la creatividad

La creatividad se vuelve más valiosa cuando la tecnología y el conocimiento tienden a estandarizarse.

Los nuevos modos de comunicación y la tecnología disponibles han establecido un dinamismo de accesibilidad e intercambio de información y saberes que dificulta sostener la "exclusividad" como atributo diferencial. En distintos países, los jóvenes profesionales ingresan a las organizaciones con una base similar de conocimientos, aplican procedimientos similares y tienen un concepto muy parecido de *"lo que viene"*. Esto impone a las organizaciones un desafío adicional: **ser originales**. Este reto conlleva la necesidad de rescatar y potenciar en cada individuo y en cada grupo de trabajo lo esencial de su capacidad de crear e innovar. Ellos son quienes pueden aportar un punto de vista o una mirada diferente.

En las empresas se presentan a diario situaciones complejas que requieren de enfoques o soluciones novedosas y eficaces. En todas ellas, la creatividad aporta **una mirada fresca sobre cada situación** y ayuda a trascender los límites de lo conocido y de lo que se cree posible. Resulta así un fenómeno multifacético que transcurre entre el mundo de lo conocido y el futuro. Se trata de una capacidad compleja que conjuga: los dones naturales, con la perspicacia; el sentido de la oportunidad y la imaginación, con la experiencia; una mirada aguda sobre las necesidades y las posibilidades, con la manera de tomar decisiones y de actuar. Las organizaciones que comprenden esto construyen y alientan culturas organizacionales con un amplio espacio para la creatividad y la innovación, extendiendo, de ese modo, sus propias fronteras.

Por ejemplo, hoy en día ya no es novedad incluir a los clientes como fuente de sugerencias e ideas. En septiembre 2009, Citroën Argentina presentó el premio Créative Techonologie, que convocó a empresas, profesionales independientes y estudiantes de diseño a imaginar un habitáculo para los autos del futuro. La convocatoria decía: *"...se espera que los participantes tengan en cuenta las diversas visiones y sensaciones que las nuevas tecnologías proponen, y las integren a una experiencia significativa tanto para el conductor, como para el pasajero"*.[86] También, la empresa Samsung organizó un novedoso concurso para los alumnos de escuelas en Perú. Se trata de la segunda edición de Expresa tu creatividad y únete a Samsung, que premiaba las propuestas de los nombres y slogans más originales, creativos y divertidos para los nuevos modelos de teléfonos móviles.

Creatividad y conocimiento se necesitan mutuamente, se potencian y se conjugan para dar forma a las propuestas. En forma metafórica, trabajar con creatividad no es sólo poner la imaginación a volar, sino también utilizar los recursos

[86] www.premiocitroen-creativetechnologie.com

y el instrumental necesarios para "sostener el vuelo" y "mantener un rumbo". Ello implica accionar creativamente sobre los conocimientos, los procedimientos y las reglas vigentes o por crearse, aceptando los límites que impone la realidad.

Para su aplicación, ayuda muchísimo conocer los pasos del proceso creativo, como lo presentamos en el capítulo 10. Es importante respetar, por ejemplo, los tiempos del proceso divergente donde toda la potencia creadora se vuelca en ideas y propuestas. Esto es vital para que la cantidad y calidad de los aportes sea constante. Luego se ingresa conscientemente en la etapa convergente donde los criterios, parámetros y condicionamientos tienen su lugar para ejercer su influencia en las decisiones a tomar. Este proceso culmina con la puesta en marcha de las decisiones que surgen del proceso.

"Hay una diferencia gigantesca entre los proyectos que imaginamos realizar o planeamos hacer y los que realmente llevamos a cabo. Es como la diferencia entre un romance fantaseado y uno en que realmente nos encontramos frente a otro ser humano con toda su complejidad. Todo el mundo lo sabe, pero inevitablemente nos sorprenden el esfuerzo y la paciencia que se requieren para la concreción de una idea. Una persona puede tener grandes dotes creativas, pero no hay creatividad a menos que las creaciones realmente tengan existencia real."[87]

La creatividad condensa un potencial individual y grupal que sostiene el entusiasmo y alumbra lo novedoso al concretar ideas imaginativas y originales. Cuando la energía creativa fluye, renueva, es transformadora, y aporta nuevas motivaciones y un gran entusiasmo por lo que se hace. En cada persona que la experimenta despierta un caudal inagotable de energía e inspiración.

¿Hay espacio para la creatividad en las organizaciones?

Hasta no hace mucho tiempo, el término "creatividad" estuvo asociado a la espontaneidad y al talento artístico, por lo cual no contó con un espacio propio dentro de las organizaciones. Afortunadamente, hoy son muchos los directivos y responsables de tomar decisiones que incluyen a la creatividad en sus discursos y propuestas. Se sabe que la creatividad se manifiesta en cada persona como una combinación de recursos mentales y emocionales que permiten aprovechar las circunstancias favorables y revertir las situaciones adversas y, de esa manera, obtener resultados originales y relevantes. ¿Qué sucede en la realidad? ¿Cuáles son los posibles obstáculos?

En las organizaciones, la calidad del trabajo que realizamos está condicionada por las expectativas y las condiciones en que se desenvuelve la actividad. El **factor tiempo** juega muchas veces como variable de ajuste. Por esta razón, todo lo que tenemos de "único" queda normalmente escondido y sin posibilidad de expresión.

---

[87] Stephen Nashmanovitch, ob. cit.

En el mundo de los negocios, las organizaciones claramente privilegian la racionalidad muy por encima de la intuición y la emoción. Por esto mismo, son contadas las veces en las cuales las tareas asignadas nos ponen al límite de nuestro potencial creativo.

Otro obstáculo que aparece en este ámbito es la autoexigencia y los miedos. Muchas veces, lo que se interpone entre nosotros y nuestra creatividad no es tanto un ambiente exterior negativo, que ciertamente influye, sino un mundo interior dominado por la autoexigencia y los miedos. En particular, por el miedo a fracasar. Aceptar que no hay certezas porque es imposible controlar todas las variables debería tranquilizar nuestra conciencia cuando tomamos decisiones. Esto no es una invitación a la irracionalidad, sino a reconocer las limitaciones de nuestra mirada, a aceptar riesgos y a animarnos a experimentar creativamente.

Fijar la dimensión de un proyecto puede aparecer como un obstáculo para el abordaje creativo. En el proceso de concretar ideas se vive una tensión entre la dimensión que puede alcanzar finalmente y el presupuesto disponible. Sin embargo, la restricción de medios económicos puede tomarse como una limitación o como un estímulo.

En el primer caso, para concretar la tarea, el creativo busca variantes eficientes e ingeniosas dentro del presupuesto establecido. La clave está en la restricción.

En el segundo caso, la restricción se convierte en estímulo. En esta situación el motor es la idea. Aquí el creativo se enfoca en generar una propuesta tan genial, audaz e impactante que, por sí misma, atraiga el interés de fuentes no tradicionales que quieran financiarla. Son dos enfoques cuyos resultados a priori aparecen como distintos. Veamos un ejemplo de la segunda opción: *A fines de 2007, un grupo de audaces artistas propusieron la realización de la V Bienal Internacional de Arte Textil en Buenos Aires, concretada en el 2009. Fueron muchos los que al principio cuestionaron cómo la financiarían. Las organizadoras creyeron en su proyecto y lo hicieron crecer mes a mes, hasta convertirlo en un programa que logró con el tiempo la entidad de "Cumbre del Arte Textil del Cono Sur". Dada la magnitud del proyecto, el interés de organismos privados y estatales fue en aumento. Todos querían ser parte, nadie quiso quedar afuera.*

Con esto queremos plantear el enorme reto a la creatividad que está implícito en el manejo del presupuesto de cualquier proyecto. Algunos llegan a convertirse en verdaderos malabaristas o magos que sacan de la manga soluciones totalmente inesperadas. Si miramos bien, en éste y otros casos que ustedes seguramente conocerán, se descubre que el espíritu innovador está dispuesto a probar formas diferentes y dar pasos inusuales, a perseverar, a poner corazón en el trabajo y a hacerlo con ganas.

El gran sueño de Walt Disney fue Disneylandia. Alguna vez, respecto de su visión, dijo lo siguiente: *"Nunca pude convencer a los financistas de que Disneylandia era un proyecto factible porque los sueños no ofrecen garantía de pago".*

Cuando la pasión y la visión trascienden el tiempo y se extienden sobre amplias geografías, mayores son los temores de inversiones fracasadas o de utopías imposibles de concretar. Cuanto más grandes son, más distantes e inalcanzables parecen y, por tanto, aumentan las posibilidades de fracaso. Sin embargo, consideramos que el mayor fracaso es no hacer nada y dejar inactivas las capacidades creativas.

¿Cómo se fomenta la creatividad en las organizaciones?

En una primera respuesta, general por cierto, diríamos que esta capacidad florece en ambientes y culturas que valoran el potencial individual y colectivo para crear la novedad, producir lo original y traspasar los límites de lo posible. En la última década son numerosos los autores que se han ocupado de responder a esta pregunta. En este caso, presentamos una versión simplificada de la contribución de Robinson y Stern,[88] a la cual le agregamos algunas consideraciones que surgen de nuestra experiencia profesional. A continuación, se señalan factores y prácticas que ayudan a construir un ambiente propicio para que las personas desplieguen su creatividad.

Alineación

Se refiere a que todas las personas tienen que entender la dirección y los objetivos que persigue la organización. Para ello, es importante que los directivos comuniquen el rumbo, propongan desafíos y compartan problemas. Esto facilita que las propuestas de sus miembros estén enfocadas en enriquecer los distintos modos de concretar los objetivos y metas fijados.

Permiso

El término "permiso" se usa a continuación en varios sentidos que resultan complementarios.

- **Permiso para crecer**. Parte del hecho de que las personas tienen sus propias inquietudes y anhelos de realización. Si la organización los admite y encauza, puede aprovechar esa energía y los resultados individuales para ampliar sus opciones y diversificar caminos que conduzcan a mejores resultados.
- **Permiso para probar y equivocarse**. Es una conducta que permite aceptar el error como aprendizaje. Es muy importante que las personas estén dispuestas a tolerar las fallas y los fracasos como materia prima de nuevos desarrollos. Hay empresas que reconocen que un "mal resultado" es parte del proceso de innovación y disponen de presupuestos independientes para experimentación o de estructuras donde se protegen las ideas hasta que éstas alcanzan un cierto nivel de desarrollo.

---

[88] Alan G. Robinson y Sam Stern, *Creatividad Empresarial*, Prentice Hall Hispanoamericana, México, 2000.

- **Permiso para aprovechar el azar o lo inesperado**, como fuente de aprendizaje e inspiración. Es lo que muchos llaman "*Serendipity*" o accidentes afortunados. Las condiciones básicas son la amplitud de mirada para percibir circunstancias o hechos fortuitos y la flexibilidad para convertir inconvenientes en oportunidades. Los accidentes o hechos inesperados nos desvían de la dirección original, pero gracias a ellos se pueden descubrir ideas con potencial para convertirse en un invento o innovación. Sin ese obstáculo inesperado, jamás se habrían descubierto. Por eso, hoy se los valora y reconoce como una fuente de ideas cada vez más apreciada.

Espacios

Incluye el espacio físico para la tarea y el espacio para el intercambio de ideas y experiencias. El color, la amplitud, la diversidad de estímulos visuales y auditivos suman energía y diversidad, lo que estimula la aparición de ideas. Allí donde se desempeña la tarea, es importante contar con lugares para encontrarse e intercambiar ideas libremente.

Para que este espacio sea aprovechado, se requiere, que exista efectivamente, un tiempo destinado a la creación y que la organización acepte lo que esto implica en términos de tiempo y dedicación. La existencia de un espacio de libertad interior permite pensar diferente pero también disentir. Esta libertad interna es necesaria para divagar hasta el absurdo y desviarse del camino trazado siguiendo quizá un impulso o los dictados de la intuición. Ella es la que abre las puertas de la originalidad, la que le regala alas a la mente para volar más allá de lo convencional. Las limitaciones se evalúan y se atienden después. En sentido amplio, el término espacio también se refiere a la necesidad de contar con las reglas de juego que aprueben la disponibilidad de tiempo y de recursos, y a la existencia de una cultura que valore la actividad creativa como apoyo al crecimiento de la organización.

Diversidad de estímulos

Se vincula con la necesidad de libertad interior y se refiere a la tarea de alentar a los miembros de la organización a ensanchar el marco conceptual y el universo de ideas posibles. Para ello se deben brindar oportunidades para que las personas puedan exponerse a situaciones nuevas y compartir descubrimientos y novedades. En este sentido, la capacitación es posiblemente el recurso más conocido. Hay muchos otros, como la rotación de tareas, los "sabáticos", los viajes, las convenciones, las simulaciones, etc., que también hacen su aporte para flexibilizar y enriquecer la capacidad creativa.

Algo más cotidiano y bastante utilizado es fomentar la integración de equipos con personas que tengan perspectivas y formación diferente y complementaria, o compartir tareas inusuales fuera del ámbito laboral. Hoy las iniciativas de

RSE (Responsabilidad Social Empresaria) pueden ser una fuente de nuevas ideas. Un mayor aprovechamiento de estos estímulos se da cuando las personas están capacitadas en técnicas creativas.

Comunicación

Consiste en brindar oportunidad y apoyo para que la gente se conozca e intercambie sus ideas, conocimientos y experiencia. Esto también se vincula a la forma en que se distribuye y circula la información. Muchas veces, por falta de canales apropiados, las ideas innovadoras se comparten sólo en el ámbito familiar. Allí se quedan y, lamentablemente, se pierden.

La suma de creatividades genera un clima positivo que refuerza la convicción de que es posible articular los aportes de cada uno. Esto no sólo enriquece a las propuestas sino que fomenta el respeto por el conocimiento y la experiencia de los miembros de la organización. Las experiencias exitosas de instalación de la creatividad en las organizaciones, con DuPont, Disney o Motorola como casos paradigmáticos, agregan a la importancia de contar con un ambiente propicio para su desarrollo, tres acciones que resultaron decisivas para su afianzamiento:

- entrenar en las técnicas de creatividad y en la forma de aplicarlas en el desempeño de sus tareas y funciones específicas;
- contar con "campeones" que motoricen las nuevas ideas,
- premiar los esfuerzos creativos y no sólo los resultados.

A estos les sumamos otros que, en nuestra experiencia, están presentes cuando se trata de una organización creativa. Ellos son: el **debate** abierto y apasionado de las ideas, la **tolerancia** a la incertidumbre y al fracaso, la **confianza** ilimitada en el potencial creativo de su gente y una **disposición** a financiar ideas aun cuando no se pueda probar su éxito. La diversidad de realidades que se da a lo largo y ancho del mundo de las organizaciones hace que estos conceptos tengan un valor indicativo.

Los procesos de transformación profundos llevan tiempo porque implican cambios en las actitudes y en la forma de pensar, ver y abordar la realidad. En la transición se pueden aplicar prácticas sencillas que facilitan su paulatina adopción. Se trata de técnicas y conceptos que fomentan la aparición de ideas innovadoras y la adopción de formas de trabajo más eficientes. Cada nuevo logro alcanzado mejora las posibilidades de un cambio cultural.

Trabas para su adopción

Para quienes facilitamos los procesos creativos, es imposible no preguntarse: *"Si la creatividad trae tantos beneficios,* ***¿por qué esta práctica no termina***

de arraigarse en las empresas?, ¿qué traba la adopción de una cultura abierta a la creatividad y la innovación?".

Lo que se destaca en la argumentación es que las prácticas creativas no alcanzan los resultados esperados cuando están mal presentadas, no tienen continuidad o la dirección de la empresa no acompaña. Lo que exponemos a continuación son algunos de estos puntos, pero ligados a conductas o tipo de decisiones que perjudican la credibilidad sobre su utilidad. Esta selección surge de los reiterados diálogos que hemos tenido sobre el tema.

a) **Duración y formato**. Es muy difícil obtener resultados duraderos si no se le dedica el tiempo suficiente. El proceso de creación, como el de aprendizaje, requiere de la actividad de áreas específicas del cerebro y la vinculación de redes neuronales que tienen información afín o distinta que deben fijar. Estas, a su vez, necesitan de tiempo y de condiciones apropiadas para relacionarse y fortalecer las conexiones. Por otra parte, muchas de las actividades, por su formato lúdico, pueden ser consideradas triviales o de bajo impacto. Este enfoque desconoce la riqueza del juego como facilitador del aprendizaje.

b) **Falta de continuidad**. Atravesar una experiencia movilizadora, incluso de aquellas que logran resultados concretos, no alcanza para volverse creativo. Contratar un seminario por año puede lograr un cierto impacto, pero no la transformación de un modo de pensar. La continuidad y el acompañamiento dan solidez a las experiencias, y permiten hacer propios los conceptos y familiarizarse con la práctica aprovechando toda su potencialidad.

c) Se identifica creatividad con la práctica de una técnica. Esta confusión hace que quien encuentra dificultades para utilizar la técnica propuesta, termine perdiendo confianza en su propio potencial. Un ejemplo típico es la confusión entre creatividad y brainstorming, o entre creatividad e improvisación. Si uno trabaja exclusivamente con una técnica, puede inducir a pensar a los practicantes que es la única fuente de todo proceso creativo. También pierde fuerza y efectividad el proceso creativo que no logra conectar la imaginación o la fantasía con el conocimiento y la experiencia que demanda la tarea que se realiza. Esta vinculación es clave para obtener resultados de calidad.

d) **Limitar las fuentes internas de la creatividad**. Otro enfoque que conspira contra la efectividad es pensar que se van a alcanzar altos niveles de originalidad apelando individualmente a uno solo de los recursos interiores. Se espera que la intuición, la imaginación o la percepción por sí solas provean todas las respuestas. La clave está en utilizar variedad de herramientas y dar el tiempo para convocar conscientemente a todos los recursos para que trabajen en conjunto.

e) **Temas ambientales y de cultura organizacional**. En muchas oportunidades sucede que, cuando se regresa de una capacitación, las nuevas ideas no encuentran espacio para crecer. Los empleados no hallan un interlocutor dispuesto a escuchar, o bien, aun cuando se los escuche, no está previsto un mecanismo que recoja estas nuevas ideas y evalúe su potencial y factibilidad.

f) **Sistemas de comunicación y participación**. Como ya hemos expresado, la creatividad requiere de estímulos para activarse. En el ámbito laboral existen dos elementos fuertemente motivadores más allá de lo económico: los desafíos y las oportunidades. Son muchas las organizaciones cuya dirección se resiste a compartir la situación global y las verdaderas dificultades o retos que enfrenta; en muchas otras falta delegación y "empoderamiento" (*empowerment*) de la gente como para que se sientan parte de la organización y quieran aportar a su crecimiento. En estas condiciones un curso de creatividad no puede cambiar profundamente las cosas.

La experiencia nos ha enseñado que en todas las organizaciones, sea cual fuere su tamaño, las ideas surgen a borbotones cuando está clara la dirección y el lugar que tienen los aportes de cada uno y cuando se logra establecer un vínculo de confianza entre los empleados y la empresa. Empresas grandes como HP o Unilever han desarrollado y aplican sistemas de estímulos a la producción de nuevas ideas que fomentan el crecimiento profesional. Asimismo, el diseño de nuevas estrategias para inspirar, liderar y volver más creativos a los empleados agregan señales positivas de que la creatividad gana terreno.

g) **Expectativas no cumplidas**. Las expectativas actúan como parámetro subjetivo para evaluar las actividades. A veces estas expectativas no son realistas y, sin razón alguna o por preconceptos, se esperan cambios o resultados inmediatos, casi mágicos. Otras veces se generan **falsas expectativas** porque se ofrecen actividades que entretienen y energizan pero no movilizan la creatividad estrictamente hablando, o los contenidos no tienen aplicación a la tarea. En otras ocasiones, las diferencias surgen porque el término creatividad se utiliza como un recurso de marketing: se "venden" las más diversas actividades asociadas a la creatividad, pero sus contenidos no la reflejan en los hechos. Estas conductas suelen provocar desencanto en quien contrató y frustración en los participantes.

Si en este punto se reitera la pregunta "¿hay espacio para la creatividad en las organizaciones?", por lo que vimos, su respuesta puede ser afirmativa o negativa, dependiendo del caso. Pero este aparente empate en las opciones nos parece cada vez más peligroso, porque su ausencia afecta directamente a la competitividad de las organizaciones. Como decíamos antes, el acceso al conocimiento y a las tecnologías traslada al ingenio humano el peso de lograr la continuidad y la diferenciación de las empresas. Por eso es tan importante crear espacios para que las personas puedan desplegar su potencial creativo.

Queda aún otra pregunta: aun haciendo todo bien en materia de creatividad, ¿es seguro que alcanzaremos los resultados deseados? ¿Es sólo un tema que se soluciona con un ambiente favorable o depende también del liderazgo?

Liderazgo y creatividad

Todo proceso de cambio requiere un punto de llegada, una dirección y un modo de recorrer el camino. También requiere de personas y equipos que propongan y conviertan las ideas en proyectos y los proyectos en resultados. Por eso, para que la creatividad haga su aporte, se debe promover un liderazgo que tenga una mirada abarcadora e integral de la organización, capaz de proyectarla en el largo plazo; que pueda delinear los caminos donde el potencial creativo individual, el entusiasmo y el compromiso de los equipos se encuentren con metas y desafíos; que comprenda las oportunidades que ofrece el entorno.

A esto le agregaríamos tres principios esenciales que deben estar presentes y operar como sustrato de las decisiones de quienes conducen y toman decisiones en la organización:

1. Cada persona tiene un potencial creativo que se puede descubrir y desarrollar.

¿Lo creemos profundamente? ¿Entendemos las diferencias de enfoque, de perspectiva, de *expertise* como fuente de nuevas ideas? ¿Creemos que el otro tiene una combinación de talentos, intuición, pasión e imaginación que puede cambiar desde lo pequeño y cotidiano hasta el sistema o el modelo en el que se está operando? ¿Podemos enfrentarnos con personas sin compararnos? ¿Deseamos crear un escenario donde cada uno tenga la posibilidad de brillar?

La creatividad anima al pensamiento y provoca entusiasmo por encima de lo habitual, lo distancia de lo acostumbrado. Y es este entusiasmo el que hace que el pensamiento produzca cada vez más. La creatividad cruza los límites de lo aceptable y se acerca a lo absurdo sin temor al ridículo. Alienta al espíritu y convoca emociones y sentimientos, que alimentan las conexiones remotas y amplían la mirada sobre la realidad.

2. La creatividad se despliega con mayor facilidad cuando hay un interrogante que responder.

Con frecuencia las organizaciones llaman a la participación, realizando pedidos sinceros de colaboración. ¿Por qué no funcionan?

Nuestra experiencia señala que no funcionan porque las personas necesitan encontrar puntos de anclaje para poder conectar presente y futuro. Por lo general, las organizaciones se presentan como lugares deseables, pero tan herméticos, que es complicado entender cómo se puede contribuir a su crecimiento. Es muy difícil distinguir cuáles son esas tareas o problemas que requieren de un nuevo abordaje, porque aparentemente todo anda bien y no hay espacio para analizar si habría otra manera de encararlo.

El espacio de la creatividad tiene que hacerse evidente hasta el punto en que cada persona que tenga algo para aportar se sienta tentada a sumar su contribución.

3. Hay técnicas probadas que permiten desarrollar el potencial creativo.
La creatividad existe desde que existe el hombre. Su capacidad de descubrir, inventar o combinar ideas y elementos le permitieron simplificar tareas y crear otras nuevas; dar a luz nuevas creaciones; transformar el entorno; encontrar nuevos usos y aplicaciones para lo conocido; fijar nuevas reglas; y establecer formas nuevas y dinámicas de vivir la propia vida en sociedad. La observación y sistematización de éstas y muchas otras conductas han permitido a los estudiosos desarrollar un cuerpo de conocimientos, metodologías y técnicas que promueven el uso de la creatividad o de alguno de sus componentes.

Hay centenares de técnicas probadas con nombre propio y muchas otras que surgen de la combinación de dos o más. Con ellas se pueden enfrentar diversas situaciones que requieran **solucionar problemas o situaciones, descubrir alternativas, hacer las cosas mejor, generar ideas novedosas o sacar partido de las diferencias**, entre otras.

Usualmente se las agrupa en técnicas que:

- permiten cambiar los modelos mentales,
- facilitan la generación de ideas,
- promueven la ampliación o el cambio de mirada,
- permiten sumar creatividades y
- estimulan el reconocimiento del propio potencial.

El ejercicio de la capacidad creativa enriquece el autoconocimiento y contribuye con nuevos recursos para el pensamiento y la acción.

El desafío

El interés por la creatividad es muy antiguo. Desde siempre ha intrigado cuál es la combinación de características que convierte a una persona en "creativa". Al estudio de la creatividad como fenómeno individual se le sumaron preguntas sobre su funcionamiento en los grupos y, luego, en las organizaciones. A partir de entonces, la creatividad dejó de ser considerada como una cualidad exclusiva de la persona individual para convertirse en un potencial atributo de la comunidad de personas que constituye cada organización. Allí se pueden desplegar escenarios donde explorar lo desconocido, descubrir lo que todavía no se ha visto, develar misterios o interrogantes profundos, vivir nuevas experiencias —aun con conocimiento de los riesgos que se corren al hacerlo—; o mejorar los resultados de una empresa. Frente a la suma de talentos que acoge una organización o comunidad, se requiere un liderazgo respetuoso de la capacidad creativa, individual y colectiva que posibilite el cambio y la innovación.

Estos son algunos de los desafíos que enfrenta el liderazgo:

- admitir la diversidad y crear espacios donde ella pueda cultivarse y convertirse en riqueza;

- conocer a cada persona y rodearla de los estímulos capaces de activar su habilidad para imaginar, soñar, intuir y proyectar;
- constituir grupos que tomen las ideas y diseñen el modo de concretarlas (al incluir a otros se logra ampliar las condiciones para que surjan respuestas más versátiles; la colaboración nos complementa y las creatividades se suman);
- hacerlos partícipes de los desafíos, con un lugar reservado para cada contribución;
- proveer espacios de experimentación;
- compartir la certeza de que el error y la equivocación son hechos de los que se puede y debe aprender; y, finalmente,
- transformar la creatividad en **innovación** y la innovación en **negocio**.

Al respecto, Paul Paulus[89] destaca ciertas cualidades que fomentan la creatividad grupal: capacidad de proveer un ambiente de confianza, algún grado de estructuración en la tarea, capacidad para minimizar los conflictos sociales y habilidad para manejar de un modo efectivo los conflictos cognitivos. El otro elemento novedoso que aporta es la necesidad de que los grupos desarrollen un tipo de liderazgo compartido por el cual se hacen responsables de su propio y efectivo funcionamiento.

Impulso creador

Arriesgar hasta la equivocación,
perseverar hasta el acierto.

Lo que alimenta más profundamente el impulso creador es el deseo de trascender, de plasmar las propias ideas, de transformar la realidad, de satisfacer necesidades, de dejar huella, de hacer camino. Estos deseos alimentan una rueda creativa que gira desde que el hombre vive en sociedad.

Un excelente ejemplo es la sigiuente historia protagonizada por un grupo de profesionales españoles, contada por uno de sus protagonistas.[90] En Iniciativa Joven, una organización española de Extremadura que apoya el desarrollo de emprendedores, organizaron una reunión entre inversores y futuros empresarios. *"El grupo aún no era conocido y decidieron sorprender. Enviaron junto con la invitación una bolsa de fideos (pasta=dinero) como regalo. La pasta era de dos colores: verde, representando el dinero, y naranja, representando las ideas (una metáfora de cocina que los destinatarios entendieron muy bien porque, como ellos dicen, con buenos in-*

[89] "Interview with Paul Paulus" (creador del "Group Creativity"), By Graham Duncan, 2 de enero de 2010 http://www.ideaconnection.com/articles/

[90] Guillermo Varela, www.iniciativajoven.org

gredientes salen buenos proyectos)". En otra ocasión, como parte de la invitación, *"...enviaron un guante de boxeo a cada uno de los hombres y mujeres, grandes empresarios todos ellos, que aspiraban a tener como oradores. Se los invitaba para que contaran su trabajo sobre innovación. Con esta forma original de convocarlos consiguieron que todos los invitados asistieran. De otra manera, jamás hubieran podido acceder a esos conocimientos y experiencias".* La creatividad en este caso ayudó a crear sorpresa y el interés suficiente como para concurrir.

Las empresas tienen la posibilidad de generar, dentro de su propia dinámica, ambientes y momentos donde la inspiración y el intercambio de ideas tengan un lugar. La práctica de la creatividad continua tiene un rédito adicional: fomenta el entusiasmo, el compromiso y se traduce en innovación. Para lograr estos resultados deben cumplir con una condición que es básica: respetar a la persona en su particularidad, puesto que las personas tienen estilos y modos diferentes de aprender, de decidir, de contribuir y, también, de reaccionar ante los estímulos que despiertan su creatividad.

Quien reconozca este potencial y se anime a aprovecharlo tendrá en sus manos la llave para la innovación constante y la diferenciación; ambas, pilares de logros duraderos.

Capítulo 14

Ciencia y creatividad

La búsqueda del saber
Historia con brocha gorda
El camino de la ciencia

El aporte de la creatividad

Algunos obstáculos que limitan a la creatividad
Los paradigmas
El escepticismo
Los avances tecnológicos
La formación profesional
El encierro
La falta de presupuesto
La presión por resultados
La falta de reconocimiento
La conveniencia personal

Fuentes de inspiración
Ampliar la mirada
La observación e imitación de la naturaleza
La combinación de ideas
Inventos y avances tecnológicos
La interrogación
La conexión de conceptos
Las técnicas creativas
Serendipity o los accidentes afortunados
Sincronicidad
Transferencia de información o conocimiento desde otros ámbitos
Generar alternativas cuando no se logran resultados
Intercambio con colegas o profesionales

Poniendo a trabajar la creatividad

14

¿Serían posibles los descubrimientos científicos si no existiera una mirada curiosa que interroga lo existente? ¿Podría avanzar la ciencia si no contáramos con una mente imaginativa para ahondar en el futuro?

Muchas personas consideran que "ciencia" y "creatividad" son conceptos contrapuestos. Imaginan la ciencia como la consecuencia de una serie interminable de actos rutinarios cuyos resultados se aceptan o descartan con un simple "si" o "no", hasta dar con un hallazgo que cambia el rumbo de la historia. A sus protagonistas se los identifica muchas veces con personas serias y poco flexibles que viven atados a rutinas y reglas rigurosas. Sin embargo estas imágenes no parecen compatibles con la de personas cuya tarea consiste en develar los secretos del universo.

La ciencia roza permanentemente los límites del misterio y de lo desconocido, su tarea se orienta a entender lo universal y permanente. A su vez es pragmática, parte de la observación y de la búsqueda de información concreta, pertinente y creíble. Su desafío es demostrar la verdad de sus hallazgos.

Si bien el conocimiento científico es sistemático y ordenado y se encuadra en principios y paradigmas aceptados, los grandes descubrimientos fueron fruto de intuiciones y de la libertad creativa con la que los investigadores cuestionaron la validez de los mismos.

El rigor y la objetividad son claves para que el conocimiento científico se consolide y valga para todos. Del mismo modo, la creatividad es esencial para alentar cuestionamientos y señalar nuevos misterios a develar y descubrir el camino hacia ellos.

La búsqueda del saber

Algunos se pasan buscando peces gordos, otros, peces raros;
y otros se fascinan con aquellos que se escapan entre los hilos de la red.

La búsqueda del saber es uno de los motores más poderosos y significativos que movilizan la mente y activan la creatividad. Tocar los límites de nuestro conocimiento nos anima a abrir nuevos espacios para la investigación, la cual se potencia con el deseo de contribuir a la mejora de las condiciones de vida de la humanidad. La creatividad interviene en este proceso acercando las preguntas y los planteos que llevan al pensamiento a territorios aún desconocidos.

La incertidumbre forma parte de la fuerza esencial que mantiene en funcionamiento la rueda de los descubrimientos, y **la curiosidad por lo desconocido** aumenta su velocidad de giro.

El hombre de ciencia, en este sentido, es un creativo que opera en las fronteras del conocimiento. Son cientos de miles los investigadores y estudiosos de las ciencias que trabajan en el mundo animados por la pasión de saber, entender y desentrañar los misterios del universo. La distancia con ese conocimiento es lo que genera la "tensión creativa" y dispara la intuición o imaginación en la tarea cotidiana. Transitar este camino requiere una gran capacidad para **aceptar el error**, lo cual le permite al científico flexibilizar y renovar los enfoques o reinterpretar la información salvando las ataduras que impone "lo conocido".

La **libertad para formular interrogantes** está en relación directa con la amplitud de mirada y la capacidad de cada uno para animarse a cuestionar más allá de los límites de su propia razón. *"Donde se termina la certeza se despierta la creatividad"*. [91] La combinación de libertad, flexibilidad y creatividad se convierte en un motor poderoso de los avances científicos. Motivación, persistencia y actitud de cuestionamiento agregan fuerza y dinamismo a la tarea.

En su devenir, la tarea científica va en dos sentidos: ofrece respuestas a los interrogantes planteados y, al mismo tiempo, va iluminando nuevas áreas que quedan por explorar. Por un lado, hace más comprensible tanto el "pequeño universo" que somos cada uno así como el "universo inabarcable" que nos contiene. Por otro, paradójicamente, agranda la profundidad de los misterios y los límites de lo que no llegamos a conocer o a entender.

Historia con brocha gorda

Aunque no conocemos el momento exacto ni los hechos tal como sucedieron, la historia de las civilizaciones y la antropología, nos hablan de un hombre

---

[91] José Antonio Acevedo Díaz, "Modelos de relaciones entre Ciencia y Tecnología: un análisis social e histórico", en Revista Eureka. Enseñanza. Divulgación. Ciencia, 2006, pp. 198-219.

primitivo integrado al medio ambiente. Un hombre que poseía un alto desarrollo sensorial que le permitía relacionarse naturalmente con el medio y detectar las señales de peligro. A la conducta instintiva se sumaron luego la experimentación y la inventiva, lo que le permitió, con el tiempo, identificar los recursos para su supervivencia y elegir aquellos que mejoraban su vida. Los resultados se fueron transformando en aprendizaje, a la vez que crecía la curiosidad y el deseo de explicar cómo sucedían las cosas.

En cada civilización se crearon complejos sistemas de creencias que constituyeron las primeras hipótesis o intentos de explicar por qué las cosas funcionaban de un modo y no de otro. Oriente y Occidente sumaron sus hallazgos al cuerpo de conocimientos, aunque desde perspectivas diferentes. Oriente aporta una cosmogonía universalista que mantiene unidos la razón con la divinidad. En Occidente, este enfoque permanece en la sabiduría de las civilizaciones originarias, donde cada elemento de la naturaleza es sagrado. Pero lo que define su aporte es la idea de la razón autónoma y una metodología que impulsa desarrollos específicos en los distintos ámbitos del saber.

Hoy, a partir de ambas contribuciones, se puede lograr una mirada integradora sobre el universo que valida la utilización de la razón, la intuición, la imaginación, la percepción y la experimentación como caminos que, en conjunto, hacen el universo un poco más accesible para todos.

El camino de la ciencia

La necesidad, dicen, es la madre de los problemas;
y los problemas, el padre de los inventos.

Progresivamente se fue despertando en el hombre primitivo la conciencia de su capacidad para sortear obstáculos, resolver situaciones y obtener los resultados deseados. La identificación de plantas curativas, la creación de refugios, la búsqueda y producción de alimentos; luego, el fuego, las primeras armas y los utensilios fabricados, resultaron expresión de actos intencionales y de su capacidad de descubrir utilidad en ciertos elementos y adaptarlos para servirse de ellos. En este proceso de búsqueda, el hombre descubre algo sobre la relación "causa-efecto" y advierte ciertas regularidades en los comportamientos de algunos elementos de la naturaleza y del mundo que habita.

Con el paso del tiempo, diversas actividades aplicadas sobre la naturaleza —la observación, la descripción y la sistematización de conocimientos sobre algunos fenómenos naturales y el hecho de poder replicarlos de diferentes modos en fórmulas matemáticas o mediante experimentos físicos— dieron sustento a la creencia de que era posible explicar el universo. Esta creencia y los métodos utilizados permanecen en los fundamentos del trabajo científico. En la antigüedad, filosofía, religión, arte y ciencia crecieron en general integradas en un mismo cuerpo del saber. Durante el medioevo, los descubrimientos científicos fortalecieron enfoques que profundizan la independencia entre ciencia, arte, filosofía y espiritualidad. Como todo cambio, da lugar tanto a hechos positivos como negativos.

La ciencia en Occidente avanza de la mano de la creencia de que la sola razón bastaría para develar los misterios del universo. Esta forma de pensar le proporciona un enorme impulso a la investigación. Al aislar cada objeto de estudio, se fortalece el concepto de especialización por ramas del saber. Otra consecuencia posible es que el predominio de la razón deja sin un lugar al conocimiento que llega desde la intuición o la inspiración, con lo cual la creatividad pierde espacio y reconocimiento. Abandonar una concepción integral del universo, por otra parte, ha conducido a cometer excesos que ponen en peligro la vida de las personas y del planeta. El reto de reunificar saberes es una tarea monumental que nos excede, pero tal vez podamos colaborar para comprender mejor la relación de unidad que guardan la ciencia y la creatividad.

Se cuenta que una vez,[92] un científico, preocupado con los problemas del mundo, pasaba días enteros en su laboratorio en busca de respuestas, olvidándose muchas veces de comer o de dormir. *Cierto día, su hijo de seis años invadió su santuario decidido a ayudarlo a trabajar. El científico, para evitar ser interrumpido, le inventó una tarea. Encontró una revista con un mapa del mundo. ¡Justo lo que precisaba! Desprendió el mapa, con una tijera lo cortó en pedazos pequeños y junto con un rollo de cinta adhesiva se lo entregó a su hijo diciendo: "Como te gustan los rompecabezas, te voy a dar el mundo todo roto para que lo vuelvas a armar".*

Al cabo de una hora y media el niño le anunció triunfante que había terminado. ¿Cómo era posible? ¿Cómo, sin conocimientos previos, había sido capaz de completar la tarea y en tan poco tiempo?

Desconfiado, levantó la vista y, para su sorpresa, el mapa estaba completo. Todos los pedazos habían sido colocados prolijamente en su lugar. Asombrado le dijo: "Pero, hijo, si no sabías cómo era el mundo, ¿cómo lograste componerlo?".

"Papá, yo no sabía cómo era el mundo, pero antes de que lo cortaras vi que del otro lado había un hombre. Cuando conseguí arreglar al hombre, di vuelta la hoja y vi que había arreglado al mundo."

Esta pequeña historia de la hoja como unidad, con su revés y derecho, puede ser usada como una metáfora para reforzar el concepto de unidad entre lo "científico" y lo "creativo" a fin de que sean considerados como dos formas complementarias de recorrer el camino del saber.

---

[92] Versión elaborada sobre un texto de autor desconocido.

El aporte de la creatividad

La creatividad se hace visible cuando aparecen nuevas ideas, nuevas conexiones, cambios de enfoque; cuando se descubren nuevos caminos. En todo proceso de aproximación a un nuevo saber hay un juego dinámico entre intuición y conocimiento, dudas y certezas, pasado y futuro que alimenta la aparición de nuevas ideas. Éstas pueden nacer de la observación, de la deducción y de la intuición. Cada una crece animada por una combinación de experiencias, imaginación, conocimientos, información aleatoria, fantasía, supuestos, inventiva y mucho más.

"¿Qué pasaría si...?" "¿Y si probamos con esta fórmula o de esta otra manera?" "¿Y si le damos un poco más de tiempo?" El uso de éstos y otros interrogantes dinamizan el juego de aproximación al saber e impulsan el trabajo científico, que no siempre tiene un objetivo específico. Muchas veces se logran resultados, un nuevo concepto o contribuciones significativas, pero resulta difícil predecir en el momento la importancia o la trascendencia que tendrá en el futuro. Esto sucedió con las investigaciones del Dr. Luis Pasteur, que permitieron elaborar una vacuna para curar la rabia y, después de muchos años, sus hallazgos sirvieron para resolver algunos problemas de la industria alimenticia. Lo mismo puede decirse de los estudios y descubrimientos de Thomas Alva Edison sobre los fenómenos electromagnéticos que posibilitaron, años después, el uso doméstico de la electricidad.

Cada hallazgo, cada pequeño eslabón que se agrega al libro del conocimiento, tiene un extremo abierto, una pregunta que estimula la aparición de una nueva búsqueda y de nuevas conexiones. Por esta dinámica, el conocimiento es acumulativo, de modo que es posible articular aportes a través del tiempo hasta que un día se juntan en una teoría que les da su pleno sentido. En la ciencia, la creatividad es un elemento fundamental y está presente a lo largo del proceso de investigación y construcción de nuevos conocimientos. Si bien el trabajo científico exige que el conocimiento sea verificable y se basa en la experimentación rigurosa, para ello tiene que hacer supuestos —a veces muy audaces— o imaginar las piezas faltantes. Otras veces, debe dejar volar la imaginación hasta descubrir el contexto ideal donde los nuevos conceptos puedan funcionar. Incluye, asimismo, suplir y convivir con las limitaciones que imponen las tecnologías existentes. Cuanto más ejercitada está la creatividad, más posibilidades aparecen.

Las ciencias básicas admiten un orden natural y buscan desentrañar sus reglas y su funcionamiento; por eso se habla de descubrimientos. Éste es un camino que se recorre por pasos que van desde la formulación y documentación de un fenómeno hasta la validación de una teoría. No siempre es un camino lineal. A veces se comienza tratando de entender algún fenómeno, pero otras se puede empezar simplemente observando. En cada descubrimiento, la observación y el registro juegan un papel fundamental en la detección y formulación de nuevos conceptos.

Un excelente ejemplo es el del científico holandés Anton van Leeuwenhoek,[93] que tenía el hobby de pulir lentes diminutas pero perfectas. *Pasaba horas observando con ellas los más diversos objetos: insectos, gotas de agua, raspaduras de dientes, piel, semillas, etc. Todavía como alumno de escuela y con la ayuda de una de sus lentes, pudo ver en una gota de agua unos animales pequeñísimos que nacían, se alimentaban y morían: había descubierto a las bacterias.* Su descubrimiento fue clave para el desarrollo posterior de la medicina moderna. Por eso, la observación no es un acto pasivo —como muchos podrían pensar—, sino que al despertar la intuición puede percibir y anticipar un nuevo planteo.

La intuición es un momento de iluminación donde se alcanza un estado de certeza que marca el punto de llegada. Se manifiesta en el instante en que se percibe que se ha encontrado la punta del ovillo o la solución del problema. Sin embargo, la mayoría de las veces no dice nada acerca de la forma de alcanzarla. Gauss[94] decía en una oportunidad: *"Logré el resultado, pero no sé cómo probarlo"*. En ciencia, el conocimiento que nace de la intuición trae aparejado el desafío y la responsabilidad de **verificarlo**.

En la construcción de este camino, el científico **establece supuestos** o condiciones que hacen posible aislar ciertos elementos y estudiar su comportamiento. Estos supuestos, además, abren un espacio para las incógnitas y permiten introducir datos no verificables para completar la interpretación de una situación dada. En estos esbozos de respuesta, se combinan conocimiento, corazonada e intuición para dar a luz nuevas conexiones y explicaciones que, a su vez, conducen a la formulación de una hipótesis. **A partir de las hipótesis**, los científicos desarrollan modelos y experimentos para validarlas, o sea, para probar lo que ellas describen.

El **proceso de validación** de una teoría —al igual que el perfeccionamiento de un producto— conlleva un gran esfuerzo de recopilación de información y de prueba y error que a veces dura años. Einstein, por ejemplo, trabajó una idea completamente original, "la relatividad". Cuando la dio a conocer no había elaborado, todavía, la compleja formulación matemática que le dio sustento. La comprobación de su teoría llegó muchos años después de ser enunciada.

Fijar las condiciones de un experimento también requiere una capacidad para imaginar todo el proceso funcionando y anticipar las consecuencias esperadas. Todo experimento debe cumplir por lo menos con una condición: debe ser posible obtener los mismos resultados en iguales circunstancias. El diseño del experimento es clave para que esto suceda. *Cuando Thomas Alva Edison aceptó el desafío de crear una lámpara de luz incandescente, tenía en claro el principio de que "los cables eléctricos se calientan al pasar corriente". La cuestión era cómo probarlo. Unos treinta inventores durante*

93 http://redcreativa.path-leadership.org/ideasCreativas2.html

94 Carl Friedrich Gauss, matemático y astrónomo alemán. 1777-1855.

75 años lo intentaron y fracasaron. La teoría era clara, pero nadie sabía cómo superar las dificultades prácticas. La pregunta que entonces no se podía contestar era si sería posible calentar un hililllo hasta la incandescencia y producir luz continuamente". Edison realizó cientos de experimentos entre los cuales descartó el platino como elemento conductor. Finalmente, el 21 de octubre de 1879, montó un hilo de algodón carbonizado en una bombilla que brilló ininterrumpidamente durante cuarenta horas.[95] ¡Lo había logrado!

Lograr el resultado esperado forma parte del proceso de validación de la hipótesis. Cumplido el paso de la verificación, es posible elaborar una **explicación científica** que puede dar lugar a una nueva teoría o a un nuevo avance científico.

Cuando las ideas se trabajan y validan por el método científico se convierten en un cuerpo de conocimientos verificables, que permiten explicar y predecir ciertos fenómenos. Pero la forma de recorrerlo requiere de creatividad. Así lo testimonia Alfredo Boselli[96] cuando nos dice: *"La creatividad es un elemento fundamental para la tarea porque tiene que ver especialmente con tratar de resolver, con menos elementos, situaciones nuevas sobre las que no se tienen (o sólo parcialmente) conocimientos previos. En general, es un don apreciado por los equipos de investigadores experimentales porque les permite salir a flote en situaciones de incertidumbre donde no se encuentra el camino o los resultados que se obtienen no coinciden con la literatura publicada en el tema".*

El camino de la ciencia se ensancha con los distintos descubrimientos y con los resultados, en los cuales intervienen el conocimiento y la creatividad, tanto como el azar. En esta dinámica pueden darse nuevos hallazgos que validen lo "conocido", modifiquen el paradigma vigente o desechen teorías hasta ese momento inamovibles. Un ejemplo paradigmático es el de la teoría que sostenía que el sol giraba alrededor de la tierra. Admitir que esto puede suceder obliga a mantenerse flexibles para mirar de otro modo y desde otro lugar cuando las circunstancias lo requieren.

Algunos obstáculos que limitan la creatividad

A veces imagino que día y noche, la ciencia juega a las escondidas con el universo y que a ella le toca siempre contar y encontrarlo.

En la construcción del conocimiento científico, pueden hallarse diferentes obstáculos que afectan los procesos creativos y, por tanto, los resultados. En general los podemos reconocer fácilmente porque son similares a los que enfrenta cualquiera de nosotros en su tarea cotidiana o profesional. Veamos algunos de ellos.

---

95 http://redcreativa.path-leadership.org/taEdison.html

96 Alfredo Boselli, doctor en Física, investigador en el área de la Ciencia de los Materiales. Gerente de Desarrollo Tecnológico y Proyectos Especiales, en la Comisión Nacional de Energía Atómica.

Los paradigmas

Los paradigmas sintetizan un conjunto de conocimientos y creencias aceptados por una comunidad —científica, en este caso— que se expresan en un conjunto de prácticas que definen el marco y el enfoque de cada disciplina. Su existencia fortalece el desarrollo de la ciencia, pero también la puede limitar. Ellos indican qué observar y escrutar; qué y cómo preguntar en ese campo específico; y condicionan la manera en que se percibe la realidad, el uso y el destino de la información. No le resulta fácil al hombre de ciencia ni al hombre común cambiar el conocimiento que ha aceptado por años y que tiene arraigado en su mente. El cambio de paradigmas plantea un claro desafío a la flexibilidad para aceptar lo nuevo o diferente.

El escepticismo

El trabajo científico se enfrenta, en muchos casos, con el escepticismo, que es una forma de desconfianza frente a lo nuevo. En este caso, puede tomar dos formas opuestas. Por un lado identificamos un escepticismo que anula la novedad. Es el que se encierra en los límites de lo conocido. Desde un principio rotula todo hallazgo de inútil o inexistente, con lo cual se cierran las opciones para seguir avanzando. Un ejemplo es la respuesta que Edison recibe de los miembros de la Sociedad Científica Francesa, cuando presentó su fonógrafo. El presidente dijo que sólo se trataba de *"una forma inteligente de usar el ventrilocuismo"*.

Pero también el escepticismo puede ser positivo cuando reclama pruebas, pero mantiene abierta la posibilidad de que realmente funcione la idea. En 1895, Wilhelm Roentgen anunció que había descubierto una nueva forma de energía que podía atravesar el cuerpo sin dañarlo y fotografiar los huesos: los rayos X. Cuando presentó la idea a sus colegas, se le pidió que probara que no era una simple ilusión. Sin duda, esta actitud marca un camino más fecundo.

Los avances tecnológicos

Estos han jugado siempre un papel muy importante en el crecimiento del conocimiento científico, pero también pueden detenerlo. En las fases de experimentación —mediciones, registro o reproducción de ciertas condiciones o fenómenos— se requieren tecnologías o instrumental que a veces no están disponibles. Su ausencia puede retrasar un descubrimiento o un desarrollo muchos años hasta tanto se disponga de ellos. En el avance de la conquista del espacio se tuvo que esperar muchos años hasta que se descubrieron materiales resistentes a presiones y temperaturas que posibilitaran entrar y salir de la atmósfera. Hoy en día, la aceleración del proceso de renovación tecnológica enciende una luz de esperanza.

La formación profesional

El enfoque de cada disciplina, el cuerpo de conocimientos, las herramientas y las metodologías aprendidas condicionan la percepción, el abordaje y la forma de razonar la información. La siguiente frase popular expresa esta misma idea en forma irónica: *"Para el hombre que sólo tiene un martillo, todo tornillo es un clavo"*. Veamos en un hecho verídico la manera en que se refleja este condicionamiento. *Una señora tenía un problema en los ojos por lo cual realizó varias consultas. El primer profesional que visitó estaba investigando la supuesta dolencia que padecía (ojos secos). Este médico le mandó hacerse una serie de estudios de gran sofisticación. Luego vio otros oftalmólogos, sin especialidad aparente, que le recomendaron diversos tipos de gotas. Cuando finalmente consultó a un cirujano, ¿qué creen que pasó? Éste le recomendó que se operara.*

Como en cualquier otra profesión, tanto el investigador como el estudioso pueden quedar atrapados por un enfoque o por el conjunto de técnicas que dominan y no ser capaces, por tanto, de salir de los límites que estos les imponen. Lo recomendable sería ser conscientes de esta limitación y estar abiertos a otras perspectivas.

El encierro

Hablamos de encierro cuando el universo de posibilidades del investigador se circunscribe a lo conocido, a su matriz de conocimientos y se sintetiza en la creencia de que lo que hacen él y sus pares en su medio representa la única forma válida de proceder. Esta conducta tiende a la repetición y ahoga normalmente todo intento de ver más allá. Mirar fuera del pequeño mundo y ver cómo trabajan otras personas, cómo piensan, cómo hacen las cosas, permite descubrir que existen enfoques o abordajes diferentes que no necesariamente son mejores ni peores, sino distintos. De esta manera, se abre la posibilidad de tomar otras avenidas de enriquecer el propio camino o de inventar nuevas maneras de recorrerlo.

La falta de presupuesto

La tarea de investigación es costosa y requiere financiación que, en muchos casos, no tiene ningún tipo de retorno. Investigar es caro, pero hacer excesivo hincapié en la disponibilidad de fondos puede prematuramente reducir las opciones de lo que creemos factible. Visto así, puede ser un argumento que mata de antemano cualquier innovación.

Un camino puede ser la asociación con universidades o empresas para que provean los fondos. La contrapartida de ello es que quien financia la investigación pone, por lo general, las condiciones y define los resultados que desea obtener, aunque no siempre éstos coinciden con la idea original. Lamentablemente, por esta razón, proyectos prometedores se han dejado de ejecutar. Otros más abiertos recurren a la sociedad para la obtención de apoyos que les permitan continuar su tarea de investigación. Queda la pregunta abierta sobre cómo se podría subsanar esta situación. Sin duda, no hay una única respuesta.

La presión por resultados

Las restricciones presupuestarias, los avances logrados por la competencia y los cambios políticos dentro o fuera de la organización son causales, muchas veces, de decisiones que pueden afectar el proceso creativo.

La presión por resultados puede actuar como motivador y dinamizador del ritmo de la ejecución o como un elemento paralizante que resta motivación. En este caso, su sentido negativo surge de un mal manejo del tiempo: cuando no se respetan los procesos naturales o se violentan reglas o procedimientos. También puede afectar a las personas involucradas o a su interrelación. Este tipo de presión negativa tiende a bloquear la capacidad de respuesta y no permite obtener los resultados deseados.

La falta de reconocimiento

Éste es otro elemento que vuelve a las personas pasivas y desinteresadas. Resulta común que esta ausencia alimente el conformismo y silencie la creatividad. Está claro que no tiene sentido premiar un proceso sin resultados, esto no le sirve a la organización ni al equipo. Pero no dar señales de aliento o satisfacción frente a los esfuerzos realizados —o aun frente a avances limitados— puede desalentar seriamente el compromiso con la tarea.

La conveniencia personal

Muchas veces, el investigador se convierte en juez y parte, y apoya sólo la realización de aquellos proyectos que tienen rédito personal, profesional o monetario. En estos casos, el ego es el obstáculo. Pensar exclusivamente en la conveniencia personal restringe los objetivos y puede coartar el uso de sus propios talentos. Poder despegarse de esta mirada segmentada ofrece la oportunidad de probarse y aportar un conocimiento de mayor trascendencia, válido y útil para la ciencia y para la vida.

Obstáculos como los mencionados se debilitan cuando se los enfrenta con una actitud abierta y creativa. Recorrer el camino de los descubrimientos implica aceptar riesgos, lo inesperado y la posibilidad de cambio.

Fuentes de inspiración

La ciencia es como una inmensa red de pescadores; requiere gente entrenada para lanzarla y recogerla, y muchos para sostenerla.

¿De qué elementos podemos valernos para mantener vivos la energía y el entusiasmo por crear como si fuera el primer día? ¿Qué podemos hacer para mantenernos alerta a la novedad y dispuestos a perseverar?

Para responder a estas preguntas presentamos distintos actitudes, conductas, hechos o situaciones, a los que se les reconoce la capacidad de estimular actos creativos. Cada una de estas posibles "fuentes de inspiración" estimula la generación de ideas, y su combinación predispone para lograr nuevas creaciones. No se aplican exclusivamente a la tarea científica —aunque los ejemplos se refieren a ella—, sino que son funcionales a toda forma de hacer o de actuar. Sirven también para renovar el pensamiento y el entusiasmo por la tarea. Veamos algunas de ellas.

Ampliar la mirada

Una mirada amplia puede ser fuente de nuevos hallazgos y conexiones creativas. Ella propone: incluir otros puntos de vista que pueden o no pertenecer al campo científico, estar dispuesto a modificar las propias convicciones o a rever si se está contemplando todo el conocimiento disponible sobre el tema.

En la industria aeronáutica, lograr mayor velocidad fue siempre un tema clave en el desarrollo técnico de los aviones. Sobre esta inquietud el ingeniero Del Toro nos cuenta en una charla: *"Se intentó mejorarlos tanto en la propulsión como en su forma aerodinámica. En ese sentido, los diseños fueron cambiando la forma y posición de las alas, la forma de la trompa y de la cola. La búsqueda de solución estaba enfocada en el medio 'aire' y, por tanto, las aves eran el foco de observación y estudio. Cuando se amplió la mirada hacia el agua, que también es un fluido, encontraron en la piel de los tiburones nueva inspiración. El tipo de piel les permite nadar con mucha velocidad gracias a su forma tan peculiar. Se trabaja desde hace unos años para aprovechar tecnológicamente estas ventajas que aumentarán la velocidad de desplazamiento del avión.*

Este ejemplo se vincula con otra fuente valiosa de inspiración...

La observación e imitación de la naturaleza

Muchos inventos se han inspirado en la vida de los animales o en las propiedades de algunas plantas. Uno de los más conocidos es el velcro. George de Maestral interesado en la manera en que el cardo alpino se pegaba a la ropa, se dedicó a observar su estructura en el microscopio. Copiándola logró, con ingenio, desarrollar un material con cualidades similares. Con el tiempo este producto se convirtió en un gran aliado de la industria de la indumentaria.

La combinación de ideas

La creación de un simulador de nado[97] puede ejemplificar el punto. La idea del simulador de "Nado en seco" surgió del trabajo final para su titulación. Dentro de toda la nube de ideas estaba la opción de diseñar un aparato que mejorara los tiempos de competencia de los nadadores y, por otro lado, la idea de crear una gateadora para que las personas con limitaciones físicas pudieran hacerlo sin desplazarse. Aplicando la creatividad, de la unión de estas dos ideas, surgió el

---

[97] Arturo Del Toro Saab, Ingeniero en biónica. torosaab@yahoo.com.mx

simulador de nado en seco "Schwimmer", que dio respuesta tanto a la necesidad de los nadadores como a las personas en etapa de rehabilitación física.

Combinar ideas diversas, incluso aparentemente inconexas, fomenta la creatividad porque exige replantear todo desde otro lugar. Vincular ideas de distintos campos refuerza la capacidad de diseñar objetos novedosos, o la posibilidad de desarrollar propiedades innovadoras en los ya existentes.

Inventos y avances tecnológicos

Los inventos han sido siempre motivo de sorpresa y admiración, pero no todo lo que se inventa llega a conocerse. Existe una enorme fuente de ideas en las agencias de patentamiento, aunque muchas de ellas quedan en la oscuridad porque se desconocen o porque no encuentran eco en la industria ni en la sociedad.

La interrogación

Cada interrogante propuesto por el investigador, el estudioso o el científico ahonda en lo desconocido y dispara la imaginación y los saberes que poseen en busca de respuestas. De su interacción pueden surgir nuevas conexiones, ideas originales o el desarrollo de procesos ingeniosos, hasta que lo desconocido queda al descubierto y se hace inteligible.

La conexión de conceptos

En los últimos años se ha presentado en el mercado un número creciente de elementos que surgen de una combinación de conceptos: comunicación sin tiempo ni distancia; comunicación y seguridad; recreación y trabajo; acontecimientos mundiales y hogar; viaje y confort. La combinación de conceptos o de enfoques —considerados indiferentes o potencialmente vinculables— puede dar lugar a conexiones inesperadas y, a partir de ellas, inspirar nuevos desarrollos o inventos. Para el trabajo científico, como para cualquier otra actividad, resulta una fuente de inspiración, de nuevas ideas, valiosa e inagotable.

La combinación, por ejemplo, de conceptos como trazabilidad, disponibilidad y medios audiovisuales dio lugar a una etiqueta digital[98] que permite conocer la historia de cada alimento que ingerimos, identificando la cadena de actores intervinientes. Otro ejemplo es el autosuero dinamizado que surge de la combinación de principios y conocimientos propios de la medicina tradicional, la bioquímica, la homeopatía y la medicina de orientación antroposófica. En este caso, el médico argentino Dr. Federico E. Hernández[99] junto al bioquímico Josué A. Muchnik han hecho avances significativos en la elaboración de un preparado magistral destinado al tratamiento de enfermedades de carácter autoinmune.

[98] Ver nota 11 al final del libro.

[99] drfhernandez@hotmail.com

Tanto la combinación de ideas como la conexión entre conceptos puede ejercitarse de modo consciente. El fin es crear espacios mentales distintos donde puedan surgir interrogantes que disparen la imaginación y la fantasía o que den cabida a la intuición. Cuanto más insólitas sean estas relaciones o comparaciones, más se amplían las posibilidades de encontrar ideas innovadoras.

Las técnicas creativas

Las técnicas creativas son prácticas que estimulan la aparición de nuevas ideas y nos ponen en contacto con la riqueza de nuestra joya interna. Asimismo, encauzan la actividad mental para producir ideas con mayor facilidad, para imaginar nuevos aspectos o darles connotaciones insólitas. Lo que se logra con la práctica es predisponer la mente a nuevas conexiones, generando flexibilidad para aceptar nuevos desafíos o para proponerlos. Se aplican también para estimular la inventiva, aliviar y flexibilizar rigideces en los modelos mentales, contrarrestar el cansancio, salir de la rutina o renovar la energía cuando no resulta fácil encontrar nuevos desafíos.

Recurrir a técnicas creativas abre la posibilidad de cambiar o crecer porque, entre otras cosas, ayuda a superar el síndrome de "línea de llegada" —cuando la mente cree que no necesita aprender nada más o considera que el cuerpo de conocimientos no admite revisión—. Hemos hablado extensamente de técnicas en el capítulo 10, por lo cual remitimos a su lectura directamente.

***Serendipity* o accidentes afortunados**

Serendipity[100] —o serendipia en su versión castellanizada— se refiere a los hallazgos casuales que se originan en algún accidente fortuito. Ocurrido el hecho, el investigador o la persona involucrada tiene la lucidez de aprovecharlo a su favor para crear algo nuevo, que la simple evolución del conocimiento no hubiera permitido alcanzar. La penicilina, el caucho y la dinamita son parte de una abundante lista de ejemplos de *serendipity*. Es importante estar atentos a estos sucesos para poder beneficiarse cuando se manifiestan. Para ello, es útil mantener siempre presentes los interrogantes que nos preocupan.

Sincronicidad[101]

¿Cuántas veces nos ha pasado que, preocupados por algún tema, nos hemos encontrado con alguien que nos habla de este mismo tema o nos regala el libro adecuado? Éstos, en general, son aportes impensados que nos ayudan a definir los contenidos, el rumbo del trabajo o, sencillamente, iluminan el camino de la solución. Es lo que se llama sincronicidad: cuando estamos intensamente ocupados con

[100] Ver nota 12 al final del libro.

[101] En 1920 el término es tratado por Carl Jung cuando estudia la correlación entre los sueños y la interpretación en los comentarios de los místicos orientales sobre los cambios de destino a lo largo de la vida.

un tema y sin razón aparente, comienzan a llegar datos, información, sugerencias. Es como si se activaran centros invisibles e inconscientes que atraen a la información, creando condiciones propicias e inspirando nuevas conexiones para avanzar en nuestra línea de trabajo. Aunque no se sabe bien cómo funciona, progresivamente se va aceptando que, cuando uno invierte mucha energía y concentración en un proyecto, algo cambia, algo se moviliza y se produce una convergencia. Estos son mecanismos que no podemos explicar por el momento y por eso los solemos catalogar como "casualidad". Pero nos preguntamos: ¿es casualidad o causalidad?

Transferencia de información o conocimiento desde otros ámbitos

La posibilidad de transferir una idea de un contexto a otro se apoya en el pensamiento analógico y resulta ser una interesante fuente de inspiración.

Gutemberg y la invención de la imprenta de tipos móviles es un ejemplo paradigmático. Se cuenta que un día, al pasar junto a una prensa para hacer vinos, se le ocurrió que ese sistema podría resolverle el laborioso proceso de estampado que hasta ese momento se realizaba tallando la letras en tablillas de madera. En los negocios, la cocina, la moda, la literatura y tantos otros ámbitos se da naturalmente este proceso que es muy enriquecedor. Los humoristas también hacen uso de este recurso. Por ejemplo, utilizan las manifestaciones de la vida cotidiana como materia prima de su producción.

Generar alternativas cuando no se logran resultados

A veces, en una institución o grupo, la dedicación y el esfuerzo en pos de una meta se han sostenido por muchos años sin obtener resultados. Esto produce en los equipos una caída en la atención y en la dedicación porque, cuando las personas se desmoralizan, tienden a abandonar la tarea. Una alternativa para sostener el ánimo del investigador y su equipo y motivarlo a seguir es capitalizar los hallazgos y logros concretados hasta ese momento. Al poner en valor el camino recorrido, se logra muchas veces una nueva perspectiva o un nuevo punto de partida desde donde se puede continuar en una nueva dirección. Otras veces, llegar a este punto permite que esta recapitulación de ideas y comprobaciones quede disponible para que alguien la recoja y continúe la tarea. Dependiendo de las circunstancias, puede también resultar muy estimulante diversificar la tarea e invertir parte del tiempo en generar proyectos paralelos.

Intercambio con colegas o profesionales

Los intercambios con colegas o profesionales de otras disciplinas amplían enormemente la percepción y la interpretación de la realidad. El intercambio con otros profesionales es fructífero porque cada disciplina focaliza la información desde un ángulo particular. La riqueza de la diversidad es la esencia de su contribución. Asimismo, se puede participar en congresos u organizar "sabáticos" que permitan conectarse con otras realidades, situaciones o mundo de intereses y renueven el enfoque de la tarea, el entusiasmo y la motivación.

Desde una posición de espectadores, pensamos que **visión, estrategias y forma de trabajo innovadoras, colaboración entre áreas y personas e intercambios con el exterior** parecerían ser algunos de los ingredientes que no deberían faltar en un ambiente que desea estimular la creatividad.

Poniendo a trabajar la creatividad

A continuación se presentan ejercicios simples y actividades que ilustran algunas prácticas creativas.

- Entrenar la "mirada" para distinguir las semejanzas y las diferencias.
- Reflexionar e imaginar las preguntas iniciales que dispararon los descubrimientos más significativos de la humanidad.
- Listar situaciones de la vida a las que difícilmente se les presta atención. Observar si esconden algún misterio a develar.
- Trabajar para que no afecte el temor al ridículo ni la crítica de quienes siguen pensando desde los paradigmas imperantes.
- Buscar situaciones de exposición a estímulos distintos de los habituales.
- Viajar y entrevistar expertos de otras áreas del saber. Buscar conexiones con la propia disciplina y los propios proyectos.
- Reconocer la fuente de energía que mueve nuestra pasión, y alimentarla.
- Buscar en los detalles y en los cambios sutiles, pistas de posibles variaciones o alternativas.
- Ejercitar el juicio crítico después de haber buscado las potencialidades y las ventajas de una idea. Dejar de lado los argumentos a favor, tomar aquellos que se descartaron y forzar la imaginación para generar nuevas ideas que logren superar los aspectos negativos.
- Escuchar las ideas de nuestros colegas como si fuera la primera vez; pedirles que hagan lo mismo con las nuestras.
- Imaginar usos alternativos, aplicaciones menos probables, motivos de fracaso de una idea; trabajar sobre los opuestos para vincularlos.
- Generar analogías y trabajar soluciones que luego se puedan transferir a un problema real.
- Llevar el problema a la cama y abrirnos a que los sueños nos muestren un rumbo o solución.
- Utilizar el color o el movimiento para expresar ideas difusas.
- Buscar semejanzas o puntos comunes entre conceptos o elementos disímiles como: pasta de dientes y pasto; molécula y película; vacío y mar; porcelana y chicle; u otros que ustedes puedan proponer.

La ciencia es un camino potente e inconmensurable que nos acerca a la comprensión del universo. El trabajo científico se construye sobre el rigor, el esfuerzo y la perseverancia, y se alimenta de la creatividad y la audacia para desafiar los límites de lo conocido.

Capítulo 15

El Arte.
Expresiones plenas de creatividad

Acerca del artista
Amalgamando tensiones y polaridades
Diferentes recursos

El proceso creativo en diferentes artistas
Beethoven y Mozart, dos caminos creativos.
Jorge Luis Borges explica sobre el arte
Esculpir el personaje. Regina Lamm
Graciela Szamrey, la identidad como disparador de la creatividad
Silke se confiesa
Maurice Béjart nos cuenta en sus memotrias
Kuo Shi, artista chino
Reglas, ¿si o no?

Realización
Estilo propio

La obra de arte
Algunos criterios
Metáfora del artista
El arte en lo cotidiano

15

El Arte. Expresiones plenas de creatividad

El **arte** es un camino rico, profundo y apasionante de búsqueda de sentido. En él surgen preguntas y respuestas que piden ser expresadas.

El arte surge a medio camino entre el hombre y el universo. Arte es descubrir, rescatar y plasmar los vínculos entre lo lejano y lo inmediato, entre lo fugaz y lo eterno. Es expresión de una interioridad individual que se sustenta en lo colectivo. La historia universal muestra cómo en toda época se trató de explorar, abordar y plasmar estos vínculos dándoles forma, transformándolos del estado intangible al tangible, del invisible al visible. Cuando el arte avanza, el mundo de los misterios cede a un instante de luz.

En la vida cotidiana es poco lo que permanece, es por eso que el deseo de trascender lo finito impulsa la realización de obras más profundas y permanentes, que no envejezcan de un día para el otro. El arte traspasa los límites cotidianos, habita otros niveles de conciencia y, desde allí, se manifiesta apoyándose en la percepción sensorial. Los sentidos[102] son puentes por donde transitan diversos contenidos impregnados del sentido estético de la época. Los mensajes y hallazgos se materializan en la plástica, la música, la danza, el teatro y las distintas formas de expresión artística que hoy se conocen.

Desde siempre existe en el ser humano una natural receptividad a lo bello, un sentido para las proporciones armónicas de la naturaleza,[103] una percepción

[102] Ver capítulo 7.

[103] György Doczi, "El Poder de los límites" en *Proporciones armónicas en la naturaleza, el arte y la arquitectura,* Troquel, Buenos Aires, 1996.

del equilibrio y de la estética, un sentido de composición; en fin, una atracción hacia este mundo extraordinario que es el arte. La feliz conjunción de creatividad y talento tienen como resultado al artista con su arte.

La senda del artista[104]

Surge un sueño, una imagen;
despiertan en mí una nueva visión, ¡un desafío!
Entro en el mundo simbólico,
descubro la esencia arquetípica.
¡Estoy comprometida con mi idea, con mi sueño!
¿Esto aparece por casualidad?, ¿o responde a alguna causalidad?
Este sueño, esta imagen
me exige fluir con flexibilidad ante los cambios,
sensibilizar mis cinco sentidos;
utilizar mi imaginación, mi intuición;
encontrar la síntesis de lo que quiero expresar
y transmitirlo a mi manera;.
utilizar al máximo mi destreza;
disfrutar de los logros;
navegar en el mundo de la luz y el color;
vivenciar ritmos y sonidos;
abrirme a la creatividad y desarrollarla;
transitar por caminos desconocidos
y experimentar nuevas propuestas;
enamorarme de mi hacer;
no postergar: ¡concretar ahora!;
sumergirme en la duda;
sentir gran libertad interior;
ser perseverante en la realización,
no temer a la equivocación: ¡arriesgar!;
reconocer mis debilidades y mis fortalezas,
elegir, en cada instante, cada paso;
actuar con entusiasmo y decisión;
disfrutar de cada momento como si fuera el único.
El desafío es continuar siempre hacia delante,
convertir mi sueño en realidad,
comprender que la felicidad es el camino antes que el resultado, y
dejar una huella para que otros la puedan seguir.

[104] Adaptación de un texto de autor desconocido.

Acerca del artista

La medida de un artista es él mismo.
No hay partida ni llegada,
hay sólo un transcurso que exige crecimiento...
Santiago Giordano

El artista es el hombre en diálogo con el universo[105] se acerca a la esencia de las cosas desde la comprensión intuitiva sin reglas lógicas ni demostraciones; plasma su obra desde esta totalidad. Con el corazón abierto accede a espacios inciertos donde se conjugan creatividad, espiritualidad, amor y destreza. Hace camino fluyendo en libertad, entre búsquedas y luchas, placeres y pasiones. Utiliza el lenguaje de los sentidos para destilar la esencia de lo que es capaz de captar de la totalidad del universo. Tiene acceso a vivencias y misterios que quieren ser expresados por medio de símbolos, metáforas, colores, movimientos, sonidos, palabras... El artista es aquella persona que elige el arte como su forma de expresar vida... De ahí su fuerza y su trascendencia.

Desde tiempos remotos, el arte estaba destinado a expresar lo sagrado. Con el transcurso del tiempo, su mirada se extendió a todo tipo de temáticas —espirituales, políticas, económicas, sociales, ecológicas y muchas más—, que pueden o no trascender en el tiempo, pero que reflejan el "espíritu de los tiempos", el llamado "*Zeitgeist*". El artista hace suyo este espíritu y lo expresa desde su subjetividad. Intenta retratar los temas con los rasgos que los elevan por sobre el significado de un casual y fugaz aquí y ahora. No busca exteriorizar su intimidad, sus vivencias triviales, sus sentimientos o estados de ánimos pasajeros, sino que busca develar lo universal, expresar la alegoría de lo eterno. Por su parte, el artista maduro es capaz de captar un tema en especial, ahondarlo, penetrar en su esencia y ofrecerlo en su obra de tal modo que lo cotidiano y fugaz se vuelve profundo y permanente. Van Gogh, por ejemplo, escogió un elemento trivial para retratar: una silla. Con su talento, elevó la silla a tal estado que el observador se siente maravillado cuando admira la pintura. Esa simple silla del cuarto de Vincent van Gogh adquirió mayor valor del que tenía en sí y quedó consagrada, eternizada. Esto se logra aunando el genio del artista y su dominio de la técnica.

Amalgamando tensiones y polaridades

La persona que se dedica al arte en cualquiera de las disciplinas se supone que conoce el camino que conduce a las distintas facetas de su joya interna. En efecto, dispone de numerosas fuentes ampliamente ejercitadas de su creatividad y ha hecho una opción consciente para poder utilizarla como instrumento. Una vez que se conecta con su libertad interior, surge el siguiente desafío que consiste en equilibrar la tensión entre los opuestos. Es, a la vez, una danza y una batalla entre extremos:

---

[105] Ver capítulo 3.

Visión de totalidad	Foco, visión de lo puntual[106]
Libertad	Disciplina
Soltar	Ajustar
Divagar	Centrar
Soñar	Verificar
Probar	Ir a lo seguro
Visualizar	Concretar
Flexibilidad	Firmeza
Expansión	Límites
Ruptura de reglas	Método
Innovación	Técnica

Cada uno de estos extremos actúa, pide y reclama ser integrado en la obra. Si bien esa tensión alimenta la pasión y el sufrimiento, ayuda esencialmente a la riqueza de la creación. El artista en su madurez profesional tiene la capacidad y la necesidad de amalgamar tensiones y opuestos. Ese es el mayor desafío para llegar a la esencia de su arte. Su talento le permite concentrarse en lo puntual sin perder de vista la totalidad.

La **sensibilidad** del artista juega un rol fundamental. Así como un instrumento de calidad tiene una sensibilidad extrema que le permite vibrar en planos de excelencia con voces exquisitas, su sensibilidad le abre las puertas al misterio, y a la vez, esta misma sensibilidad lo hace vulnerable.

El ámbito de creación del artista es su propia persona, su libertad, su amplitud, su subjetividad, su mundo interior,[107] sus sensaciones, su receptividad, sus fantasías,[108] su imaginación y sus sueños. Él es su propio instrumento. Cuando el artista crea, se sumerge en la profundidad de su ser para vivirlo, para explorarlo en su alma y sobrepasar los límites de su persona.[109] Si bien no hay reglas fijas para que una obra emerja, en el proceso suele suceder algo mágico. Lo invade un estado atemporal, un presente absoluto, un sentimiento de unidad con el "todo" y con su obra. Cada creación que surge sucede en su intimidad, se tiñe de la vivencia subjetiva; se proyecta hacia el futuro, hacia lo nuevo, lo inédito.

"Tal vez el secreto es abrirnos a ***escuchar****. Escuchar la voz de la vida entre los ruidos que hacemos en el mundo. Y la vida siempre nos dice en abundancia a condición de que nos pongamos a escuchar. Esta actitud existencial de escucha sólo es posible desde el silencio. Un silencio primordial que es diferente del mero no-hablar.*

Es un silencio en uno de todo lo que hace ruido en uno. Y aunque necesitemos

[106] Ver capítulo 9.
[107] Ver capítulo 1.
[108] Ver capítulo 2.
[109] Ver capítulo 7. Ejercicios para visuales, auditivos, kinestésicos y capítulo 10 "Nuevas aplicaciones".

también un silencio "exterior", éste sólo es condición de posibilidad del silencio originario; que puede conducirnos a un allí, sin lugar, donde las voces no oídas pueden decirnos...

Y esto que parece una paradoja —que voces no oídas nos digan— se condice con la paradoja que somos. Y el misterio que señorea en el silencio nos recuerda el misterio que rodea los tiempos fuertes de nuestra existencia: el nacer, el morir y el amar y buscar sentido entre uno y otro... Porque estas voces no oídas 'dicen y pueden seguir diciendo siempre novedad'. Y tal vez el intento de responder a esas voces sea en nosotros el nacimiento de un gesto creativo...".[110]

Crear es un diálogo con uno mismo, una introspección profunda, un encuentro con el propio "yo" nutrido por la inspiración. En cada paso que da, el artista se involucra con su creación, ya que él crea y se recrea a sí mismo permanentemente para poder expresarse. Además, crea con el corazón y, durante este proceso, afina su propio instrumento. Con cada obra, se acerca un poco más a su propio ser, descubre algo más de su esencia, acercándose, a su vez, a la esencia universal. Es una aventura apasionante. En estos instantes mágicos, cuando llega a vislumbrar algo de esa síntesis, cuando siente el hallazgo, emerge una profunda emoción, una pasión... Son momentos entrañables...

Diferentes recursos

La **inspiración** del artista es un don, un regalo del cielo y puede tener diferentes fuentes y diferentes rostros. Puede surgir como respuesta a una melodía, un perfume, un color, un gesto o un suceso. Existen infinitas motivaciones. También la obra de otra persona puede despertar la inspiración del artista o develar algo nuevo que lo movilice profundamente y se transforme, por tanto, en un desencadenante de nuevas creaciones a las que les aporta su propio sello. De ese modo, se entrecruzan dos expresiones que se fecundan, se entrelazan, se amalgaman y, finalmente, surge algo totalmente novedoso. Recordamos la obra de Henry Moore inspirada en Chac Mool, dios de la lluvia de la cultura maya. ¡Qué maravillosos logros surgieron de allí! La inspiración de un artista en la obra de otro artista (no hablamos de plagio) tiene una fuerza que puede desencadenar una creatividad fecunda.

La inspiración se puede vivir como un estado privilegiado, distante de lo cotidiano, en el que recibimos imágenes, sonidos o palabras que aparecen repentinamente. En algunos casos, el creador puede sentir vibraciones y sensaciones que le provocan alteraciones en sus estados de ánimo. El espíritu oscila entre extremos: euforia y calma, confusión y claridad, dolor y alegría, foco y amplitud, libertad y rigor, pasión y vacío. Se genera una tensión constante. La máxima luz genera la máxima sombra.

---

[110] Florencia Güiraldes, Poeta argentina, e-mail: fguiraldes@yahoo.com.ar

Así como tiene un aspecto luminoso, el momento de la inspiración también es un estado que, con la misma intensidad, activa la vivencia de lo oscuro, lo difícil y lo amargo que tiene cada uno. Sucede una apertura de conciencia sutil y potente a la vez que también reclama su espacio. Todo se activa en el interior con una autenticidad plena; con la sensación de estar vibrando entre el cielo y el infierno. Estos opuestos, que se atraen, hacen a la completud de la percepción del artista, como potencialmente a la de toda persona: lo claro y lo oscuro se amalgaman y se disuelven en unidad. ¡Es un estado intenso que puede alcanzar el éxtasis!

En las personas, los procesos creativos difieren unos de otros. Cada artista descubre su propio camino y, sin embargo, existe una esencia invisible que los une: la pasión, la libertad interna, la sensibilidad, la audacia, la sinceridad, la entrega... Como cada persona es un mundo en sí mismo, algunos recursos ayudan más a unos que a otros.

Para algunos artistas prima la **intuición**: es su recurso más importante. Al empezar una obra, no poseen ninguna idea previa, ni la buscan. En muchos casos, tampoco les preocupa el rumbo de lo que quisieran expresar. Se conectan íntimamente con su intuición y, desde ahí, se dejan guiar por los impulsos que van percibiendo, surgiendo, aflorando o tomando sus formas. Trabajan con su potencial intuitivo plenamente.

Algunos tienen a la **imaginación** como recurso principal, que se expresa como idea, imagen o movimiento. La relación entre el artista y su imaginación puede manifestarse de diferentes maneras. Hay quienes parten de una idea precisa o de una imagen —visual, auditiva, kinestésica, olfativa o gustativa—[111] que su fantasía imaginadora les anticipa. Otros tienen la idea que quieren expresar, pero la imagen se va desplegando durante el proceso de concreción. Sus formas van cambiando hasta que la idea inicial coincide con la imagen lograda. Algunos artistas necesitan claramente la acción, porque recién cuando agregan, evalúan, quitan, cambian, mejoran, destruyen, rehacen, pulen, perfilan hasta el más mínimo detalle, escalan a su máximo potencial. Se toman el tiempo necesario hasta quedar conformes. Otra forma de relación entre artista e imaginación es aquella en la cual la idea o imagen tiene tal fuerza que asume todo el protagonismo. Se convierte en la que pide y manda, y el artista es, simplemente, su realizador.

El diálogo entre la obra y el artista se manifiesta de modos diferentes. La obra se va gestando en su interior durante un tiempo prolongado. El artista vive en un estado de indefinición, pero internamente alimenta y pule la idea o la obra. Algunos van uniendo imaginariamente piecita con piecita como un *puzzle*. Así crece y se desarrolla, hasta que pide ser realizada. Como nos cuenta el compositor y pianista francés Erik Satie: *"Para componer una pieza, lo que hago es caminar infinitas veces alrededor, acompañado por mí mismo"*.

---

[111] Ver capítulo 7.

Hay artistas que necesitan el **rigor** para que el proceso creativo se ponga en marcha. Generalmente se trata de una fecha límite, pautas claras, un desafío prefijado u otras exigencias. Todas las energías se ponen en acción cuando hay algo que los exige. Sin esto, la creatividad queda rumiando y se oculta en la penumbra. Estos artistas necesitan esa adrenalina propia del rigor para que su potencial creativo pueda desplegarse al máximo. Finalizada la obra, la tensión cede y llega el momento del gozo, el momento del descanso.

En el camino del artista se presentan diversas situaciones que se convierten en obstáculos a superar. Muchas de ellos tienen el potencial de llegar, muy hondo, a las profundidades del inconsciente; desde allí, puede generar algo nuevo, respuestas impensables, inesperadas, geniales. *"El arroyo que encuentra un obstáculo es el que canta."*[112] Así mismo, cuando se presentan pueden ser aprovechados para movilizar conscientemente sus recursos creativos. Todo recurso creativo es válido y cada artista los utiliza para logra su propia forma de expresión personal.

El proceso creativo en diferentes artistas

Por los tenebrosos rincones de mi cerebro,
acurrucados y desnudos,
duermen los extravagantes hijos de mi fantasía
esperando en silencio, que el Arte los vista de la palabra,
para poder presentarse decentes en la escena del mundo.
Gustavo Adolfo Becker

A continuación compartimos varios testimonios del proceso creador artístico. Entre los ejemplos elegidos, algunos son creadores consagrados y otros cuentan con un amplio reconocimiento. Lo rico de estos relatos son los diferentes desencadenantes. Los invitamos a descubrir las diferencias y las similitudes.

Beethoven y Mozart,[113] dos caminos creativos

Tanto Wolfgang Amadeus Mozart como Ludwing van Beethoven recibieron y respondieron a la inspiración de modo peculiar.

Beethoven nunca estuvo conforme con la primera inspiración del motivo o tema musical. Uno de los ejemplos típicos es su ciclo de Lieders A la Amada Lejana, *en el que recompuso y transformó sin cesar su inspiración original hasta que, en algún momento, luego de muchas reformas, logró su acabado "perfecto". Su primera inspiración musical le solía parecer demasiado simple, muy rudimentaria, como si fuera*

[112] Wendell Berry, "Poetry and marriage", en *Standing by Words*, 1983.
[113] Traducido de Alfred Einstein, *Mozart, Sein Charakter Sein Werk*; capítulo 10, Editorial Fischer, 1978.

una piedra en bruto necesitada del pulido y cincelado que resaltara su esplendor. Solía intercambiar movimientos musicales y reubicarlos hasta lograr su conformidad. El enigma más notable en las composiciones de Beethoven es que una gran idea, un mismo germen musical, se despliega en la totalidad de su composición con una increíble unidad. La inspiración creativa, el conocimiento profesional y un arduo trabajo eran los pilares de este artista para el logro de su música imponente y magistral.

Para Mozart, en cambio, la inspiración sucedía de un modo totalmente diferente. *Cuando se inspiraba y creaba un movimiento musical que le parecía de menor nivel, no lo retocaba en absoluto, sino que comenzaba al instante otra creación... Cuando acertaba en el primer movimiento, la idea musical fluía torrentosa... Su genio le permitía escribir una composición completa sin interrupción; componía directamente la partitura definitiva. Aparentemente, el gran músico poseía un oído y una memoria auditiva magistral que le permitían evocar hasta el más mínimo sonido.*

Por ejemplo, al componer la partitura de una ópera, podía escribirla desde el principio hasta el final y sin perder el hilo melódico. En la primera vuelta, plasmaba en la partitura la voz cantada, el primer violín, la voz del bajo y los instrumentos de viento. Luego, en la segunda revisión, componía del mismo modo, rellenando las demás voces y los demás instrumentos. En todo el proceso, las ideas creativas brotaban naturalmente.

Evidentemente, Mozart tenía toda la música en su cabeza, pues aún se puede reconocer el trazo ágil de sus notas sobre el papel de las partituras originales. *La maravillosa unidad de las obras de Mozart no es aprendida sino el resultado de su genialidad. Tanto sus sonatas, como sus cuartetos o sus sinfonías no consisten en movimientos con ideas musicales aisladas, sino que albergan una increíble unidad.*

Jorge Luis Borges explica sobre el arte[114]

"Nunca he escrito por obligación. Sobre todo en los últimos años he escrito sólo cuando el tema ha insistido en que yo lo escriba. Cuando se me ocurre una idea cualquiera —puede ser un soneto, un cuento o un poema en verso libre— yo trato más bien de desalentarla. Ahora, cuando esa idea insiste en que yo la escriba, trato de comprenderla y de saber qué es lo que espera de mí. Pero siempre de un modo pasivo. Y luego la enfrento y recorro la biblioteca, las galerías y las escaleras de la biblioteca... Caminando por las calles, de pronto, entreveo algo, ahora ese algo lo veo como de lejos, de un modo vago, y luego va definiéndose. En el caso de los cuentos, yo sé siempre el principio y el fin. Ahora, lo que sólo me es relatado a medida que voy escribiendo, y a veces de un modo erróneo —entonces tengo que volver atrás y tachar parte de lo escrito—, es lo que sucede entre el principio y el fin. Eso tengo que descubrirlo o, en el peor de los casos, inventarlo. Pero siempre sé el principio y el fin..."

---

[114] Esteban Peicovich, "El palabrista", *Borges, Visto y Oído*, Marea, 2007.

Esculpir el personaje. Regina Lamm

"El teatro, las tablas, me llevaron a explorar ese otro mundo, tan efímero y tan eterno a la vez, y a dedicarme a esa difícil tarea de crear de la nada un ser que piensa y actúa de determinada manera, ubicarlo en un espacio y relacionarlo con otros personajes, si fuera el caso.

Se establece un enlace inmediato de la fantasía imaginadora con la sensibilidad y la disciplina. Cuando abordo un personaje, existe una cierta sensación de ser un bloque de granito o de arcilla. Procuro darle forma, tallarlo, sacar y poner de acuerdo a las necesidades del personaje. Como aún no está definido, me empeño en buscarlo. El proceso es difícil, es muy expuesto, a veces doloroso ya que trabajo conmigo misma, con mis emociones, mi cuerpo y mi ego, que muchas veces obstruye el camino. El personaje se crea desde la totalidad de la persona, incluyendo sus partes oscuras."

El preconcepto sobre el teatro es que se termina la función y ya no queda nada. ¿No queda nada? ¿No queda el espíritu de lo que se vivió? ¿Acaso lo que sucede en ese momento no modifica al espectador y al actor en su conjunto? Con una buena actuación que logra transformar algo en el espectador, el actor desafía la idea de impermanencia.

"Como la actuación es efímera, por más que se alcance el perfil del personaje, nunca se termina de construirlo del todo. Es en la función, en la interacción con el otro y con el público donde se termina de redondear cada noche en forma diferente respondiendo a las leyes del presente absoluto... Cuando me subo al escenario siento que se abre un camino de doble vía. Tengo la sensación de ser un trapecista que trabaja sin red, estoy muy expuesta, me puedo caer de las alturas, olvidarme la letra, es la misma sensación. Este riesgo agrega a la creación del personaje algo distinto, novedoso y peligroso a la vez. ¡Cómo ayuda recibir en esos momentos la devolución del público! Actuar ante ojos que miran, sienten, devuelven... es fascinante y, a la vez, complejo, pues el ego siempre está presente. Hay que dejarse llevar, apoyarse en el trabajo explorado y confiar, confiar, confiar... como en la vida."

Graciela Szamrey, la identidad como disparador de la creatividad

"Miro a la vida como una arquitectura que me seduce y sorprende. Cada viaje creativo es un misterio. Así vivo el taller, como una construcción diaria, minuto a minuto, peldaño por peldaño, viaje a viaje. Es una metáfora de la búsqueda de uno mismo. En mi jardín secreto vuelvo en cada obra a encender un farol. Su luz ilumina lo más profundo de mi ser, donde anida toda fuente creativa abrazada a mi esencia.

La identidad individual es portal de la universal. En el ser y el hacer encuentro el equilibrio. Soy lo que hago y hago lo que soy. ¡Ah, la identidad...! Es en el tomar del pasado para proyectar hacia adelante el futuro, que uso en el presente, el símbolo que me inspira ese tránsito del tiempo: 'la espiral'. Cala en lo más hondo de mi identidad para dirigirse hacia horizontes desconocidos. Un viaje al interior de uno mismo es siempre un desafío. Soy un caminante que descubre su destino."

Silke se confiesa

"Siento que el proceso creativo no siempre es el mismo. A veces surge del entrenamiento plástico, del 'kilometraje', donde se conjugan el flujo de ideas, de intuiciones. También, de las técnicas, que ayudan a que se disparen nuevas creaciones. Sin embargo, otras veces, pasa algo mágico. Me siento unida con todo el universo, puedo vislumbrar un reflejo de su matriz, es una sensación inexplicable. Veo imágenes, más imágenes. Es una sensación de totalidad, de euforia, de entusiasmo, de plenitud. Me entrego al misterio de esos momentos. La lógica allí no tiene espacio, jamás lo podría describir, no existe lenguaje formal para explicarlo. Es como si una idea se quisiera apoderar de mí. Pensándolo bien, casi me atrevo a decir que sucede al revés, allí afuera hay ideas que son como entidades y buscan un cuerpo para manifestarse.

A veces siento que las ideas deambulan en el Universo y buscan a la persona propicia para expresarse. Parece ser que la idea es la corpórea, la importante, y uno pasa a segundo plano, a ser sólo instrumento útil para realizar esa idea. Pero como la idea surge del Universo, vibra con una energía diferente, que no es la humana. Se me ocurre que es por eso que aparecen esas sensaciones maravillosas de euforia y plenitud. Una vez que la idea se apoderó de mí, la veo totalmente terminada con todos los detalles. Curiosamente, esa idea siempre tiene que ver conmigo; no es casual que me haya elegido. A medida que la visualizo, la interiorizo y abro toda mi percepción para hacerla mía, para verla, sentirla, tocarla y escucharla. La imaginación, la intuición y la vivencia profunda del simbolismo constituyen el suelo fértil esencial para cada visualización. Durante ese instante, yo soy la imagen. Luego se desprende de mí. ¡Qué maravilla! Es luz y transparencia. La veo totalmente acabada, suspendida en el aire, pidiendo ser realizada. Agradezco cada hallazgo...

Ese momento pleno y emocionante viene acompañado del gran desafío: ¿cómo hacerla visible, cómo revelarla a los demás? Si bien no dudo de mi decisión de trabajar, a la vez me invaden las angustias propias del cuestionamiento de mis posibilidades. Cuando aparece un nuevo desafío técnico rememoro la 'imagen luz'. Es así como descubro las técnicas a utilizar. Me sorprende ver cómo muchas técnicas me son develadas de este modo. Entonces comienzo el trabajo, 'el hacer'. Cada forma, cada trazo, cada color aportan su propio clima vibracional. Paso a paso se gesta la obra; son horas y horas de incansable trabajo, de gran intensidad emocional. Son tiempos que desatan una regeneración interna, tiempos de meditación. El contacto tan íntimo y tan profundo con la idea es una comunión entre imagen, realización y plenitud. Si bien los materiales tienen su peso y sus exigencias, y el trabajo físico demanda esfuerzo, el sentido de la obra lo hace liviano.

Cuando la obra queda concluida, me invaden diferentes sentimientos. Por un lado, el asombro de lo que surgió y, por otro, una cierta tristeza porque la obra culminó. Es semejante a la sensación que siento al leer la última línea de un libro que me mantuvo en un estado de irrealidad que parecía supremo: una sensación de despojo y abandono. Sin embargo, la obra se dio a luz."

Maurice Béjart nos cuenta en sus memorias[115]

"Soy coreógrafo porque no sé hacer otra cosa... Algunos ballets han exigido años de gestación, otros se han dado inmediatamente. Unas veces me inspiraba en toda una tradición musical o religiosa; me dejaba llevar. Otras, el punto de partida ha sido una simple visión: el cruzarme con un entierro en un camino desolado en el corazón de España o las risas de tres amigos en el pasillo de un tren... El trabajo de creación no es más que la persecución de un atisbo, la voluntad de retomarlo y fijarlo...

...Mis ballets tienen un orden compuesto de desórdenes sucesivos, una locura controlada, una rigurosa ausencia de mesura... Detesto las líneas rectas, son tediosas como una autovía. No hay que confundir la línea recta con el rigor. El rigor me fascina. Ahí es donde hay finalmente más sorpresas y libertad, y también gozo. Pero es difícil, no difícil de comprender, sino de aceptar... La obra golpea a la puerta y no se desalienta... Sin que nos demos cuenta, el rompecabezas se arma dentro de nosotros. ¿De dónde vienen las piezas? ¿Quién las coloca? Sin duda miles de hallazgos a los cuales no les prestamos atención. Pero un día está armado...

Kuo Shi, artista chino[116]

"Solamente el insensato puede creer que para pintar basta con adquirir la habilidad de la mano y utilizar el pincel de seda más fina, el lápiz del más bello color negro o el papel de mejor calidad. Únicamente será pintor verdadero quien haya sabido meditar durante años, identificarse con el objeto de su estudio, y convertirse en árbol, torrente, hierba, bruma o pájaro. Cuando mi corazón hace eco con el Universo, cuando he conseguido el acuerdo pleno entre mi espíritu y mi mano, entonces es cuando comienzo a pintar, y sobre la seda que mi pincel acaricia están en armonía el cielo, la tierra y el hombre en libertad..."

Como vimos en los testimonios, la creatividad del artista se conecta con la fuente de diferentes maneras; tiene acceso a la esencia, a los misterios. Cuanto más abre su corazón, despliega sus censores y se hace permeable, mayor es su posibilidad de canalizar y de desplegar su potencial. El artista transmite sus hallazgos por medio de metáforas y símbolos. Es por eso que el mundo artístico es un puente maravilloso para que lo inaccesible hasta ese momento se manifieste en obra para ser entregada al mundo.

Reglas, ¿sí o no?

El actual rumbo del arte ha sido profundamente influido por la tecnología al punto de haber desarrollado toda una nueva área de expresión: el arte digital. Diseños, simulaciones, animación, todos estos elementos y muchos más son parte de las nuevas herramientas de expresión, de inspiraciones, emociones y

[115] Maurice Béjart, *Un instante en la vida ajena*, Memorias, Flammarion, 1992.

[116] Kuo Shi, "Shan Shui Hsun" en *Tratado del paisaje*, escrito hacia el año 1050. China.

conocimientos con que contamos hoy en día. Es sorprendente la diversidad de ámbitos en los que se ha ampliado el arte.

Sin embargo, la libertad creativa tan apreciada y venerada tiene, ciertas reglas o normas —flexibles, por supuesto, abiertas al replanteo y dispuestas a la innovación—. Pero no es un libertinaje. Abandonar ciertos principios puede convertirse en una trampa mortal para el arte de hoy. Alain Badiou decía al respecto: *"Durante un largo tiempo, el campo del arte estaba minado de dificultades y de oposiciones a las novedades. En el contexto liberal actual, la creación artística representa exactamente lo contrario: todo debe ser nuevo, sexual, pornográfico... El imperio ya no censura nada. Creo que esta posición finalmente es contraproducente con la creación misma. La creación es también la creación de un nuevo estilo y de nuevas reglas, pero no es pura libertad, porque la libertad absoluta es nada de hecho. Las nuevas formas son siempre también la imposibilidad de algo. Estoy de acuerdo en este punto con Lacan. Hay una conexión entre lo rea, de un lado y lo imposible del otro. Si todo es posible, no hay un arte real. Esto es un riesgo para la forma del arte de hoy. Tenemos que decir que en nuestros experimentos creativos debemos crear nuevas formas, lo que significa nuevos reales artísticos, nuevas imposibilidades. La regla que grita que todo es posible y que somos completamente libres es finalmente la destrucción del arte mismo."* [117]

El artista es quien arma las reglas de trabajo, pero cada trabajo tiene sus propias reglas y él mismo las tiene que cumplir. Utiliza para expresarse el medio que mejor se identifique con la idea o que mejor domine. Es el momento en que lo vivido desde el corazón toma una forma concreta. Es cuando su cuerpo recibe el impulso de los sentidos para exteriorizar lo vivenciado.

Realización

La pasión o el impulso creador piden la realización, reclaman la concreción de la obra o proyecto. Éstos se plasman con su impronta, con la propia caligrafía. Durante este proceso, aflora todo lo que nos es dado o, mejor dicho, todo lo que nos permitimos. Esta respuesta exige la valentía de enfrentarse a las propias limitaciones y a los diversos obstáculos en un presente absoluto. Es como caminar sobre el filo de una navaja.

Una vez delineada la obra, el artista la replantea críticamente desde las reglas que se impuso. Esto requiere libertad y mucho trabajo de sinceridad, amplitud interna, amor y pasión. Luego, continúa el proceso creativo en un diálogo permanente entre la obra y la idea. El autor la reubica, la retoca, suprime lo innecesario y aborda lo esencial. Todo ello se condensa y cobra forma en la obra como reflejo del alma. El proceso de realización lleva horas y horas.

[117] Alain Badiou, Filósofo francés. Cita publicada en *Perfil* el 3 de septiembre de 2006.

Mientras la creatividad está activa, surge un peligro: incluir demasiadas ideas en una misma obra. El desafío es rescatar lo que condensa la esencia y no enamorarse de agregados innecesarios. Se debe mantener la percepción clara distinguiendo entre lo que realmente dignifica y lo que sobra. Las demás ideas que perturban la obra pueden ser la base para una nueva expresión. Por eso hablamos tanto de la necesidad de ejercitación, del "kilometraje", porque pone en movimiento el manantial creativo y desarrolla el juicio crítico. Cuanto más trabaja el artista, más se fortalece.

Estilo propio

Con los años, el artista logra un estilo particular de expresión. Como el estilo responde a ciertos impulsos que le son propios, con el tiempo, la obra se vuelve conocida y reconocible pues se la puede identificar entre muchas otras. El artista que se afianza en su técnica y permanece en su camino se consolida dentro de un estilo por el que es reconocido. Una de sus opciones es pulirlo o mejorarlo, pero sin cambiar. Sin embargo, siempre puede sorprender con alguna expresión absolutamente novedosa.

La innovación y los riesgos son otra forma de crecimiento. Muchos artistas, una vez consagrados, no se atreven a ese desafío. Quien se juega a innovar en su forma de expresión tiene que estar dispuesto a arriesgar, a enfrentar el obstáculo aún desconocido y —lo que es más grave aún— a correr el peligro de hacer el ridículo y fracasar. Es frecuente que, en este ínterin, surjan obras de calidad despareja. El artista se vale de la prueba y el error; se juega y se expone a ese delicado equilibrio entre lo aceptado y lo novedoso. A pesar de esto, avanza con valentía; todas las neuronas y sensibilidades actúan entre audacia, riesgo y juicio, entregándose a los misterios del instante. Se arriesga a ser criticado, pero también puede lograr una obra genial.

La obra de arte

No toda obra creativa es arte, ni toda manifestación artística es una obra de arte. Entonces, ¿cuándo y cuáles son las condiciones para que una obra creativa se convierta en una "obra de arte" con mayúscula?

Cada género posee sus propias pautas y reglas, usualmente flexibles. Hablamos no solamente de la obra de arte visual, sino que se incluyen todas las manifestaciones artísticas en su máxima expresión: la música, la danza, el teatro, el cine, la fotografía, la literatura, la poesía, para mencionar sólo algunas. Es un tema que apasiona a muchos y desvela a otros. Los límites no son muy definidos y la valoración de la obra depende no sólo de criterios técnicos sino también del enfoque cultural dominante, del momento histórico que se vive, de la ubicación geográfica, entre otros.

Algunos criterios

En el mundo de la plástica, existen criterios compartidos que ayudan al espectador a distinguir una obra de nivel. La obra de arte habla con diferentes voces.

Se puede hablar de obra de arte cuando el espectador se siente atraído y desea volver a contemplarla o vivenciarla. Sólo con su presencia, la obra de arte produce una intrigante atracción, resuena en nosotros. Muchas veces aparece una reacción física que produce un sentimiento estremecedor que eriza la piel. Otras, al contemplar una obra, se despierta en el observador una sensación como de traspaso a otra dimensión. La obra de arte habla directo al corazón, llega hasta el alma. La identificamos cuando nos modifica, cuando toca profundamente nuestra interioridad.

Una obra de arte plasma lo más sutil, lo invisible, lo inaudible, aquello que comúnmente creemos que no existe. Para que el espectador pueda percibirlo, dentro de la obra, toma forma, imagen, palabra, sonido, movimiento y, al sumergirse en ese mundo mágico, puede habitarlo y ser partícipe de ese misterio. Cuando la obra de arte surge del mundo simbólico transmite algo genuino que cala a mayor profundidad, puede lograr conexiones impensadas.

Una obra de arte también puede revelar y traer a la luz facetas de lo cotidiano que pasan inadvertidas por su insignificancia. En este caso, el artista las pule hasta la síntesis permitiendo que su valor se haga visible, reconocible, diferenciable. Se produce una toma de conciencia.

Una obra de arte no pretende contar historias: nos hace sentir partícipes de la historia, nos mete en ella. Es capaz de generar emociones que se reflejan en el cuerpo y de activar nuestras antenas receptivas, hasta las más sensibles. Nos acaricia el alma; interiormente se manifiesta un sentimiento que no es fácil explicar con palabras, pero cuando uno se entrega a percibirlo, simplemente siente cómo sucede.

Asimismo, una obra de arte nos propone un diálogo entre ella y el espectador o receptor. Consideramos que la obra en sí no está acabada cuando el artista finaliza su trabajo, sino que sigue viviendo y desplegándose en la interrelación de quien la recibe. A veces nos hace reaccionar de modo espontáneo, puede irritarnos o provocar emociones fuertes, desconocidas hasta el momento, pero otras veces su lenguaje es silencioso. Recién al contemplarla, al escucharla por tiempos prolongados, nos susurra algo. Su mensaje surge de la profundidad. Nos conmueve, nos envuelve o nos propone recrearla en nuestro interior.

Una obra de arte es expresión de ideas novedosas, de fantasías diferentes, de la intuición inexplicable. Además, tiene la capacidad de sacudir nuestra forma de pensar e inducirnos a ver de manera diferente, nos transmuta, nos propone cambiar el punto de vista; nos plantea interrogantes. Pero también puede suceder que el artista use un lenguaje que se anticipa tanto a su época que la obra no sea aún comprendida. Por lo general, la obra de arte no deja lugar a la indiferencia, provoca tanto la emoción positiva como la de rechazo; busca presencia, cambio; es como una entidad viva.

Metáfora del artista

El artista alberga en su interior, inconscientemente, todo el potencial de las obras que desplegará a lo largo de su vida. Son semillas a la espera de despertar madurando en el silencio de la penumbra, alertas al momento propicio. Aún están veladas, pero están dispuestas a salir a la luz y ser expresadas en su momento preciso. Así, existen en potencia, habitan replegadas en la oscuridad. Como la rosa que a medida que crece, sus pétalos se despliegan y nos hacen partícipes de su plenitud, cada pétalo aterciopelado y colorido es parte de la esencia de la rosa; nos cuenta su historia, su intimidad. De modo similar, cada obra realizada del artista es un pétalo, una obra que estaba a la espera de ser creada y floreció.

Cada obra es, intrínsicamente, un paso o eslabón del crecimiento interior de su autor. Con cada realización, el artista se revela y se acerca más a su esencia. Es un acercamiento a sus espacios más sutiles, más sinceros, más íntimos, más profundos y vulnerables. El artista gesta su obra y luego ella se independiza, cobra vida propia, toma un camino independiente del autor y continúa activa transformándose según los ojos que la contemplen. Cada obra esconde mensajes y aspectos íntimos de su creador, de su propio "yo", muchas veces desconocidos aun para él mismo.

El artista, además de ofrecer la obra, se ofrece **en la obra**, a través de ella se desgaja y desnuda su interioridad. Es un acto de coraje en el que revela su esencia.

El arte en lo cotidiano

Acercarnos al arte o rodearnos de él es sumamente placentero y agrega valor a cada día. El arte jamás nos empobrece; al contrario, siempre enriquece, pues apela a un crecimiento interior, nos invita a fluir en estados más sutiles, nos ofrece ir un paso más allá: desde la densidad de la materia hacia un espacio aún desconocido. Es un portal poderoso a nuevas percepciones a las que es difícil acceder sin su ayuda. El arte, en general, propone un enriquecimiento para toda persona porque ilumina, devela, moviliza y despliega aspectos nuestros que sin su presencia quedarían dormidos. Propone un punto de encuentro entre el creador y el receptor.

De nuestras propias vivencias hemos recopilado momentos y emociones que queremos compartir. Observen en ustedes mismos si algo de lo que se describe a continuación les sucede al disfrutar de una manifestación artística.

*Al escuchar un espléndido **concierto**, sentir cómo la **música** los aleja de la vida cotidiana para introducirlos en otras frecuencias con la sensación de estar flotando.*

Al leer un ***libro*** *brillante, sentirse conmovidos y sacudidos en su fibra íntima, y quedar con las emociones a flor de piel.*

Vivir en carne propia la historia de una excelente obra ***teatral****. Sentir el "mimo al alma", al contemplar un hermoso* ***cuadro*** *y percibir cómo se eriza la piel. Escuchar la música por medio del cuerpo de una* ***bailarina****, como cuenta Béjart, cuando música y cuerpo se amalgaman en una esplendorosa unidad. Sentirse protagonistas de una* ***película****, llorar, temblar, gritar y reír. Al disfrutar de una* ***poesía*** *maravillosa, sentirse trasladados a un mundo diferente donde todas las emociones entrelazadas se despliegan y danzan en conjunto. Al escuchar un* ***cuento*** *sugestivamente bien contado, sumergirse en el mundo fantástico del relato. Al descubrir una obra entre* ***esculturas e instalaciones****, estremecerse como si un rayo los traspasara.*

¡Cuántas más tendrán ustedes guardadas en su memoria! Todas estas experiencias nos brindan la oportunidad de sentirnos partícipes y de acceder de una manera distinta a este mundo rico, misterioso.

El arte es capaz de iluminar lo que se mantiene en la penumbra, nos eleva a otras esferas del ser y del sentir. Permítanse escuchar el llamado a ser protagonistas como creadores o receptores de este mundo lleno de sucesos y vivencias, emociones y sensaciones; un mundo que se construye con creatividad y talento, con ideas y práctica, con apertura y entrega.

Palabras finales

En tiempos de cambio, quienes estén abiertos al aprendizaje se adueñarán del futuro, mientras que aquellos que creen saberlo todo estarán bien equipados para un mundo que ya no existe.
Eric Hoffer

A lo largo de estos capítulos hemos ofrecido numerosas **claves para desarrollar la creatividad** y lograr una vida donde cada uno de ustedes está invitado a ser el PROTAGONISTA. Pero, ¿qué significa ser protagonista en la vida? El protagonista abre su mente y su corazón para imaginar alternativas y descubrir oportunidades; tiene y vive la libertad de soñar; confía en quién es y se siente cómodo en el mundo porque sabe que tiene los recursos para transformarlo.

Como ejemplos de este modo de vivir, hemos citado a distintas personas que, ante las exigencias de su vocación y de la vida, no se conformaron con quedarse en terreno conocido sino que se lanzaron a explorar caminos nuevos. En todos ellos, la creatividad intervino como una fuerza capaz de sumar y a veces de multiplicar los resultados al abrir nuevos modos de proyectarse y expresarse e impulsarlos hacia una mayor libertad y audacia. Limitar el compromiso o las opciones puede resultar cómodo, pero nos aleja del desafío de habitar un futuro "diferente". Los resultados obtenidos, por estas personas, dan testimonio del valor de su decisión: arriesgarse a innovar y enfrentar el consiguiente desafío de suavizar la autocrítica y de sobrepasar los propios límites.

Con pasos cuidadosos nos adentramos en los **secretos de la joya interna**, que cada uno posee. Hemos visto que, con apertura creativa —y a través de las ideas, conceptos o proyectos que nos entusiasman o somos capaces de generar—, es posible **descubrir quiénes somos y qué dones y talentos tenemos** a nuestra disposición. Por eso, avanzar hacia espacios que nos acercan a la fuente de la creatividad enriquece tanto al experto como al aprendiz.

En el proceso de escribir esta obra, identificamos temas que sabíamos importantes, pero, con el tiempo, descubrimos que escondían significados aún más profundos. De modo simétrico, es probable que muchos de ellos estuvieran ya presentes en ustedes, como en las profundidades de un gran lago y que recorriendo estas páginas se hayan hecho conscientes. ¡Atesoren estos descubrimientos! Utilicen cada ocasión para desplegarlos y hacerlos florecer.

La creatividad en acción brinda la posibilidad de transformar el "afuera", pero a la vez nos transforma desde adentro, revelando el maravilloso potencial que poseemos. Por eso, los alentamos a que presten mucha atención a los "espejos", a lo que "resuena", a los nuevos interrogantes que aparezcan. Estén atentos a usar sus sensores internos. Ellos nos guían y señalan los distintos estados del alma que pueden llevarnos de la alegría a la sorpresa, del desborde a la certeza, del entusiasmo a la acción. Son buenas señales, vale la pena escucharlas pues marcan un buen camino.

Asimismo, mostramos que la creatividad crece con el juego, la espontaneidad y la mirada fresca, y se va desplegando con esfuerzo, decisión y entrenamiento. "Conocer" o "hacer" no es lo mismo. Por eso los invitamos a pasar, siempre, de la idea a la acción. Recuerden que transitar el proceso creativo, una y otra vez, permite ganar confianza y sentirse cada vez más libres para crear. Los ejercicios propuestos son mapas que señalan rumbos o caminos, recién al experimentarlos cobran sentido real. Con la práctica y aplicación de las diferentes técnicas —visualizaciones, relaciones forzadas, juegos creativos, trabajos de expresión, entre otros—, se puede ampliar y potenciar la capacidad de ser canal, fantasear, intuir, imaginar y soñar. Se abre además la posibilidad de combinarlos de acuerdo a la intención personal. Haga cada uno su propia versión de lo que le presentamos, porque lo que surja espontáneamente de su interior tendrá siempre un adicional de riqueza y originalidad. El ensayo sirve para dar vuelo a la inspiración.

Evolucionamos, progresamos y maduramos paso a paso; y al perseverar se fortalecen los caminos y se aclara el rumbo. Nuestra evolución se parece a una espiral ascendente. En cada nueva vuelta podemos ver los temas conocidos desde otro ángulo, comprender aspectos más amplios, disfrutar de otros hallazgos y, llegar tal vez, a vislumbrar planos más profundos. Es posible que, al retomar el libro, surja el interés por otros temas, otros giros, otras propuestas. Cada uno se llevará lo que es para sí, en el momento oportuno. Una de las señales para reconocerlo es la sensación de que "eso" es justo lo que se necesitaba. La experiencia de "reconocerlo" certifica el aprendizaje y puede marcar una nueva vuelta de la espiral.

Esperamos que hayan podido experimentar, por un lado, cómo cada obra o proyecto concretado, cada pensamiento o acto creativo activan este potencial y, por otro, cómo el reconocimiento de los talentos y aptitudes los habilita para avanzar y los vuelve más plenos. Habiendo tomado conciencia de este potencial, podrán evitar el riesgo de que su joya interna quede oculta entre miedos, mandatos, ignorancia o indiferencia. Usen estas páginas como pequeñas puertas o ventanas a su interioridad, a su esencia, a sus anhelos y sueños.

La libertad interna, la apertura o la importancia de probar, errar y aprender son caminos de aprendizaje que producen una apasionante tensión donde se alternan preguntas y hallazgos. Compartir interrogantes y animarse a plantear preguntas inquietantes son poderosos motores de la acción. Por eso, a modo de despedida, les proponemos una pregunta que se fue gestando a lo largo de todo el libro:

"¿Qué elegimos ser: TESTIGOS o PROTAGONISTAS?"

Las autoras se presentan

Alejandra Benitez

El encuentro con la creatividad

En los primeros años de ejercicio profesional como economista, y luego como analista e investigadora, se fueron presentado situaciones que la teoría no alcanzaba a explicar. En decenas de oportunidades, ideas brillantes fracasaban cuando se ponían en práctica; en otras, se alcanzaban soluciones que distaban mucho de ser óptimas, porque sólo se había tomado en consideración *una* idea, la *primera* que se presentaba.

Entonces me decía, hay algo que no estás entendiendo..., pero qué...

Buscando respuestas y nuevas fuentes de inspiración para mi tarea, me topé con un aviso donde se invitaba a un curso de ¡creatividad! Corría el año 1987 y estaba dedicada de lleno a darle un nuevo formato a un curso destinado a dirigentes del sector agroindustrial. *No se de qué se trata pero quiero experimentarlo*, me dije, y sin pensarlo dos veces me anoté y el día señalado me presenté puntual.

¡Fue una experiencia increíble! A los pocos minutos de haber llegado, nos habían inducido a cometer un número considerable de errores, a dudar de nuestra inteligencia y a poner al descubierto algunos de los escudos detrás de los que solemos ocultarnos... ¡Uhauuu! Por suerte, hacia el final del encuentro, fui la única que resolvió un ejercicio y con ese pequeño detalle llegó la reivindicación que, a esa altura, mi ego consideraba indispensable... Qué locura, pensé después, necesitar que otro te diga que valés...

Al cabo de dos horas estaba nuevamente en la calle, preguntándome, dónde se podía averiguar algo más de esta ¿ciencia? ¿disciplina? ¿cosa? ¿práctica? ¿magia?...

Y así, buscando llegué a otros talleres, menos impactantes pero igualmente útiles a partir de los cuales fui descubriendo los poderosos e inagotable recursos interiores que todas las personas tenemos.

En el '91 tomé contacto con gente de la Creative Education Foundation y en junio del '92 empecé un camino sin retorno al mundo de la creatividad, asistiendo a mi primer CPSI (Creative Problem Solving Institute).

En ese entonces, era una persona totalmente "hemisferio izquierdo", amante del pensamiento lógico y de las certezas, a pesar de que siempre mis elucubraciones terminaban con nuevas preguntas. *¿Por qué pierde fuerza o atractivo lo cotidiano? ¿Por qué limitan las reglas, es igual para todos? ¿Qué detiene el crecimiento de las personas y de la sociedad? ¿Por qué nuestro sistema de decisiones menosprecia las emociones y preferencias personales?*

La búsqueda de respuestas fue un motor que inspiró un número importante de cambios en el rumbo de mi formación y de mi carrera profesional, y una de las principales razones que me llevó a CPSI.

Era junio, había llegado a la sede del encuentro, un College de la Universidad de Nueva York en Buffalo y transcurría mi primer día. Al cabo de unas horas comencé a tener una sensación de desconcierto: *no estaba yendo a ninguna parte*. Había hecho un gran esfuerzo para estar allí, de modo que fui a mis clases, preparada, lista para tomar notas y absorber todo lo disponible. Pero no había ninguna nota para tomar, ni nuevos conceptos, ni definiciones, ni bibliografía, ni nada. Todo lo que logré definir era invento mío... claramente ¡no estaba aprendiendo! Nadie hablaba de creatividad... en lugar de eso ¡jugábamos con rollos de papel higiénico! y hablábamos sobre nuestras expectativas... Los líderes se limitaban a preguntar "*De qué manera podríamos...*". Era obvio que no estaban seguros de nada y que necesitaban nuestra ayuda...

El *coffee break* trajo otro shock emocional. En el *Hub* o hall central la gente se abrazaba y gritaba en por lo menos cuatro idiomas. Todo era risa y alegría. En el corredor me crucé con un señor de más de 70 años, que llevaba un sombrero con una lamparita amarilla que se encendía cuando se cruzaba con alguien. Después de la cena, 5:30 pm, mi mente racional había colapsado.

Mi primer "¡Aha!"

Me fui al dormitorio a meditar y tomar una decisión. *Volverme* era una opción que quería considerar...

Hundida en un sillón, consulté los nombres de los conferencistas del día siguiente y los líderes de otros grupos y me encontré con nombres como Paul Torrance, Sid and Bea Parnes, Doris Shallcross, Katie Connors, Min Basadur, Anthony LeStorti, Gus Jaccaci, Robert Alan Black y decenas de otros notables provenientes de diversas disciplinas. La lectura de esos nombres me dio cierta tranquilidad. Pasaron unos minutos y de repente desde lo más profundo volvió aquella vocecita molesta que me desafiaba. ¿Qué es lo que no estás entendiendo?, aquí hay más de mil personas de más de veinte países...

Después de un largo silencio me prometí a mi misma, abandonar las expectativas, olvidar lo que sabía y empezar desde cero para ser parte de "eso", fuera lo que fuera... Al día siguiente, en bermudas y el pelo atado en dos colitas, comenzaron mis descubrimientos, que no se han detenido desde entonces.

Descubrí que la creatividad es don, cualidad, proceso y producto; que es igualmente riesgoso vivir de sueños que vivir de certezas; que hay un lugar donde las cosas que soñamos son posibles, hay que encontrarlo; que los problemas son oportunidades pero que para verlas hay que cambiar la mirada; que las personas que abrazan el cambio, siguen aprendiendo y pueden elegir ver el mundo y vivir sus vidas de un modo diferente...

Una filosofía de vida se fue armando a través de los años. *"Hacé la diferencia"*, *"Hacé que suceda"*, *"Dejalo pasar"*, *"Desafiate"*, *"Usá tus recursos creativos"*,

"Descubrí el sentido de las cosas", "Encontrá el propósito de lo que hacés", "Aceptá y disfrutá tus talentos", "Mirá a través de lentes diferentes", "Empezá en una nueva dirección", "Escribí tu propia historia", "Ampliá tu mente", "Ponele nombre a tus sueños", "Paladeá la divina creación que sos". Hoy estas pequeñas frases que parecen mandatos, retumban como golpes de tambor cuando las cosas se ponen difíciles en mi vida. Ellas me recuerdan que hay otra manera de ver las cosas y me empujan a poner toda mi creatividad en acción.

La apuesta

Llegó el 2001 y me di cuenta de que era el tiempo de realizar una nueva siembra. Las actividades de asesoramiento, consultoría y management que venía desarrollando pedían un nuevo escenario.

Comencé con talleres de creatividad, luego llegaron los cursos y aparecieron nuevas propuestas y nuevos temas. Sumé la innovación, trabajé la sinergia entre creatividad y liderazgo e hice de ambos los pilares de los procesos de cambio. Junto con los viajes, las conferencias en el exterior y la consultoría fue madurando el tiempo de ofrecer los frutos del aprendizaje. Aprendizaje que se muestra desde un lugar donde el asombro no se detiene y donde crece la esperanza de contribuir a conocer más, quiénes somos y a correr los límites de lo que creemos ser.

Lo que me anima a escribir este libro, es el deseo de compartir conceptos y experiencias que me ayudaron a descubrir algunos mecanismos generadores de "novedad" y herramientas que permiten potenciar talentos y "lo que podemos llegar a ser".

Creo profundamente en el milagro de la vida, que se actualiza en cada uno. Creo en la capacidad ilimitada de realización, porque siempre hay algo nuevo que aprender y algo nuevo que experimentar. Creo que cada persona es un milagro, una posibilidad, la protagonista de una historia que se escribe cada día.

Cada uno de nosotros, creado único e irrepetible, guarda en su interior posibilidades de "ser" que se iluminan al descubrir su sentido y cuando las orienta un propósito. Para ello contamos con una dotación de recursos interiores que se despliegan si uno los interroga y ejercita. Por eso mi apuesta más profunda, es que al hacerlos propios y aplicarlos en sus actividades, descubran su potencial, su poder, su propia creatividad, su música interna, su joya interna.

La creatividad se despierta con preguntas, no con certezas...

A la imaginación hay que preguntarle: *cómo te imaginás...?*, a la memoria: *¿qué te acordás...?* ; a la intuición: *¿que intuís...?* Y todas juntas, más pasión, percepción, experiencia y conocimiento son el sustento de nuestra creatividad, las facetas de nuestra riqueza interior.

Esta decisión de mostrar lo atesorado en el camino, tiene un destinatario, vos... y un tema central, tu creatividad...

Abrirse a la creatividad, es un ejercicio cotidiano de estrenar nuevas preguntas y ensayar nuevas respuestas. Es tolerar la fuerza de la divergencia y del caos, que luego se ordena con una matriz de prioridades basada en el conocimiento, la experiencia y una adecuada evaluación del contexto.

Creatividad es un proceso que permite apertura, vuelo, búsqueda, preguntas, ideas y que en su fase final nos regresa a un punto donde se toman decisiones y se concretan acciones.

Personas y organizaciones enfrentan el mismo reto, desplegar el talento y caminar hacia lo desconocido para ser la mejor versión de sí mismas. La Creatividad es el camino que nos lleva hasta allí.

¡Bienvenidos a esta aventura!

Silke

Desde siempre me atraen los desafíos, lo diferente, las innovaciones. Lo desconocido me llama a explorar. Mi placer es vivir entre formas y colores, trasmutando lo oculto en visible, navegar entre nubes y fantasía imaginadora, alerta para participar en cierta realidad transparente. Las limitaciones de los encasillamientos me son ajenas, las imágenes internas me atraen más que los "ismos" pictóricos. El arte me conmueve desde las entrañas.

La creatividad me acompaña como fiel amigo de ruta en todos mis pasos. Desde pequeña viví rodeada del mundo de las artes plásticas y luego me especialicé en el diseño textil. Partí de una plataforma amplia, teniendo una buena formación plástica que puso los caminos de expresión a mi alcance. Me dediqué a los títeres, al dibujo, al diseño textil, a la escultura, a la pintura. El "arte textil" en particular, surgió espontáneamente como una síntesis, amalgamando los diferentes campos creativos. Las fibras, especialmente la seda, ejercen una atracción inexplicable sobre mí. Ahí encontré mi creatividad esencial.

Los primeros descubrimientos

Tuve que recorrer un largo camino para fortificar mi libertad interna. Recuerdo que en mi niñez la supervivencia era prioritaria. La consigna era *"la creatividad tiene que servir, tiene que ser útil"*, o me decían: *"lo que haces tiene que ser bueno…"*. En algún momento comprendí que este mandato ejercía una cierta traba para desarrollar mi creatividad en todo su potencial. La "exigencia de logro" o la autocrítica antes de comenzar son la gran dificultad. Poco a poco llegué a entender que la creatividad fluye mejor cuando la libertad supera a la autoexigencia.

Esta libertad interna ayudó a que, a lo largo de la vida, me animara a abordar proyectos cada vez más atractivos aunque a veces aparentemente utópicos o difíciles de resolver. Descubrí que al emprenderlos con entusiasmo y convicción, mi creatividad se ampliaba considerablemente. Usar el tiempo para la solución, en vez de atender la exigencia o autocrítica, fue uno de los descubrimientos más valiosos. La continuidad, la libertad interna, la "prueba y error" y el coraje, unidos a una buena formación profesional, llevan a la excelencia. Esta certeza me dio una enorme confianza, movilizadora y tranquilizante a la vez.

El placer de crear

Al ampliar la libertad interna durante la realización, surgió paulatinamente un maravilloso clima meditativo. Tuve acceso a otros planos de conciencia. Poco a poco pude vislumbrar algo del "misterio de la vida" y esto sigue siendo mi búsqueda: "¿De dónde venimos?, ¿quiénes somos?, ¿hacia dónde vamos?".

Como en todo artista, el impulso del "hacer" llegaba desde el proceso creativo en la intimidad del atelier, en el encuentro con mi propia persona. Al principio de mi carrera comprendí que el éxito externo era necesario y complementario de esa realización interior. Las obras comenzaron a viajar por el mundo y mis proyectos eran cada vez más audaces. Hice libros, audiovisuales y filmaciones; las muestras recorrieron el mundo en diversos museos nacionales y privados, en galerías y centros culturales. Al principio las muestras consistían simplemente en la exposición de las obras, pero con los años cada vez se tornaron más complejas. Las presentaciones fueron más abarcativas al incluir música, video, danza y textos. Surgieron así instalaciones, eventos, ambientaciones y proyectos cada vez más originales.

Mi búsqueda era, y sigue siendo, apelar a todos los sentidos, persiguiendo un fecundo entrecruzamiento de las artes. Respondí con mi trabajo cada vez más a mis visiones internas, sintiendo una fluida comunicación con el "Todo".

Uno de mis proyectos más audaces: la "Ópera Textil" basada en los Arcanos Mayores me atrapó plenamente durante años. Lo fascinante era la inclusión de diversas expresiones del arte en una propuesta escénica sobre el "sentido de la vida". Me sumergí en el estudio de las antiguas sabidurías. De esta conjunción surgieron nuevas formas de expresión creativa plasmadas en escenografías, vestuario, máscaras, coreografías, música, filmaciones, textos, conferencias y libros.

August Everding, director del Prinzregententheater de Munich dijo al respecto *"... su proyecto es genial, pero es absolutamente imposible que una artista sin un enorme respaldo institucional lo pueda realizar... "*. Sin embargo seguí y avancé. Si bien la ópera no se estrenó completa aún, durante el proceso de creación, logré resultados impensados que sin este desafío, jamás hubieran aparecido.

Las veintidós obras de gran tamaño "Los Arcanos en seda", esencia de la ópera textil, son testimonio de búsqueda y de encuentro.

Dejar una huella

Cuando aún era una joven profesional dentro de una empresa textil, el dueño de la empresa me preguntó: *"¿Cómo es que usted le enseña todo lo que sabe a su asistente?"*. La contestación que salió de mis entrañas fue una frase que había hecho mía *"Cuando ella sepa lo que yo se, yo ya habré inventado otra cosa"*. Y es así, cuando uno confía en su creatividad, la mezquindad no tiene cabida.

Cuando estoy trabajando creativamente, siento un gran placer en el cuerpo y en el alma: no hay ansiedad, el tiempo no existe, no hay frustración, no hay desesperación, no hay drama, sino simplemente el placer del hacer.

Desde este lugar me dediqué a la enseñanza dando clases y seminarios, para brindar mis experiencias y alentar la creatividad, introduciendo a los participantes en el sendero que los lleva a su conexión profunda.

Creo que la vida tiene etapas, y estas se interrelacionan. Hay etapas donde uno tiene que recibir, hay etapas donde uno produce y hay etapas donde uno desea compartir lo aprendido. Hoy es esto, transmitir los caminos recorridos. Aquí lo ofrezco alentada por el testimonio de tantos participantes en el atelier que se sintieron inspirados a ampliar sus posibilidades.

Dejar una huella, para que otros la puedan seguir, esto es lo que deseo. Ofrecer las experiencias, como otros las han dejado para nosotros. Esta es la ley de la continuidad.

Abordar una vida creativa con entusiasmo y amar sus desafíos es elegir un sendero de plenitud. Por eso los quiero alentar: ¡Anímense a avanzar!

Notas

1) Las musas son hijas de Mnemósine (Memoria) y Zeus. Son (en principio) nueve hermanas fruto de otras tantas noches de amor. (Como ocurre en la mitología hay tradiciones diferentes que las presentan como hijas de Harmonia o de Tierra y Cielo.)

Todas estas genealogías son simbólicas y se relacionan con la primacía de la Música en el universo; por ello los pitagóricos les rendían culto. Las musas no sólo son cantoras divinas sino que presiden el "pensamiento" en todas sus formas: elocuencia, persuasión, sabiduría, historia, matemáticas, astronomía.

Cuando las musas inspiran, las palabras aplacan la violencia, ordenan, dan dulzura o permiten olvidar los pesares, según las circunstancias. El más antiguo de los cantos de las musas es el que entonaron después de la victoria de los Olímpicos encabezados por Zeus contra los Titanes. Allí nace un nuevo orden.

Hay varias agrupaciones de musas. La más habitual es la que se impone desde la época clásica y que consiste en nueve musas, admitiéndose que Calíope es la primera de todas en dignidad. Así, según este orden, se reconocen a Calíope: poesía épica; Clío: Historia; Polimnia: pantomima. Las musas de la poesía sacra y de la geometría, Euterpe: flauta; Terpsícore: poesía ligera y danza; Erato: lírica coral; Melpómene: tragedia; Talía: comedia; Urania: astronomía. (Astrología y astronomía no se distinguían en la antigüedad.)
Referencia: Bernardo Nante http://www.vocacionhumana.org

2) Peter Senge. Es pionero en el desarrollo organizacional, y autor de numerosos obras. Una de las más conocidas es La Quinta Disciplina. Alli plantea que los dos ojos nos dotan de visión estereoscópica y nuestros dos oídos de audición estereofónica; la utilización simultánea de ambos dota a las percepciones de "volumen" y "espacialidad". De modo similar, la complementanción entre la razón y la intuición enriquece el conocimiento. Utilizarlas por separado sólo nos daría el equivalente a ver en una visión "plana" (de dos dimensiones) del mundo.
Referencia: Senge, Peter. *La Quinta Disciplina*. Editorial Currency, 1994.

3) En el Instituto Correccional de Mujeres N° 3 de Ezeiza funciona un espacio de arte, taller La Estampa, desde el año 2000. Han pasado por él más de cien mujeres alojadas en esa unidad penitenciaria. La obra producida inicialmente incluye trabajos en serigrafía, papel reciclado, escultura, dibujo y muralismo.

4) Las investigaciones en distintas áreas del saber: neurología, fisiología y psicología, entre otras, han respondido algunos de estos interrogantes y han abierto otros. En general coinciden en que la creatividad es un fenómeno biológico y a la vez cultural en el que interviene tanto lo cognitivo como lo afectivo. Desde fines de los '80 en adelante, sumándose a las teorías del cerebro triuno, los hemisferios cerebrales y la dominancia

cerebral de Ned Herrmann, aceptadas hasta ese momento, aparecen las teorías del cerebro múltiple que sirve de fundamento para la teoría de Coleman de las inteligencias múltiples. Asimismo los avances en neurociencias y su vinculación con la física cuántica han abierto nuevos escenarios de observación y estudio. Sin duda queda aún mucho terreno por explorar y comprender.

5) Nadis: canales de energía sutil en el cuerpo. Los chakras están interconectados a través de los nadis, que son como ríos de luz por los que circula el Prana, la energía vital. Los nadis son infinitas líneas eléctricas, partículas de luz que pasan por el cuerpo con múltiples ramificaciones que fluyen y sobrepasan nuestros límites corpóreos creando un cuerpo astral. Según el Hatha Pradipika en el cuerpo hay 72.000 nadis. De todos ellos hay catorce destacados como los principales, de entre los que sobresalen tres de ellos: Ida, Píngala y Sushumna. Entre otras potencialidades, son transmisores y receptores para la creatividad. Ida corresponde a la energía que corre a lo largo de la columna y sigue por la fosa nasal izquierda. Simbólicamente está relacionada con lo femenino, lo receptivo y con la luna. Píngala corresponde al flujo de energía de la fosa nasal derecha y simboliza lo masculino, lo activo y el sol. Sushumna pasa por el centro de la columna vertebral, desde la base donde está situado el primer chakra hasta el sexto chakra que está situado en el entrecejo. Todos los nadis están subordinados a Sushumna inclusive Ida y Píngala.
Referencia: Danilo Hernandez, *Claves del Yoga, teoría y práctica.* Ed. Los libros de la liebre de Marzo, Barcelona, 1997.

6) Los chakras se asocian a distintas glándulas que proveen al cuerpo físico de las respectivas hormonas.

Primer chakra, las glándulas suprarrenales que producen la adrenalina, la cortisona, la aldosterona y hormonas sexuales masculinas. Segundo chakra, los testículos que producen hormonas sexuales masculinas como la testosterona y los ovarios que producen principalmente el estrógeno y la progesterona. Tercer chakra, el páncreas que produce la insulina, la glucagona, las hormonas para el aparato digestivo como la amelasa, lipasa, peptidasa, elastasa. Cuarto chakra, el timo que produce hormonas como la timolina que influyen el sistema inmunológico, especialmente importante para los jóvenes. Quinto chakra, la tiroides que produce la tiroxina y la calcitonina y las paratiroides producen la parathormona. Sexto chakra, la pineal produce la melatonina. Séptimo chakra, no le corresponde ninguna glándula.
Referencia: Patrick Drouot, *Sanación espiritual e inmortalidad,* Luciérnaga, 1995.

7) La sabiduría oriental nos transmite que en el segundo chakra, más exactamente en la base de nuestra columna vertebral, duerme una potente energía creativa, la llamada Kundalini. Cuando se despierta, puede extenderse por la columna, hasta llegar a los chakras más elevados.

8) El INNFA, a través de su Centro de Formación y Capacitación Laboral para Ciegos, CEFOCLAC, brinda rehabilitación básica funcional, integración familiar, capacitación e inserción laboral a personas ciegas mayores de 13 años.

9) Recomendamos esta película, que traducida se titula: *¿Qué rayos sabemos?*. Ella ejemplifica de un modo excelente la manera en que funciona nuestro cuerpo y nuestros sentidos.

10) Giacomo Rizzolatti catedrático de Fisiología Humana en la Universidad de Parma descubre las neuronas espejo en 1996.
Referencia: Asociación Educar

11) En el N° 116 la revista *Fast Company*, publicó un listado de nuevas tecnologías bajo el sugestivo nombre de "Tecnologías futuristas". Allí se relata la experiencia de la Universidad de Bradford, en Gran Bretaña, donde se está desarrollando, the Fair Tracing project.
Referencia: www.fastcompany.com

12) El término "*serendipity*" fue acuñado por el escritor británico Horace Walpole, que ha pasado a la historia por su literatura epistolar. En una carta fechada el 28 de enero de 1754 introdujo la palabra *serendipity*, inspirada en un cuento suyo titulado "Los tres príncipes de Seréndip". Allí se contaban las andanzas de los príncipes que en una sucesión de viajes realizaron "por accidente y sagacidad" continuos descubrimientos de cosas que en principio no buscaban.

13) En 1920 el término sincronicidad es tratado por Carl Jung cuando estudia la correlación entre los sueños y su interpretación en los comentarios de los místicos orientales sobre los cambios de destino a lo largo de la vida.
Referencia: Dorothy Sisk, Paul Torrance, *Spiritual Intelligence*, CEF Press, Buffalo, 2001.

Visualizaciones

1. La playa *(capítulo 5)*

Realizar previamente una relajación.

Desde esta liviandad y libertad me paro en una playa, una hermosa playa. Siento la arenita rozando mis pies, siento claramente cómo la arena cruje debajo de mi planta y de los dedos del pie. Disfruto de la sensación. Me acaricia una brisa suave, camino sobre la arena y veo el AGUA delante de mí. Sí, el agua se extiende delante de mí. Estoy en esta hermosa playa y el agua está frente a mí, me tienta mucho y me incita a meterme. Tengo ganas de sentir el agua en mi piel. Me acerco caminando hacia el agua. No importa saber nadar porque con mi imaginación puedo hacer de todo, sin ningún límite. Ya siento el agua en mis pies, me moja los pies, me llega al tobillo, la siento sobre la piel. Ahora me moja las pantorrillas, ya me llega a las rodillas. Me voy metiendo cada vez más y más adentro. ¡Qué sensación placentera! Me zambullo y me largo a flotar. Floto en el agua, qué hermosa sensación.

Siento la frescura del agua sobre mi piel, siento como se desliza mi cuerpo en el agua, me siento livianito, estoy flotando. No importa si sé nadar o no, con mi imaginación puedo flotar. Siento como el sol me abriga desde arriba. El agua moja mi cuerpo y me dejo estar, qué sensación maravillosa. Mientras voy nadando veo el sol y cómo sus rayos penetran en el agua y la traspasan. Los rayos del sol penetran en el agua, allí se quiebran en miles de pequeñas lucecitas que se mueven, bailan y brillan; se extienden hasta la profundidad. ¿Qué habrá en el fondo?

Eso me intriga, quiero sumergirme en el agua y descubrir qué hay abajo. La presión del agua en los oídos y la respiración no son un problema; en mi imaginación me sumerjo hacia el fondo con la misma tranquilidad con que lo hace un pez. ¡Tomo impulso y me sumerjo! Desde abajo veo cómo la luz se proyecta en el agua. ¡Qué maravilla ese movimiento de luces y formas! Observo todo el panorama y al nadar siento el agua deslizarse por todo mi cuerpo. Ahora percibo cómo se escuchan los ruidos debajo del agua. Aquí abajo es otro mundo. Estoy con todos mis sentidos participando de este elemento agua.

Ahora miro hacia la profundidad y veo que allá en el fondo hay algo que atrapa mi atención. ¿Qué será? ¡me intriga!, ¿qué será lo que está ahí abajo?, entre la penumbra y el movimiento del agua se desdibuja la imagen pero veo algo; que increíble, allí abajo hay algo. Como no tengo problemas con la respiración puedo bajar a las profundidades. Tomo envión y me sumerjo cada vez más, hasta acercarme a lo que veía desde lejos. ¡Ahora lo tengo frente a mí!, no me imaginaba que era así. Lo observo detenidamente y lo reconozco, ¡ah claro, era esto! Lo observo y nado lentamente rodeándolo y contemplándolo desde distintos ángulos. Ahora lo identifico bien, ¡qué sorpresa! Lo observo minuciosamente, lo toco con los dedos y registro como lo percibo con el tacto, qué sensación me produce al tocarlo. Lo miro y lo escucho y presto atención a los sonidos que emite. Me tomo mi tiempo para recibirlo con todos mis sentidos.

Me dejo invadir por las sensaciones que me provoca su presencia. Me abro para percibirlo con todo mi ser. Con mi piel, mis oídos, mi vista. Presiento que tiene algo para mí, quizás un mensaje, ¿qué será? Me concentro en cada detalle, y recibo su mensaje que me conmueve, porque es justo para mí. Lo asumo conscientemente. Lo guardo en mi memoria como si fuera una foto, o tal vez como una canción. Lo miro otra vez, le doy las gracias y me despido. ¡Qué maravilla lo que estoy vivenciando!

Tomo envión y subo hacia la superficie; saco la cabeza fuera del agua, vuelvo a sentir el sol en la piel, en mi rostro. Disfrutando de esta sensación repaso en mi memoria cada detalle de lo sucedido. Recuerdo perfectamente lo que he vivido y ahora continúo flotando en el agua que me es tan placentera.

Nado hacia la orilla para salir del agua. Ya siento otra vez la arenita rozando mis pies, el agua es cada vez menos profunda a medida que voy saliendo. La brisa me acaricia el cuerpo mojado, estoy parado sobre la arena húmeda. Doy los últimos pasos y me alejo del agua.

Ahora que estoy parado sobre la arena seca decido volver al lugar del que partí.

Con el recuerdo claro de lo que vi en el fondo del agua y del mensaje que recibí, vuelvo a este preciso momento, vuelvo a este asiento, a este espacio, a este lugar. Respiro profundamente, inhalo y exhalo el aire conscientemente, cada vez con mayor intensidad. Hago fuerza en mis manos, abro y cierro las manos. Golpeo mis manos contra los muslos sintiendo que estoy de vuelta aquí. Abro los ojos, estoy presente aquí y ahora. Me quedo en silencio manteniendo el espíritu de placer y libertad que acabo de vivenciar.

2. Un paseo por el campo *(capítulo 5)*

Realizar previamente una relajación.

Ahora descubro que estoy frente a un hermoso paisaje, es un campo verde, que se extiende delante de mí y me invita a recorrerlo. Me dispongo a dar un paseo. Camino distendido y a la vez atento a lo que pasa alrededor. El campo es llano, abierto; miro el horizonte sin límites. Giro hacia los cuatro puntos cardinales admirando todo lo que me rodea. A lo lejos descubro una construcción que parece un gran mirador, una torre maciza hecha de material sólido. Nada me impide acercarme al mirador, y avanzo hacia él disfrutando del día y del paisaje maravilloso. Siento el crujir del pasto cuando lo piso, la humedad en la tierra cuando la aplasto y el olor suave de la hierba. Al avanzar, el mirador se vuelve más definido; sus detalles se hacen más visibles. Estoy cada vez más cerca. Es una construcción sólida con una plataforma o terraza en su parte superior. ¡La plataforma me intriga!, me intriga cómo se verá el campo inmenso desde allí. Me pregunto si habrá alguna forma de llegar arriba. Me falta muy poco para llegar, avanzo confiado hacia allá.

Llegué al mirador, estoy parado frente a él y veo una escalera que me permite subir. Me encanta la idea de subir y voy hacia ella. Pongo un pie sobre el primer peldaño, subo el segundo peldaño y subo, subo, subo por la escalera, peldaño por peldaño, sin esfuerzo. A mi ritmo, avanzo sin detenerme hacia la plataforma; estoy cada vez más cerca. Cada uno llega a su momento y a su tiempo. Llegué, estoy arriba, en la terraza, ¡qué maravilla como se ve todo el paisaje desde aquí arriba! Me tomo el tiempo necesario para mirar en todas las direcciones. Miro el paisaje y me predispongo a disfrutarlo con todos mis sentidos. Tomo aire profundamente y me concentro plenamente en sentir, en las emociones que surgen. ¡Qué placer!, puedo oler los aromas del campo, degustar el sabor que emana de la tierra, sentir el aire que envuelve mi cuerpo y escuchar los ruidos y sonidos que llegan hasta mí. Siento el paisaje con todo mi ser.

Dejo vagar la mirada por la inmensidad y elijo el paisaje que más me atrae. Con la mirada puesta en la lejanía, percibo la tierra profunda y serena. Imagino en mis dedos su aspereza su suavidad, su humedad. Veo su colorido, las plantas tiñen la tierra de diversos colores, veo muchos matices diferentes. Siento el perfume de la vegetación que me trae el viento. Dejo que el paisaje se adueñe de mi persona. Abro mis sentidos para percibir su fragancia, para distinguir sus sonidos. Me concentro en el horizonte, en esa tierra lejana, ¿qué historias guardará? ¡Si pudiera contarlas! Observo, escucho y dejo que el campo, inmenso, me cuente sus secretos.

Ahora grabo en mi memoria este paisaje como si estuviera sacando una foto. Memorizo conscientemente todo lo que vivencié. Una vez que grabé en mi memoria las imágenes y sensaciones que me produce este paisaje me dirijo hacia la escalera y emprendo el descenso. Paso por paso, peldaño por peldaño, bajo la escalera y veo cada vez más cerca el piso. Llegué al escalón de más bajo, doy un último paso y siento nuevamente la tierra bajo mis pies. Siento su solidez, esto me da seguridad.

Regreso caminando por el campo, hacia el lugar desde donde partí. Con el recuerdo claro de lo que vivencié en este paseo vuelvo a este preciso momento, vuelvo a este asiento, a este espacio, a este lugar. Respiro profundamente, inhalo y exhalo el aire conscientemente, Inhalo y exhalo el aire cada vez con mayor intensidad. Abro y cierro las manos, hago fuerza en mis manos. Golpeo mis manos contra los muslos sintiendo que estoy de vuelta aquí. Abro los ojos. Estoy presente, me siento bien, estoy aquí y ahora.

3. La chimenea encendida *(capítulo 5)*

Realizar previamente una relajación

Frente a mí, a sólo unos pocos metros de distancia puedo ver un caserón de aspecto señorial. Tiene un portón grande e impactante que me invita a explorar el interior. Es un día muy frío. Camino hacia el caserón y me arrimo a la puerta, tomo la manija y abro. Es una puerta grande y pesada que cruje. Entro a la casa, cierro la puerta con cuidado. Giro y veo una gran sala; camino hacia ella mirando alrededor.

¡Qué placer, hay una chimenea con el fuego prendido! La leña arde y siento la calidez propia del hogar encendido. Como hoy hace frío es un día ideal para acercarme y disfrutar del fuego.

Delante de la chimenea veo un sofá y siento ganas de sentarme. Voy hacia allí, me acomodo a mi manera. Ahora que estoy cómodo, observo detenidamente el fuego que baila tomando formas diversas. Miro con atención la chimenea, primero en su totalidad; ahora me detengo en los detalles. Me llama la atención el brillo de las brasas y los diferentes reflejos de los leños que arden en el fuego. Observo el fuego. Siento el calorcito que aumenta el placer de estar aquí. Qué cautivante resulta observar el movimiento de las llamas; qué relajante y a su vez, qué enigmático.

Observo qué es lo que más me atrae de la fogata, ¿las brasas?, ¿me atraen más las llamitas chicas? o ¿me atraen más las llamaradas más grandes? O son las cenizas lo que llama mi atención. Con cuál de ellas me identifico más, cuál siento más mías. Observo cómo el fuego devora la leña y la transforma en cenizas. Siento el potencial de energía de este fuego, su ímpetu, lo poderoso de su esencia. Yo observo todo, percibo, siento su calor. Estas llamas las hago mías. Oigo el chisporroteo y el sonido de la leña cuando arde. Dejo que todos mis sentidos perciban. Huelo el fuego, detecto el aroma de la leña que se quema, esa mezcla de tronco y ramitas verdes; huelo el humo que se desprende. ¿El fuego despierta algún sabor en mí? Me dejo envolver por todas las sensaciones que me traen los sentidos. Presto atención a los colores de las brasas, de los leños, de las chispas, de las cenizas, y del fuego que cambia de tono permanentemente. Contemplo detenidamente las líneas cambiantes que dibujan las llamas en el aire. Descubro los diversos colores que me ofrece esta escena.

De todo lo que veo elijo la imagen, la sensación o la emoción que más me atrae, la que tiene que ver conmigo, la que me dice algo. La miro detenidamente. Participo con todos mis sentidos en esa imagen. Conscientemente la grabo en mi memoria para llevarla conmigo. Una vez que la tengo bien clara, la registro como si le sacara una foto. Me aseguro de tener todos los detalles bien presentes.

Vuelvo a mirarla, agradezco lo que me brindó y me dispongo a regresar al lugar de donde partí. Ahora me levanto del sillón para salir de la sala, camino hacia la salida. Abro la puerta y salgo del caserón. Estoy otra vez afuera, como al principio. Respiro el aire frío que ayuda a despejarme. Me dispongo a regresar al lugar de donde partí.

Respiro profundamente, inhalo y exhalo el aire cada vez con mayor intensidad. Hago fuerza en mis manos, abro y cierro las manos. Golpeo mis manos contra los muslos sintiendo que estoy de vuelta aquí. Abro los ojos, estoy presente en el aquí y el ahora.

***4. Carnaval** (capítulo 5)*

Realizar previamente una relajación.

Es tiempo de carnaval, ¡qué época alegre y divertida!

Estoy parado en una terraza, sobre una avenida, listo para disfrutar de todo lo que pasa alrededor. De repente, una ráfaga de viento, como una ola, rompe en la terraza. El viento me envuelve, me sacude el pelo y hace flamear mi ropa. La ráfaga es tan potente que las campanas de una iglesia cercana comienzan a sonar.

Esta tarde el carnaval está en todo su apogeo. Desde la terraza miro hacia abajo y veo una multitud disfrazada que llena la avenida de colores. También a ellos el viento los sacude y sus ropas se agitan y flamean. ¡Qué espectacular! Parece que los colores tienen vida propia. La luz y el movimiento se mezclan y forman ondas de colores tornasolados; a medida que continúan mezclándose, se van formando nuevas tonalidades.

El viento puso todo en movimiento y yo me siento parte de ese movimiento, plenamente comunicado con lo que sucede. Participo en el fluir.

Una alegría contagiosa me invita a sacar varias serpentinas del bolso. ¡Qué bueno que pensé en traer serpentinas! Y qué afortunado soy de estar tan alto, como para ver desde esta terraza todo el espectáculo. Aprovecho una nueva ráfaga para lanzar las serpentinas. El viento las desenrolla y flotan en el aire, a la deriva, tomando formas cambiantes que dibujan en el cielo líneas, figuras, trazos enrulados y muchas otras combinaciones insólitas. Observo las figuras que surgen. En poco segundos, desde otros balcones, la gente empieza a lanzar por el aire cientos de serpentinas que improvisan nuevas figuras y multiplican la danza de colores en el aire. Mientras caen, levanto la vista y veo correr a las nubes que también toman formas cambiantes con cada ráfaga de viento. El aire fluye vigoroso, las junta, las separa, las organiza y permite que bailen armoniosamente.

Percibo como se abre mi interior, soy libre, siento la generosidad de la vida. ¡Me siento tan bien! Participo plenamente en el espectáculo.

Cuanto más lejos miro, más colores veo y en la lejanía el horizonte se funde con el cielo. Ahora escucho los sonidos con mayor claridad. Ahora oigo los susurros del viento. Poco a poco las risas, los gritos de alegría, las palabras se funden con el viento que despliega entonces toda su música. Mientras disfruto de esta nueva sensación, cambio la mirada, hacia lo más cercano y descubro que los colores son más cálidos, los admiro detenidamente; los colores cercanos tienen muchísima presencia, son mucho más potentes. Veo verdes, naranjas, rojos, violeta, plateados, turquesas y amarillos, todos con sus detalles. ¡Es maravilloso lo que se despliega ante mis ojos!

Estoy tan feliz y emocionado que tomo todo el papel picado que hay sobre una mesa cercana y lo largo a volar por el aire. ¡Qué fantástica la lluvia de papelitos que vuelan dóciles desplegando múltiples colores! Por un momento el viento se detiene y los papeles quedan suspendidos en el aire formando una enorme nube colorida que no deja ver la calle. Es como si el aire se hubiera tomado un descanso. El viento vuelve a soplar y siento una hermosa brisa que acaricia mi piel. Al ser tan liviano el papel picado hace piruetas caprichosas en el espacio. Se forman y deforman en segundos, figuras, dibujos y mandalas. Con la suave brisa los papelitos rumbean para todas partes. Disfruto un momento estas figuras que se despliegan ante mis ojos. Ahora, la brisa se calma y el papel picado que cae sobre la terraza forma un dibujo increíble. Miro detenidamente los colores y la figura. Lo recibo como un regalo caído del cielo. ¿Qué forma tiene? ¿Cómo es este dibujo? ¿Qué significado puede tener? ¿Tendrá algún mensaje oculto para mí?

La brisa se calma y todo parece detenerse. Me acerco, olfateo y descubro una suave fragancia; toco cuidadosamente la figura con la yema de mis dedos y en ese momento percibo un sonido suave que surge del interior. Miro y escucho atentamente y voy descubriendo algo que me emociona, pleno de significado para mí. Es el mensaje que estaba esperando, siento su perfume y su sonido. Hago mía la imagen. La contemplo y mi corazón se llena de alegría y de paz. Una vez que siento la conexión plena con la imagen, tomo consciencia de lo percibido y lo grabo en mi memoria, como si estuviera sacando una foto.

Agradeciendo el regalo y con el recuerdo claro de lo que viví en la terraza durante el carnaval, vuelvo a este preciso momento, vuelvo a este asiento, a este espacio, a este lugar. Respiro profundamente, inhalo y exhalo el aire conscientemente, cada vez con mayor intensidad. Hago fuerza en mis manos, las abro y las cierro. Golpeo mis manos contra los muslos sintiendo que estoy de vuelta aquí. Abro los ojos, estoy presente en el aquí y el ahora.

5. Viaje interior a los Chakras *(capítulo 6)*

Realizar previamente una relajación.

Llevo la atención al centro de mi cabeza. Desde allí percibo una luz tenue que se filtra por una abertura en la coronilla de mi cabeza. Es una pequeña abertura por la cual puede entrar y salir toda la luz del universo. Esa luz se hace cada vez más intensa. Se desliza por mi columna vertebral, ilumina el interior de mi cuerpo, alumbra los colores de todos mis chakras y penetra en mis espacios más ocultos. Me tomo un momento para disfrutarlo. Me dispongo a descubrir su significado en mí.

Envuelto en esa luminosidad interna, vuelvo a observar la abertura de mi cabeza; ahora la veo como un gran embudo por donde entra un enorme haz de luz. Sigo observando esta abertura en mi mollera, mientras me voy transformando en una persona pequeñita. Ahora soy una persona diminuta parada encima de mi cabeza mirando hacia el interior de este espacio. Me siento liviano, bailo en la luz de mi séptimo chakra que brilla de manera transparente en colores violáceos y plateados. Es un enorme haz de luz que me conecta con el Universo. Recorro los bordes y percibo burbujitas plateadas, doradas, violáceas y lilas suaves, son rayos de luz incandescentes que se expanden sin límites. Yo estoy allí arriba asombrado por lo que veo, por lo que siento, por la luz que me envuelve y penetra en mi pequeño cuerpo. Hundo mi mano en la luz, la tomo como si fuera polvo de estrellas y me pinto la cara, con ese plateado violáceo. Siento el color. Sigo pintando mis manos, mis brazos, mi pecho, para que se llenen del color luz, color plateado, violáceo, dorado, luminoso. ¡Qué maravilla! Me doy vuelta y ofrezco mi espalda, me revuelco en la luz. Todo mi cuerpo queda envuelto en esa maravillosa luz, siento que se amplían mis posibilidades hasta el infinito. Estoy parado encima de mi cráneo y bailo en esa luz brillante. Todo está bañado de la luz plateada, luz lila suave, violácea, dorada.

Siento que estoy en el umbral etéreo, ya no existe tiempo ni espacio. Aquí todo es posible, se va ampliando mi conciencia, me va penetrando la energía cósmica, se amplía mi ser, me expando. Me tomo un momento para percibir plenamente las sensaciones y emociones que me produce el color de mi séptimo chakra.

Vuelvo a sentarme en el borde de la abertura de mi cráneo. Mirando hacia abajo me doy cuenta de que hay un gran espacio a través del cual puedo visitar el interior de mi cuerpo. Me tienta la posibilidad de visitar todos mis chakras en sus distintos colores.

Desde el lugar donde estoy sentado me preparo para bajar. Mi pequeña personita puede subir y bajar a voluntad, es ágil y liviana. Dejo caer mis piernas y luego comienzo a bajar entrando en el sexto chakra que brilla en color azul profundo. Está ubicado en el centro del cráneo a la altura del entrecejo. Si percibo que la distancia es muy grande busco una escalerita que me ayude a bajar; me deslizo con suavidad, estoy bajando directamente hacia el centro de mi cabeza, me meto en ella. Como soy chiquito percibo mi cráneo como una bóveda enorme de color azul profundo. Es un tono azul índigo, brillante y luminoso, como el que se observa en el cielo después de la puesta de sol, ese azul que adquiere el firmamento al anochecer. Observo intensamente este espacio azulado, atento a lo que pueda surgir. ¡Qué maravilla! Allí descubro un espacio que me atrae de un modo especial, ¿será el "tercer ojo"? Siento una energía especial. Desde este lugar puedo ver, veo todo, veo la noche, percibo la noche, soy parte de esta noche. Me tienta pintarme de este color. Extiendo mi mano y la baño en el azul índigo. Me pinto la cara, me tiño el pelo con ese color azul noche; me revuelco en el azul. Es increíble, puedo ver todo a pesar de que es de noche, estoy envuelta en esta noche, en este azul nocturno, azul índigo, azul profundo. Veo lucecitas como si fueran estrellas, soy tan chiquito que mi propio cráneo se convierte en mi firmamento.

Paseo por mi sexto chakra; veo mi cerebro que también se ha teñido de color azul. Paseando por mi cerebro, puedo meter mi dedo y aflojar las tensiones que encuentre; si descubro que algo está fuera de lugar puedo enderezarlo, limpiarlo y sanarlo. Aquí puede desarrollarse la capacidad telepática, la espiritualidad y la intuición. Esa intuición que anticipa el camino y revela conocimientos. Agradezco su existencia y me propongo en el futuro escucharla más. Me muevo confiado en ese azul profundo similar a un océano infinito.

La energía de la luz me conecta con la trascendencia, con lo universal. Ahora voy a percibir, en silencio, qué me sucede con el azul profundo de mi sexto chakra, ¿qué siento a través de este azul, qué percibo?, ¿veo algo?, ¿cómo es esta sensación de estar aquí?

Una vez que tomé el tiempo para sentir este color azul tan potente comienzo a bajar hasta la garganta, hasta el quinto chakra, que brilla en color turquesa. Ahora me baño en el color turquesa y me pinto la cara y el pelo. Me revuelco en él. Todo mi cuerpo se tiñe de ese color. Paseo por este chakra, donde camino veo que mis pisadas son turquesa y que reflejan un color verde caribe y un celeste cielo.

Estoy en mi espacio de comunicación por excelencia. Cuando respiro, por mi garganta circula el aire que inhalo y que previamente fue exhalado por otras personas, animales o plantas. A su vez, el aire que yo exhalo puede ser inhalado por otras personas, animales o plantas que me rodean. De esta manera nos intercomunicamos continuamente. En este chakra recibo los mensajes de los demás y sus vibraciones y aquí es donde elaboro mis mensajes y respuestas. Veo todo de color turquesa transparente, como el color de las aguas del Caribe o como el azul celeste del cielo, luminoso, potente y maravilloso. Aquí sucede la armonía con los demás, se intercambian mensajes y crece el autoconocimiento. Disfruto de esta sensación que me aporta el color "cielo".

Me desplazo por este espacio hacia los pulmones. Mientras bajo acaricio mis cuerdas vocales, las aliso y disuelvo sus asperezas para que el aire fluya dentro de este espacio al inhalar y exhalar. Observo todo detenidamente para descubrir si hay algo que molesta o que irrita la zona, para subsanarlo. Una vez que llegué a mis pulmones, puedo alentarlos y acariciarlos para que mejoren su funcionamiento. En este momento siento que soy el dueño de mi cuerpo. Todo brilla en color turquesa. Ahora me tomo un momento para observar en silencio este lugar. Siento como fluye todo maravillosamente al mirar las diferentes tonalidades. ¿Qué sensaciones me produce el color de mi quinto chakra? ¿Qué emociones afloran? ¿Cómo son las imágenes que aparecen?

Una vez que tomé conciencia de mi posibilidad de comunicar y de recibir, continúo bajando hacia el verde de mi corazón, el cuarto chakra. Si para descender me hace falta una soga o una escalera, las tomo y desciendo. Ahora doy un saltito y ya estoy dentro de mi corazón. ¡Veo el latir de mi corazón! Aquí todo es verde.

Las aurículas, los ventrículos y las paredes del corazón son verde manzana, un verde sabroso. Veo como la sangre corre, como entra y sale del corazón por las arterias y venas. Observo las venas y arterias y cómo pulsa la vida. Todo está bañado en color verde, un verde fresco, un verde manzana, un verde primavera; ese verde que hace que el corazón se ensanche, que se abra al amor por la vida, al amor por el mundo, al amor a la existencia, al amor por todo lo que es y lo que existe. Todo es parte de mí y yo soy parte de todo. Este gran amor se genera en el cuarto chakra que es el chakra de mi corazón. Aquí se genera la compasión. El corazón se abre y puedo acompañar y comprender al otro con generosidad.

El verde es muy fuerte y brillante en el chakra de mi corazón. Hundo las manos en el color verde y me las paso por la cara, el pelo; revuelco todo mi cuerpo en este verde brillante. ¡Todo en mí se convierte en verde intenso! Siento como se va afirmando mi auto-aceptación. Me puedo aceptar tal como soy, por algo Dios me ha hecho de esta manera. Así soy una totalidad valiosa y perfectible, con todos mis dones y potencialidades: yo valgo por lo que fui, por lo que soy y seré. Puedo hacer muchas cosas y también puedo equivocarme, con lo positivo y lo negativo se redondea mi totalidad, yo soy así. Me siento libre para abrirme al amor amplio y comprensivo por mí mismo, por los demás y por la vida.

Todo está bañado en color verde, siento en mí la magnitud de este amor inconmensurable. Me permito un momento de silencio para vivenciar por un instante esa maravilla que es el amor sin límites por la vida.

Una vez que he podido vivenciar plenamente el verde intenso bajo hacia el tercer chakra, que es de color amarillo y está ubicado en el plexo solar que llega hasta el ombligo. Allí me conecto con la energía vital. Brilla en color amarillo como si fuese un sol. Lleno mis manos de color amarillo y me pinto la cara y el pelo. Me revuelco en el amarillo y observo lo que me sucede.

En esta zona descubro el ombligo que alguna vez me comunicó con mi madre. Este chakra se asocia con las emociones fuertes, como el amor que me une a mi pareja, a mis hijos, a mis padres, a mis hermanos y a los amigos íntimos. Aquí crecen mis vínculos más sólidos, esto sucede en el plexo solar que brilla de color amarillo. Desde aquí irradio, brillo como el sol y me siento a gusto conmigo mismo. Voy caminando por el interior de mi abdomen, paseo por esas bóvedas llenas de luz amarilla. Donde hay menos luz, el color amarillo se convierte en ocre, en un tono mostaza; donde hay más luz, el color se vuelve amarillo brillante cercano al color limón. Si tengo algo enfermo en esta zona, yo mismo puedo acariciarlo, darle ánimo, mejorarlo, tocándolo con mis pequeños dedos.

¡En el tercer chakra se genera mi autoestima! Acá nace el amor más profundo, ese amor que actúa en mí como un humus fértil para generar mi autoestima y mi autoconfianza. Aquí se generan los vínculos más fuertes, los vínculos con mis seres más cercanos. Todo este chakra irradia luz amarilla brillante. Acá se genera la acción y el control en relación con mis pares, con mi pareja, con mis hijos, con mis padres.

Me tomo un tiempo en silencio para ver, sentir y percibir lo que el color amarillo de este chakra me genera.

Una vez que he vivenciado todo, bajo a la zona del cóccix y a las vísceras donde está el segundo chakra, que brilla en color naranja. Es el chakra de la metamorfosis, desde aquí suceden los cambios en el cuerpo. Aquí se genera la nueva vida, aquí se metaboliza la comida, es el lugar de la alquimia del cuerpo, donde suceden grandes transformaciones vitales.

El segundo chakra emana color naranja potente, el color de la metamorfosis, de la regeneración, de la actividad creadora. Aquí lo existente se transforma en algo nuevo o diferente, aquí anida la fuerza de las generaciones que fueron y que vendrán. Me lleno mis manos de color naranja y pinto mi cara y mi pelo con este color. Me revuelco en el naranja. Cuando me levanto y camino, mis huellas son de color naranja. Vivencio el naranja en todo mi interior. En este espacio vivencio el sexo, puedo sentir el placer de dar y recibir. Es el espacio también del placer que produce el comer y el beber. Desde aquí surge el placer que sentimos en el cuerpo al crear. ¡Qué emocionante! Los placeres que sentimos a través del cuerpo se generan en el segundo chakra, donde se reflejan también las emociones.

Todo está bañado en color naranja brillante. Un naranja pleno con todos sus matices. Yo, como todavía soy pequeño, muy minúsculo, me desplazo por este color naranja entre los intestinos y el bazo, por la zona genital y si veo que algo está enfermo lo acaricio y lo mejoro. Allí donde va la luz directa, el naranja es luminoso y potente, en cambio donde hay sombra, el naranja cambia su tonalidad. Este color anima a la expresión creativa. La creatividad surge de mis entrañas.

Ahora me quedo un rato tranquilo, me tomo el tiempo para vivenciar cómo siento el color naranja de mi segundo chakra.

Una vez que lo he sentido y visualizado claramente, desciendo hacia mi chakra base, el primero, que es color rojo, un rojo potente. Entro en una bóveda roja, como el fuego, en la que todo brilla en diferentes tonalidades. Acá hay acción, siento la adrenalina y la vitalidad. Aquí se genera también mi salud física, mi bienestar, mi posibilidad de estar sano. En esta zona se activa la fuerza del instinto de supervivencia. Desde aquí reacciono: enfrento, ataco o huyo. Desde aquí siento el deseo visceral de vivir, se despierta el ímpetu y la fuerza para imponerme. ¡Tengo derecho a existir! En este espacio del primer chakra todo mi entorno brilla en colores rojos, magenta, borravinos y colorados. Me lleno las manos de color rojo y me pinto la cara y el pelo de rojo brillante. Me revuelco en el color; mi espalda y mi pecho quedan bañados en diferentes tonos de rojo. ¡Este rojo me da el ímpetu para pelear por sobrevivir! A mí no me pueden vencer así nomás, acá estoy, existo y desde acá yo puedo. Aquí sucede mi realidad, aquí vibra mi mundo concreto, mi mundo material. Éste es el pulso de la vida, ¡éste es el soporte de la vida! Acá se genera la estabilidad y mi convicción de que ser como soy me hace valioso. Aquí hay una realidad que me pertenece, que me hace poderoso.

Mis raíces me dan estabilidad y seguridad. Siento la tierra debajo de mí y me da solidez. Sentado en este lugar estoy bien arraigado. Con esta seguridad pueden aflorar mis aptitudes, todo mi potencial. El potencial aflora en color rojo brillante, es un regalo de Dios. Yo nací así. Agradezco este maravilloso regalo. Me quiero como soy, ¡quiéranme así como soy!

Ahora hago un momento de silencio para poder vivenciar plenamente la energía y potencial del rojo contenido en mi primer chakra. ¿Cómo me siento en este espacio? ¿Qué veo, qué percibo? Me tomo un tiempo y observo si en este paseo por los chacras y sus colores, he descubierto algo nuevo sobre mí.

Me preparo para el camino de regreso.

Hemos realizado un viaje maravilloso a través de nuestros chakras. Ahora vamos a revisar todos los colores internos, los vamos a recorrer con nuestra imaginación para volver a vivenciarlos y para detectar con cuáles me hallo mejor, especialmente en este momento.

Me sitúo en el punto más bajo de mi tronco, me conecto con el color rojo; con esa desbordante energía vital de color rojo fuego, con el potencial de mi primer chakra.

Desde ahí subo al segundo chakra, a la zona de mis entrañas, la parte de mi bajo vientre y vivencio el naranja que resplandece en mí, con su poder creador y transformador.

Ahora subo al tercer chakra, al plexo solar, ubicado desde el ombligo hacia arriba y vivencio mi amarillo que brilla como el sol e irradia luz amarilla solar. Vivencio cómo siento yo ese sol mío, esta luz amarilla.

Una vez que lo tengo claro subo al cuarto chakra, hasta el corazón, hacia los tonos verdes. El verde de las primeras hojitas que brotan en primavera; el verde del amor por la vida, ése es el verde que estoy vivenciando ahora.

De ahí subo hasta mi garganta, al quinto chakra a donde se encuentra mi turquesa, el lugar de la comunicación por excelencia. Inhalo y exhalo disfrutando el potencial de esta luz turquesa que se hace por partes, celeste cielo.

Y así, subo hasta mi sexto chakra, a la bóveda de mi cráneo a la altura del entrecejo. Observo el azul índigo y disfruto de la profundidad de mi bóveda color azul noche; vivencio el silencio y la calma de mi azul.

Finalmente, salgo por donde entré a mi cuerpo, salgo por la mollera hacia arriba, siguiendo el haz de luz. Veo toda la luminosidad de los violetas y los plateados que me unen con la plenitud del Universo. Es la maravillosa luz brillante del séptimo chakra que se proyecta hacia arriba.

Sigo parado sobre mi cabeza, observo como poco a poco se cierra la abertura de mi cráneo y desaparece la luz. En ese instante decido hacer un cambio, quiero dejar de ser la persona chiquita para volver a mi tamaño normal. En este preciso momento tomo conciencia de mi cuerpo real, en el aquí y ahora. Siento que estoy aquí. Inhalo y exhalo conscientemente, cada vez con mayor intensidad. Aprieto mis manos repetidamente, las abro y las cierro con fuerza. Siento mi cuerpo, aquí estoy de vuelta. Respiro una vez más profundamente y con fuerza abro mis manos; tensiono todo el cuerpo y después lo aflojo. Me golpeo los muslos, me siento de vuelta en este espacio. Acá estoy, sentada en este asiento.

***6. Mi color, mi imagen** (capítulo 6)*

(Esta visualización requiere haber hecho la nº 5.) Realizar previamente una relajación.

Tomo conciencia de mi cuerpo, estoy relajado. Percibo la luz que atraviesa mis chakras e ilumina mis colores internos. Comienzo de abajo hacia arriba a recorrer mis chakras disfrutando uno a uno del color que me ofrecen. Reviso cada lugar y me hago permeable a cada color. Veo todo rojo potente, luego paso al naranja brillante; desde allá subo al amarillo que reluce como el sol, sigo y me encuentro con el verde fresco, avanzo hacia los turquesas celestes, llego hasta el azul oscuro profundo y finalmente estoy en el violáceo plateado de luz brillante.

Me tomo un tiempo para vivenciar la gama de colores. Una vez que revisé los colores tomo conciencia de todo mi cuerpo. Observo si alguno de los colores llama especialmente mi atención. De los siete colores del arco iris elijo el que más me atrae, el que se impone en mi pantalla mental. Me acomodo en ese lugar. Dejo surgir las sensaciones y las emociones que trae el color. Crecen poco a poco, dejo que me invadan y me entrego. Sin perder mi individualidad me sumerjo en el chakra del color de mi preferencia. Si son varios los colores que me resuenan, los acepto sin peleas, dejo que surja todo lo que aparece.

Me baño en el color de mi elección y me sumerjo en él, nado en él, y me dejo transportar por un río caudaloso teñido de este color. Ahora fluyo por ese río de color, ¡qué maravilla! el río brilla en el color que yo elegí. Toda el agua es del color que yo elegí. Si aparecen más colores los acepto, los dejo integrarse a este río de color. Fluyo y me dejo llevar por el río, no importa si sé nadar o no, no hay riesgos, me siento seguro y me dejo llevar. Disfruto del agua, de su fragancia.

Mientras me deslizo miro hacia el horizonte; descubro que hay algo en la orilla más lejana, que no puedo ver con claridad. La corriente del río me acerca cada vez más y más. Al acercarme, es cada vez más visible, más y más grande. ¿Qué es, tiene forma definida, tiene sonido, color, se siente algún olor especial?

Me acerco hacia la orilla, presiento que voy a encontrar algo, algo que me espera, que quiere ser visto, ser sentido, ser vivenciado, saboreado y olfateado por mí. La corriente del río me empuja cada vez más cerca. De repente estoy frente a ella, la tengo frente a mí, la luz la ilumina de pleno y me revela esta maravillosa imagen, que me estaba esperando. Salgo del río, no siento frío, estoy bien, no me importa estar mojado o que chorreo agua. Me siento en el paraíso, veo la imagen y me conmueve que sea para mí; me maravilla ver esta imagen.

Me acerco a ella y trato de tocarla con la yema de los dedos. Con la palma de mis manos trato de descubrir si tiene volumen o si es plana, si es áspera o si es blanda, si es cálida, si es de metal, si fluye o si circulan sólo energías de colores. ¡Todo es posible! Tomo distancia y comienzo a rodearla, quiero ver su cara posterior; registro si tiene volumen o si es plana, si es pequeña o si es inmensa. Hago silencio para escuchar si tiene sonido, y abro mis sentidos para captarla en su totalidad.

Percibo la imagen con todos mis sentidos, dejo que surjan mis emociones, que toda esa información llegue a lo más profundo de mi ser.

Miro alrededor y elijo un lugar cómodo donde sentarme. Desde allí la puedo observar en toda su magnitud y esplendor. La recibo con mis oídos, con el paladar, inspiro su fragancia, la percibo sintiéndola, percibo todo. ¡Ella me estaba esperando, hoy, a mí! Estaba ahí desde siempre esperando ser captada por mí, me estaba aguardando. Con el correr del tiempo, lentamente se va estableciendo una comunicación entre la imagen y mi posibilidad de recibir, de ver, de escuchar, de palpar, de sentir, de olfatear, de saborear. Siento que se abre mi interior. Presto atención a si quiere comunicarme un mensaje. Esta imagen me revela algo que es específicamente para mí.

Cada persona es diferente de modo que para cada uno la percepción puede ser diferente. Respetemos nuestra condición particular.

Me acerco ahora para observar como está hecha técnicamente. Esta información me servirá para poder reproducirla. Dispongo de todas las posibilidades para analizarla. Puedo tocarla, observar como están hechas sus terminaciones, darme cuenta si la imagen tiene movimiento o está inmóvil, si la imagen es estática o se modifica en el tiempo. Puedo distinguir si es de materia, si está hecha de ondas sonoras o de colores en movimiento; puedo inspeccionarlo todo.

Nuevamente me siento; estoy frente a la imagen que mi color elegido me regala. Me tomo un tiempo más para seguir observándola, me detengo hasta en el más mínimo detalle. Observo todo el colorido, toda la gama cromática y la intensidad del color. Comienzo a grabarla en la memoria. Me cercioro de que la imagen quede bien grabada. Si no logro visualizarla, la vuelvo a recibir con todos mis sentidos; cuando la recibí totalmente la guardo en mi corazón y en mi memoria, y la llevo conmigo.

Ahora me levanto, me voy hacia el río de aguas caudalosas. Y ¡qué sorpresa! me doy cuenta que se ha invertido el rumbo de la corriente, esto me permite regresar con facilidad. Me zambullo en el río que ahora fluye al revés. Floto confiado y el agua me vuelve a llevar al lugar de donde vine. Sigo flotando en este río del color que yo elegí. Sigo fluyendo hacia el chakra donde empecé este viaje. Ahora estoy de vuelta en el chakra, dentro de mi cuerpo, en el espacio que brilla en este color. Amplío la conciencia sobre la totalidad de mi ser. Inhalo y exhalo conscientemente. Repaso lo vivido.

Manteniendo el recuerdo de la imagen que me regaló el color, decido volver al lugar desde donde partí, al aquí y ahora. Inhalo y exhalo conscientemente, cada vez con mayor intensidad. Siento que estoy aquí. Aprieto mis manos repetidamente, las abro y las cierro primero suave y luego con fuerza. Siento mi cuerpo, acá estoy de vuelta. Respiro profundamente, cada vez con más intensidad. Abro mis manos, tensiono todo el cuerpo y luego lo aflojo. Me golpeo los muslos, me siento de vuelta en este espacio. Abro los ojos. Acá estoy, sentado en este lugar.

7. Ejercicio para visuales *(capítulo 7)*

Realizar previamente una relajación.

Mantengo los ojos cerrados y mis ojos, aunque cerrados, me regalan colores y formas que lentamente se despliegan ante mí. Suavemente, las imágenes despiertan mi ojo interno. Comienzo a ver colores; veo formas, veo líneas. Constantemente siguen apareciendo más y más colores. A mí alrededor se forma una bóveda con los colores en movimiento, los veo flotar. Veo formas, líneas y planos que se alejan y regresan, distingo profundidades. Algunos colores son brillantes, con mucha luminosidad. La atmósfera de la bóveda es suave, como una membrana transparente y permeable. Me siento liviano, como si mi cuerpo perdiera consistencia. La luz, los sonidos y las fragancias traspasan los límites de mi bóveda. Me siento dentro de un enorme huevo que crece y crece y que integra todo lo que hay en el exterior. A medida que se expande, mi capacidad de ver aumenta. Estoy en el medio de un huevo gigante en el que veo colores y formas, veo, veo y veo. Puedo ver con todo mi ser. Abro mis cinco sentidos y me proyecto en ellos. Si llegara a percibir algún sonido, música o fragancia permito que se unan a las imágenes y enriquezcan mi visión.

Me sumerjo en el ver; siento que mi energía se expande, aumenta mi sensibilidad y me integro a otros planos; entro en otra vibración: me siento flotar. Me abandono a la experiencia. Las formas y los materiales van transformándose y se funden en un espacio donde sólo existen colores con todos sus matices, luces, oscuridades, transparencias, densidades, líneas, planos, imágenes, volúmenes, colores estridentes, colores suaves. En este viaje también existe el vacío. Veo el vacío, penetro en el vacío.

Mi ver se amplia cada vez más y más, ¡ya no tengo límites! Pierdo la noción de tiempo y de espacio. Me entrego a lo que sucede. ¡Me expando, cada vez un poco más! Siento una gran amorosidad que contiene mi alma y la ilumina con luz dorada. Mi potencial de visualizar es inmenso. Me siento unido a todo lo creado, soy un todo con el universo. Confío en lo que sucede y me entrego.

Veo todo, la amplitud del universo, los planetas y los cuerpos luminosos del cielo. Dejo fluir mi imaginación y ahora puedo ver lo que antes me resultaba invisible. Vibro en los colores del universo, veo colores fuertes y potentes: rojos, azules y amarillos. Me deleito con millones de matices; con paisajes imaginarios; con formas rítmicas y geométricas, cambiantes y dinámicas. De una forma surge una nueva forma, y de las imágenes, nuevas imágenes. El color cambia permanentemente de tonalidad y de luminosidad. Todo está en movimiento. Siento como el color externo se une a mi color interior. El color se vuelve sanador y moviliza mi interioridad.

Soy color y forma, soy todo visión. Todo el universo está a mi disposición; vivo un presente absoluto. Gozo de poder ver todo; ¡todo fluye en una danza sin fin! Disfruto de la visualización; me siento libre, amplio y feliz. Soy puro ver, soy puro ver.

Asombrado por todo lo que pude experimentar al diluirme en el puro ver, llega el momento de guardar en mi memoria las imágenes y los colores vivenciados. Respiro profundamente y poco a poco, me condenso nuevamente, retomo mi forma natural hasta llegar a sentirme plenamente yo mismo. Respiro suavemente.

Ahora que regresé nuevamente a mi persona, respiro suave y profundamente con la conciencia atenta en la respiración. Muevo las manos, roto los hombros, froto mis muslos. Siento mi cuerpo plenamente; pongo toda mi atención en el aquí y el ahora. Llevo en mi memoria todo lo que he podido visualizar, todas las imágenes, todos los colores y todas las formas. Recuerdo todo claramente. He podido participar, por medio de mi vista ampliada, de la existencia visible e invisible del universo, apoyándome en la respiración vuelvo lenta y conscientemente a este lugar. Estoy aquí.

8. Ejercicio para auditivos *(capítulo 7)*

Realizar previamente una relajación.

Me conecto con mi interior y dejo que los oídos se abran a los sonidos. Sin tensiones, me entrego al disfrute de la música y de sus vibraciones. Poco a poco, la música que escucho ya no es importante en sí misma, sino un vehículo para viajar al interior de mi ser. Se silencian los sonidos externos. Va despertando suavemente mi oído interno, mi conciencia, donde habitan la música interna y el silencio. Escucho ese silencio. Crece mi capacidad auditiva. Pierdo consistencia, me hago liviano y me convierto en el oír.

Ahora mi espacio se amplía y estoy flotando en ondas sonoras. Soy uno; soy uno con el sonido. Respiro acompasado con mi potencial auditivo: me impregno de los susurros, los murmullos y los sonidos musicales. Mi sustancia física se transforma en esencia sonora, en ritmo; vibro en ese ritmo, siento ese ritmo. Todo lo que me rodea se convierte en ondas sonoras que se combinan en diferentes melodías, suaves, agudas, sólidas o graves. Las ondas sonoras toman vuelo y componen las notas de esta partitura. Me entrego con toda confianza a fluir con el sonido, la música y el ritmo. Al escuchar palabras o frases las convierto en música. Escucho cada vez más, los tonos se multiplican igual que los acordes; el mundo se convierte en un concierto grandioso del que yo soy parte.

Me siento parte del universo infinito, del espacio sonoro, disfruto más y más de la armonía. Algunos tonos son más suaves, otros tienen más presencia, juego y me mezclo con ellos. Mi espacio de resonancia crece y crece y yo me disuelvo en el sonido, siento variar la intensidad de mi energía; entro en otra vibración, me sensibilizo cada vez más, la melodía me acaricia. Me siento integrado a la inmensidad, me disuelvo en el oír, me siento flotar; soy parte del universo sonoro. Ahora sólo existen melodías, susurros, sonidos, acordes, silbidos, palabras. Todo mi yo se expande. Mi percepción se amplía de tal manera que pierdo la noción del tiempo y del espacio: fluyo en la atemporalidad. Me abro a lo que surja. ¡Me expando cada vez más! Siento una gran amorosidad que me contiene.

Mi capacidad de percibir sonidos es inmensa; me siento unido al cosmos, soy un todo con el Universo. Confío en lo que sucede y me entrego.

Oigo toda la música del universo; lo audible y lo inaudible; la voz del universo; los rumores de la creación. Yo vibro con todo este sonido, me siento acompasado con el infinito. El universo me regala todos sus sonidos y los percibo, participo en su esencia sin dificultad. Me deleito con millones de murmullos, resonancias, melodías y ritmos. Los sonidos cambian y se interrelacionan con otros, formando acordes magistrales, orquestaciones, melodías jamás escuchadas. Al separarse surgen voces aisladas misteriosas e intrigantes. Siento como el sonido me purifica; el sonido es sanador y penetra en mi esencia.

La música y el sonido amplían mi potencial auditivo; participan todos mis sentidos. Veo y percibo sonidos, música y coros. Toda mi sensibilidad es sonido. Mi cuerpo se hace música. Mi intuición se regocija con el oír. Vibro, resueno con el universo. ¡Gozo la sensación de amplitud sin límites! Me siento libre y feliz. Soy pura música y soy silencio a la vez.

Asombrado por todo lo que pude experimentar al diluirme en el puro oír, llega el momento de guardar en mi memoria los sonidos y la música vivenciada. Respiro profundamente y poco a poco, me condenso nuevamente, retomo mi forma natural hasta llegar a sentirme plenamente yo mismo. Respiro suave y profundamente. Retomo la conciencia de mi cuerpo a medida que inhalo y exhalo. Inhalo y exhalo, cada vez con mayor intensidad.

Ahora que regresé nuevamente a mi persona, muevo las manos, roto los hombros, froto mis muslos. Siento mi cuerpo plenamente, pongo toda mi atención en el aquí y el ahora. Llevo en mi memoria lo que he podido percibir: murmullos y silencios; sonidos y melodías, los ritmos; los coros; los instrumentos y todas las voces de la creación de los que fui parte. Los recuerdo claramente, he podido participar, por medio de mi oído ampliado, de la existencia audible e inaudible del universo. Apoyándome en la respiración vuelvo lenta y conscientemente a este lugar. Estoy aquí.

9. Ejercicio para kinestésicos *(capítulo 7)*

Realizar previamente una relajación.

Desde esa paz estiro las manos y toco los diferentes objetos que me rodean. Permito que mi cuerpo siga sus impulsos y reaccione sobre lo que estoy percibiendo. Las sensaciones entran por mi piel y se funden con mi corazón. Cada contacto ayuda a relajarme. Siento que el cuerpo se afloja. Mis manos se llenan de sensaciones nuevas y todo mi cuerpo se contagia de una alegría y libertad inmensa para sentir. Poco a poco las sensaciones externas dejan de tener presencia y me abro hacia el mundo de mis sensaciones internas.

En mi interior las sensaciones generan una trama que crece hasta convertirse en una bóveda blanda. Crece y crece hasta que me traspasa y pronto me envuelve completamente. Junto con ella me estiro hasta que todo el universo cabe adentro. Me siento libre y protegido para explorar, sentir y descubrir. Me regocijo en el sentir. Ya no hay adentro ni afuera, tengo la capacidad de percibir y de moverme ilimitadamente. Pierdo mis límites, me abandono, y soy puro sentir. Floto por el universo acariciando cada forma, deslizándome sobre las montañas, atravesando el agua, traspasando el aire, bailando con el impulso del viento. Trazo con el dedo caminos en las arenas del desierto y desenredo las hiedras que cubren la selva. Confió en lo que sucede; me entrego.

La gravedad me regala sus secretos y puedo estar adentro y afuera, arriba y abajo, rodeando cada cosa y ser ese objeto; puedo viajar al centro de la tierra, palpar las piedras preciosas, convertirme en ellas. Acaricio las superficies ásperas y las suaves; descubro su personalidad, su volumen y densidad. Me siento maravillosamente bien, corro, vuelo, camino, me arrastro, acaricio, palpo. Me deslizo sobre espacios blandos, me recuesto sobre un colchón de flores y refresco mi ser en las aguas de la vida. Todo el universo se me ofrece para ser palpado, recorrido y profundamente comprendido. Mi piel es la piel del universo. Soy parte de un mundo complejo, diverso, rico en colores, olores y sabores con infinitos contrastes, formas, texturas, ángulos, desniveles.

El universo cala hondo en mi interior. Descubro en este encuentro con la totalidad que puedo ser mucho más de lo que soy. El universo me acoge con un sentimiento de amorosidad. Me siento bien, soy feliz. Disfruto mi felicidad.

Ahora, lentamente retorno a mis dimensiones; mi ser se contrae suavemente y regreso a los límites de mi cuerpo y de mi piel. Nuevamente el adentro es adentro y el afuera es distinto de mí. El deseo se calma y vuelca en la memoria todo lo sentido, percibido y vivido. Recuerdo conscientemente la vivencia completa.

Cuando me siento preparado, vuelvo al lugar desde donde partí. Respiro profundamente varias veces, aprieto los puños, muevo los pies, me froto las piernas con fuerza, abro y cierro los puños, me froto los brazos; nuevamente estoy aquí, en este lugar, en este momento. Después de una última respiración, abro los ojos y sonrío por todo lo que disfruté. Me siento en paz porque estoy en paz.

***10. La Alegría** (capítulo 8)*

Realizar previamente una relajación.

Me encuentro en mi hogar. Lo recorro con la vista y lo reconozco claramente. Conozco cada rincón de este entorno, de este espacio que me rodea. Me siento en casa y me siento cómodo, porque éste es mi hábitat.

Estoy en casa. En este momento suena el timbre y me dirijo hacia la puerta, la abro, ¡y aparece una persona que me trae una noticia maravillosa! ¡Qué fantástico! Yo nunca esperé que en este momento me pudiera llegar ¡esta noticia!, siento que el corazón late con todas sus fuerzas. Tengo ganas de saltar de alegría, ¡no lo puedo creer! Aparte, justo ahora me llega esta noticia, no podría llegar en mejor momento. ¡Qué maravilla! Me invade una enorme felicidad, ¡qué alegría que tengo!, ¡siento que desbordo de alegría!

Es tan grande mi sensación de placer, y tan profunda mi alegría, que parece que un solo cuerpo no me alcanza. ¡Qué felicidad! Esta alegría no la esperaba jamás en este instante. ¡Es maravilloso! Ahora tomo conciencia y disfruto de este sentimiento. Ahora percibo en mi interior cómo se manifiesta mi alegría, como siento yo, mi alegría. Observo su color; si toma alguna forma especial, si dá como chispazos, o tiene una consistencia más densa? ¿Tiene estrellas fugaces luminosas?, ¿cómo es mi alegría? Me deleito con su colorido. Soy el observador de mi alegría.

¿Cómo es mi alegría? Percibo en mi interior cómo es mi alegría?, ¿cómo la siento en mi cuerpo?, ¿cómo oigo mi alegría?, ¿cómo resuena en mi instrumento-cuerpo? ¿Qué palabras me surgen con mi alegría?, ¿qué fragancias percibo con esta alegría? ¿Son fragancias frescas, son alegres, son densas? Trato de distinguir a qué fragancia se parece, y qué sabor me evoca. ¿Qué capacidad tengo yo de sentir la alegría?, ¿cuál es mi potencial de alegría?

Una vez que tengo bien claro cómo percibo mi alegría, cómo se me presenta y cómo la siento, la guardo en mi memoria. Entonces lentamente, vuelvo aquí, a este espacio.

Tomo consciencia que yo estoy acá sentado, en el lugar que elegí. Respiro profundamente varias veces; hago fuerza en las manos; me golpeo las rodillas. Acá estoy, en el aquí y ahora. Cuando me siento listo abro los ojos.

***11. La Bronca** (capítulo 8)*

Realizar previamente una relajación.

En este momento estoy parado en pleno centro de mi ciudad. Escucho el ruido de una multitud que se acerca. Miro hacia ese lado y veo una gran manifestación que se acerca por la calle. Una manifestación enorme viene en dirección a mí reclamando por una gran injusticia. ¡Están furiosos! Se trata de una injusticia increíble, que ha generado una bronca profunda, pues muchísima gente ha salido a la calle a protestar en contra de esta terrible injusticia. ¡No se puede permitir tanta injusticia!, ¡no se puede tener tanta desfachatez! Sienten mucha impotencia, ¡esto no puede suceder! Claman por semejante injusticia que genera mucha bronca, mucha desazón.

Esto me moviliza porque en mi vida yo también he sufrido alguna injusticia; ¡también a mí me ha sucedido una gran injusticia!, y eso también me genera mucha, muchísima bronca. Así es que yo, en mi imaginación, me sumo a esta avalancha de gente que avanza gritando, exigiendo y reclamando: ¡justicia! ¡Tanta injusticia no puede ser! Todos gritamos desde la frustración, desde la impotencia, desde la injusticia vivida, desde la bronca. Yo también, en mi imaginación, grito. Grito y saco la bronca desde mis entrañas. La saco hacia afuera con toda mi energía y con todo mi cuerpo. Entonces, surgen aspectos míos que me asombran; ¡son indescriptibles!

Siento y vivo mi bronca. Esta injusticia me resulta inadmisible, imposible. Me genera tanta furia, ¡tanta bronca!, siento que esa impotencia está dentro mío crece y poco a poco la puedo individualizar. Siempre estuvo mezclada con otras vivencias, oculta en mi interior.

Ahora le doy un espacio, soy consciente de mi bronca y largo toda mi bronca; la largo con todo el cuerpo hacia fuera. Inhalo y al exhalar la largo, la libero! Siento como despido mi bronca al exhalar. De repente veo y siento la bronca fuera de mi cuerpo; ya no la tengo dentro, está afuera. La puedo ver, oír y oler.

Ahora observo minuciosamente cómo es mi bronca, qué aspecto tiene, ¿qué es lo que sale de mí en este estado de ira? ¿Desde qué lugar de mi cuerpo se manifiesta? ¿Qué color tiene mi bronca? Miro si son colores estridentes o si son densos; descubro el color de mi bronca. También pongo atención a sus formas, si son líneas en zigzag o relampagueante, si son chispazos, si tiene electricidad, si provoca estallidos, si tiene una forma definida. ¿De qué color es mi furia?, ¿cómo siento mi bronca?, ¿cómo oigo mi bronca?, ¿qué sonido tiene? Reviso para detectar si son sonidos con ritmo, si tiene chirridos, si es una melodía suave, si son sonidos potentes, si son estruendosos, o si es como una sucesión de explosiones que salieron de mí. Registro qué sonido tiene mi bronca, cómo se manifiesta.

Continúo observando mi propia bronca y observo cómo se ve, qué color y qué forma tiene esta furia. ¿La veo en forma de masa, como nubarrones?, ¿o son líneas psicodélicas?, ¿o líneas rectas? ¿Cómo se manifiesta mi bronca?, ¿qué movimientos me exige hacer? ¿son violentos, ondulados, cortantes? Ahora que sé cómo la siento, cómo la veo, cómo la oigo, me detengo en su olor. ¿Es olor a podrido?, ¿es olor a quemado?, ¿o es un olor suave y agradable? ¿Cuál es el olor de mi bronca? Finalmente busco qué sabor tiene mi bronca; con mi imaginación intento degustarla. ¿Qué gusto tiene mi bronca?, ¿es amarga o es ácida?, ¿es dulce o agria? Con todos mis sentidos exploro cómo es mi bronca en su totalidad.

Ahora tomo conciencia de todo lo que experimenté. Hago de observador y detecto si sentí cosas que nunca antes había sentido, ni visto tan claras. Ahora siento la bronca totalmente fuera de mí. ¡Me siento tan aliviado! Me pude sacar toda esa bronca que tenía acumulada, ya no me daña interiormente. Ya la pude detectar conscientemente. Retengo en mi mente esa visión que surge del sentimiento de impotencia que me causó esa injusticia. Ahora ubico la imagen delante de mí y la observo. Repaso atentamente cómo es mi bronca, qué forma tiene, de qué color es; memorizo sus líneas, interiorizo su ritmo, aprendo sus movimientos. ¿Cómo es mi bronca? Memorizo todo lo vivenciado.

En el momento que lo tengo grabado me preparo para el regreso. Respiro profundamente varias veces. Observo mi respiración, la manera en que inhalo y exhalo. Poco a poco recupero la calma. Estoy aquí, cada vez más consciente de vuelta en el asiento que me sostiene firme. Continúo respirando rítmicamente hasta que siento ganas de apretar las manos; cierro los puños y los vuelvo a abrir. Luego, hago fuerza con los brazos. Estoy aquí, me palmeo los muslos y cuando estoy listo abro los ojos. Estoy en el aquí y ahora: ¡aquí estoy nuevamente!

***12. La Armonía** (capítulo 8)*

Realizar previamente una relajación.

Con mi imaginación, me ubico en un lugar donde pueda sentirme plenamente en armonía. ¿Hay algún lugar al que acudo cuando quiero estar tranquilo y bien? Con mi imaginación me voy a ese espacio, a ese lugar. Sintiéndome libre me voy hacia allá, y disfruto la sensación de estar en paz conmigo mismo. Aquí nadie me molesta, aquí puedo sentir la maravillosa armonía que abarca todo mi ser. Estoy en mi centro, y desde mi centro siento como todo circula y fluye en armonía. No estoy ni excitado ni dormido, simplemente me siento cómodo con mi soledad. Exploro mi interior, estoy en paz. Aquí me siento acompañado por los que me aman; no me dejo perturbar por otras cuestiones. Estoy en un estado pleno, me siento muy bien: tranquilo, amado, equilibrado. Estoy conmigo mismo; fluyo en armonía con el universo y nada me desvía, nada me sacude. Siento sosiego y calma. Aquí estoy sereno.

Existe en mi entorno este lugar apacible, este refugio para mi alma, donde estoy ahora, donde me siento pleno, donde me siento mimado y cuidado. Es una sensación de bienestar sereno. Yo puedo disfrutar este momento conmigo mismo. Siento el todo y la nada a la vez, aquí no existe el tiempo. Siento una gran armonía, un sentimiento circular, una plenitud maravillosa donde todo está en orden dentro de mí. Aquí no hay asperezas, no hay nada que me atormente, nada que me moleste. Aquí puedo estar conmigo mismo en silencio y escuchar esa calma infinita, aquí puedo ser esa calma.

Ahora, inmerso en la calma, escucho atentamente: ¿Qué es lo que me cuenta este silencio mío; esta profunda calma que me invade?

¡Qué maravilloso!, donde aparentemente no hay nada, está el todo; es otra perspectiva, otro nivel de acercamiento que es indescriptible. Es un aspecto mío que también existe, esto pasa a otro nivel de profundidad, que es invisible, pero que está. En este espacio, en este lugar, siento placer; aquí me invade una felicidad y una amorosidad serena. Aquí siento la serenidad del "existir" y la coherencia simple del "ser".

Siento mi armonía. Ahora que siento mi armonía voy a ver con mi ojo interno qué forma tiene mi armonía: ¿tiene forma mi armonía?, ¿tiene líneas circulares?, ¿curvas?, ¿diagonales?, ¿o es horizontal?, ¿tiene volumen?, ¿tiene color? ¿Qué abanico de colores tiene mi armonía, o tiene un solo color?, ¿tiene colores suaves y armónicos? ¿Cómo se manifiesta mi armonía?, ¿cómo la siento en mi cuerpo?, ¿cómo la percibo? ¿Cuál sería el movimiento que me insinúa esta armonía?, ¿qué movimiento me sugiere? ¿Cómo es tocar o acariciar mi armonía?, ¿la siento como terciopelo?, ¿o es áspera?, ¿cómo percibo mi armonía? ¿Cómo oigo mi armonía?, ¿cómo vibra mi armonía?, ¿es melódica?, ¿cómo suena mi armonía? Me predispongo para escuchar la melodía y el ritmo de mi armonía. Ahora, inhalo lento y profundamente por la nariz para olfatear su fragancia: ¿qué perfume me regala mi armonía? Siento la maravillosa sensación de encontrarme en mi centro, donde nada me desequilibra. Inhalo nuevamente, ¿qué aroma tiene y que sabor tiene mi armonía? y ¿cómo la siento en la boca?, ¿puedo degustar algún sabor especial? Participo con todos mis sentidos de mi armonía.

En esa calma silenciosa percibo conscientemente cómo me siento cuando estoy en armonía. Grabo en mi memoria cada sensación, cada color, cada forma; todo lo que vivencié. Me mantengo en estado de armonía y la siento, la veo, la experimento: Yo soy la armonía. Veo todo clarísimo, soy consciente de mi armonía, sé qué colores y formas tiene mi armonía, qué sonidos y qué ritmo tiene. Memorizo todo una vez más.

Ahora que tengo todo claro decido regresar, en este momento decido volver al aquí y ahora, poco a poco estoy plenamente aquí. Respiro profundamente varias veces, retomo el contacto consciente con mi cuerpo. De a poco muevo mis manos, hago fuerza en mis manos, abro y cierro mis manos, extiendo mis brazos, muevo las piernas, los pies, y cuando siento la necesidad, abro los ojos. ¡Acá estoy! Respiro pausadamente, acá estoy nuevamente, totalmente presente.

13. El Miedo (capítulo 8)

Realizar previamente una relajación

Desde esa libertad reviso mi cuerpo. ¿En qué lugar de mi cuerpo están escondidos mis miedos? ¿En qué lugar físico de mi cuerpo están atascados, aferrados y escondidos mis miedos?

Primero reviso en mi cabeza, ¿hay algún miedo allí, escondido o ubicado en mi cabeza? No juzgo mis miedos, sólo los registro, los quiero descubrir. ¿Algún miedo que se defiende a través del engaño o de la mentira?, ¿hay algún miedo escondido en el hueco de mi mente? ¿Al-

gún miedo que alimenta mi ansiedad? ¿Es ése el miedo que se hace presente en los momentos menos indicados, que me frena en el hacer, que me impide evolucionar? Si algún miedo se esconde en mi cabeza, lo descubro, lo visualizo y lo hago presente. Miro qué forma y qué color tienen. Los quiero conocer.

Ahora continúo buscando, me fijo si en mi nuca hay algún miedo o uno que se sostiene sobre mis hombros. ¿Hay algo que desde allí me limite o me apremie?, ¿me invadió algún miedo en esta zona? ¿Siento algún miedo acomodado por allí que tensa mi cuello?, ¿se arraigó y echó raíces ese miedo sobre mis hombros o en la nuca? Reviso mis hombros, si cargo algún miedo pesado que me hace caminar encorvado, lo quiero detectar. ¡Quiero verle el rostro, sacarle la máscara! No voy a juzgarlos, sólo quiero saber dónde están ubicados.

Ahora sigo paseando por mi cuerpo para ver si algo se esconden en mi garganta y se manifiestan en esa angustia que me cierra la garganta. ¿Hay algún miedo ubicado en mi garganta o en mis pulmones, en la parte superior de mi torso que traban mi posibilidad de comunicación. Tomo el rol de un detective, como Sherlock Holmes, para descubrir dónde están escondidos mis miedos y qué aspecto tienen. Busco. ¿Han dejado huellas? Estoy decidido a encontrarlos, ahora los quiero detectar, los quiero ver. Me tomo mi tiempo para descubrirlos. ¡A mis miedos, los quiero destapar! Una vez que tengo claro si hay algo escondido en mi cabeza, nuca u hombros, les miro la cara y los hago presentes.

Sigo investigando en la zona de mi corazón: ¿hay algo que frene mi corazón, que lo anude? ¿hay algún miedo anidado en mi corazón que asfixie mi capacidad de amar? ¿Dónde están ubicados mis miedos?, ¿por temor a no ser amados o aceptados vivimos en un mundo de miedos mentirosos?, ¿algunos de estos miedosos falsos se apoderó de mi corazón? Una vez que revisé mi corazón, doy un paso hacia mi vientre. ¿Veo algún miedo ubicado en mi vientre, en el esófago, en el estómago, en el hígado o en el riñón? Investigo todo el espacio de mi tórax desde el vientre hasta la columna. Ahora desciendo y reviso mis intestinos, mis genitales, toda mi parte baja y el cóccix, donde comienza la columna vertebral. Reviso, paso a paso, palmo a palmo, cada lugar. ¿Hay algún miedo escondido en ellos? Si detecto algún miedo ubicado allí, lo visualizo y registro. Quiero verles la cara, el color, su forma. Continúo el descenso hacia mis miembros inferiores. ¿Diviso algún miedo en mi cadera?, ¿siento alguno alojado en los muslos o en las rodillas? Reviso mis piernas completamente hasta los tobillos y pies. ¿Registro algún miedo que me imposibilite dar un paso en particular? ¿Hay algún miedo que me impide avanzar, que frena las ganas de vivir plenamente? Reviso mis brazos, mis muñecas y mis manos para ver si algún miedo quedó escondido allí. Busco si me quedó algún miedo que me esté impidiendo usar libremente mis brazos y manos. ¿Hay algún miedo alojado en mis dedos?

Ahora me tomo un tiempo para recorrer nuevamente todo mi cuerpo. Evalúo tranquilamente mi cuerpo para detectar dónde siento los miedos, dónde los veo y dónde los oigo. ¡Quiero saber dónde están! Quiero saber dónde, en qué partes de mi cuerpo se esconden mis miedos.

Tomo consciencia de que existen diferentes tipos de miedo y de que hay muchas formas de sentir miedo. Descubro que algunos hasta se esconden detrás de otra máscara. Ahora es el momento de descubrirlos. ¿Qué forma y color tienen mis miedos?, ¿cómo son esos miedos?,

¿tienen muchos colores?, ¿de qué color son mis miedos? ¿cuál es su forma? Y ¿qué olores emanan mis miedos?, ¿son olores fuertes o desagradables?, ¿o son olores suaves y aromáticos? ¿Qué fragancia tienen mis miedos? Quiero escuchar a mis miedos: ¿tienen algún sonido?, ¿escucho ritmos, sonidos, o amenazas en mis miedos?, ¿me hablan con palabras?, ¿me quieren intimidar?, ¿qué dicen mis miedos?

También quiero degustar mis miedos; con mi imaginación pruebo qué sabor tienen mis miedos: ¿tienen sabores amargos y agrios?, ¿o más bien tienen un sabor dulce?, ¿son empalagosos mis miedos?, ¿son dulces para engañarme, para que yo no los descubra? ¿Qué gusto tienen mis miedos?

Cómo siento mis miedos, los toco con mi mano, percibo cómo son: ¿Qué textura tienen mis miedos: son rugosos; son lisos y suaves; son fangosos y blandos; son fríos como un metal; son punzantes como un cepillo de alambre; o son calientes y repelentes? ¿Cómo siento mis miedos?

Revisando mis miedos tomo conciencia de que existe un tipo de miedo, a los que llamo miedos heredados, que son los que culturalmente me han sido traspasados a lo largo de mi crecimiento, pero que no tienen que ver conmigo. Sin embargo, esos miedos aún me limitan y demoran. Estos miedos, heredados, ya no tienen lugar, son tan ajenos a mi realidad de hoy, que si los miro con detenimiento y los examino, se desintegran solos, se convierten en herrumbre. Ya no tienen ningún sentido ¡se hacen herrumbre, polvo! Ahora que veo que esos miedos no son más que herrumbre los voy a eliminar de mi cuerpo: inhalo profundamente, junto con el aire expulso con fuerza esos miedos hechos polvo. Inhalo aire limpio, veo con mi ojo interno cómo despido al exhalar toda esa herrumbre de miedos, ya no los necesito más. Nunca tuve conciencia de ellos. Inhalo y con fuerza exhalo expulsando esos miedos heredados. A mi ritmo, inhalo, exhalo herrumbre, y me libero de esos miedos desvanecidos.

Continúo explorando mis miedos y descubro ciertos otros, diferente a los heredados, que identifico como miedos por educación. Son aquellos miedos que me fueron inculcados desde la infancia a lo largo de mi educación. Son miedos que cumplieron una función protectora cuando era pequeño, miedos que me cuidaron, pero que ya no me sirven más. Ahora que soy adulto puedo discernir por mi cuenta. Como no los tuve consciente los seguí cargando por inercia. Evalúo cuáles de esos miedos por educación aún me sirven, y de cuáles me puedo deshacer. Los observo cómo son; de qué colores y qué forma tienen. Inhalo y al exhalar saco los miedos obsoletos hacia fuera. Inhalo hondo para poder exhalar los que ya no quiero, los que no me sirven. Inhalo y luego soplo mis miedos por educación que ya no necesito más. Pero me guardo los miedos por educación que aún me sirven y me protegen.

Adentro mío todavía se esconden ciertos miedos que aún no puedo enfrentar y que no quieren ser descubiertos. Como aún no estoy preparado para enfrentar esos miedos, los dejo donde están. Pero, sí los veo, detecto dónde están ubicados, los hago presentes y les quito la máscara con la que se suelen ocultar. ¡Ahora se cómo son esos miedos que tengo! A ellos los tomo en cuenta, los cuido, ya que aún no soy lo suficientemente fuerte como para deshacerme de ellos. Simplemente los hago presentes, les corro el velo, los hago conscientes. Como no los puedo enfrentar, los envuelvo en un papel de regalo y lo sujeto con una cinta y un moño. Así los guardo para que no puedan dañarme. Ya no tengo que preocuparme que me invadan. Los guardo hasta el día que me sienta preparado y fuerte para enfrentarlos. Yo tengo mi propio tiempo, no me voy a apurar, y no voy a desatar el moño hasta que sienta que es el momento justo. ¡Puedo esperar! Gracias a que los tengo conscientes, estos miedos no pueden actuar a mis espaldas, ni me pueden invadir, ni tomarme por sorpresa.

Sigo investigando los miedos en mi cuerpo y descubro que hay ciertos miedos a lo desconocido o al cambio o al ridículo ¿Por qué será que uno les dá tanto poder? Les miro la cara, el color, su ritmo y evalúo si los quiero seguir cargando o si me aliviaría canjearlos por algo nuevo, por flexibilidad, coraje o curiosidad. Inhalo y exhalo con firmeza, hasta que siento que ya saqué de mi cuerpo lo que no me sirve.

¡Cuantos miedos diferentes que tenía adentro mío! Ahora me encuentro con los miedos de la experiencia de mi vida, son los miedos que he recolectado a lo largo de mi existencia. Son miedos que ocultan fracasos o vergüenzas por cosas que no pude, o no supe, o no quise hacer. ¿Es realmente necesario que aún los tenga que cargar? Los examino de a uno y me preparo para deshacerme de los que siento que ya no me sirven. Solamente mantengo, de modo consciente, los miedos que aún me protegen de futuros errores o me pueden servir.

Inhalo profundamente y exhalo esos miedos inútiles, los largo con mi exhalación. Inhalo profundamente, me lleno los pulmones y el cuerpo con aire puro, envuelvo con aire los miedos que ya no quiero en mi cuerpo y exhalo fuerte para expulsarlos junto con el caudal de aire. Guardo sólo los miedos que me protegen, a ellos los tomo como amigos.

Ahora que ya despedí todos los miedos que no me servían, visualizo todos los miedos que he dejado dentro de mí. Los quiero tener conscientes, quiero hacerme amigo de mis miedos porque ¡son parte mía!, ¡son parte de mi personalidad!, y ¡son parte de mi actuar! Sé que de estos miedos surgen sentimientos, surgen inhibiciones y surgen imposibilidades, pero también me protegen. Por eso, ¡quiero conocer mis miedos, los quiero ver, reconocerlos, les busco el rostro! ¿Qué formas tienen mis miedos?, ¿qué colores tienen? ¿Tienen volumen mis miedos?, ¿son fugaces? ¿Qué fragancia irradian mis miedos?, percibo el olor de mis miedos. Con mi imaginación percibo cómo son mis miedos al tacto, me fijo en cómo los siento: ¿son miedos ásperos, densos, arrugados, fríos, calientes, duros, blandos, pinchudos, o son agradables? Me tomo un tiempo para percibir cómo son los diferentes miedos con los que me he quedado. Me hago amigo de mis miedos sobrevivientes, los grabo en mi memoria.

Una vez que tengo claro qué forma, qué color, qué sonido, qué textura y qué olor tienen mis sentimientos de miedo; decido volver a este lugar. Respiro profundamente, varias veces; inhalo y exhalo profunda y pausadamente. Tomo conciencia del asiento que me sostiene. Vuelvo aquí, a este espacio, en este instante inhalo y exhalo conscientemente. Cuando me siento preparado: abro y cierro mis manos, hago fuerza en las manos mientras registro donde estoy. Acá estoy nuevamente. Hago rotar los tobillos, palmeo las piernas, golpeo mis muslos, abro los ojos y aqui estoy otra vez, en el aquí y ahora.

14. El Entusiasmo *(capítulo 8)*

Realizar previamente una relajación.

Con mi imaginación tomo el lugar de un deportista, que está a punto de vivir un gran desafío. Me tomo un tiempo para entrar en sintonía con el deportista. Me siento preparado como un deportista bien entrenado. Siento que me invade el entusiasmo propio de una competencia de magnitud. La felicidad que invade mi cuerpo me anticipa lo que me espera.

Soy en este momento un gran deportista. Me encanta el deporte porque me genera cierta adrenalina que me hace sentir feliz. La exigencia de una competencia me da vigor y me siento potente, capaz de un gran logro. Me invade el entusiasmo.

Después de un prolongado entrenamiento llega el día de la competencia. Llegó el momento. Estamos compitiendo por el premio mayor. A mi lado compite otro deportista, un digno rival. Siento que soy bueno para esto; siento el entusiasmo. Me siento cada vez más capaz, porque surge en mí una fuerza que pone mi potencial a pleno. ¡Compito! Mi rival es excelente, es incluso mejor que yo. Me siento maravillosamente bien compitiendo con él. Admiro la capacidad de mi contrincante; competir con él me da ánimo y eso aumenta mi potencial y mi rendimiento. ¡Qué bueno es tener un competidor de esta categoría! Él es sobresaliente, es el mejor; de él aprendo mucho.

Mi dedicación es plena y ahora siento que yo también puedo. A medida que me entrego a la acción siento que voy aumentando mi rendimiento. El entusiasmo aumenta el vigor y siento que me supero minuto a minuto. ¡Ahora siento que yo también soy excelente!, ¡es maravilloso el potencial que descubro en mí! Gracias a mi excelente competidor logro superarme a mí mismo. ¡Que alegría! Me siento fuerte, me siento capaz; ya falta muy poco, estoy entusiasmado. Siento el desafío de ser mejor, siento como me supero paso a paso ¡que alegría, que éxtasis! Me doy cuenta que yo también puedo ser muy bueno, siento que puedo; ¡es genial!

Es una exigencia dura, pero plenificante. ¡Me siento pleno!, falta muy muy poco, fuerza, ¡adelante! La competencia me hace sentir bien, siento alegría, siento éxtasis: ¡Yo puedo! Ahora me concentro en mí y siento en mi cuerpo cómo se moviliza un potencial de energía que desconocía, lo estoy viviendo a pleno. Descubro que el entusiasmo me aporta más potencial del que me atribuía. ¡Qué sensación maravillosa!

Ahora observo mi entusiasmo. ¿Qué forma tiene? ¿Cómo es mi entusiasmo, tiene color? ¿Me invade algún sabor u olor? ¿Cómo es este entusiasmo? Quiero verle la cara ¿A qué se parece? ¿Qué consistencia tiene? ¿Trasmite algún sonido, alguna música, algún ritmo? ¿Cómo lo siento en mi cuerpo, me hace cosquillas? ¿Siento la adrenalina que produce mi entusiasmo? Presto atención a los detalles y lo memorizo todo.

Con esta sensación de excitación, esfuerzo y sana competencia, decido volver a este lugar. Vuelvo al aquí y ahora, a este espacio, a este ámbito. Aún siento la adrenalina repartida por todo mi cuerpo. Aún siento la alegría y la fuerza en mi cuerpo. Me regocijo en el entusiasmo. Respiro profundamente varias veces. Ahora hago fuerza en mis brazos y manos. Abro y cierro las manos con mayor fuerza cada vez. Me golpeo los muslos, muevo las piernas, siento que estoy presente. Finalmente, abro los ojos y aquí estoy nuevamente. Siento mi cuerpo cargado de energía, preparado para la acción.

15. "Yo soy el árbol" *(capítulo 10)*

Realizar previamente una relajación.

Me encuentro en un parque, lo recorro atentamente observando sus árboles. Un árbol me atrae especialmente. Me paro delante de él. ¡Estoy fascinada con este árbol esbelto y majestuoso! A pocos metros veo un banco donde puedo sentarme a contemplarlo. Tomo asiento en este banco. Desde aquí, cómodamente, observo el árbol en su totalidad. Me imagino cómo se hunde en la tierra y permanece fuertemente arraigado. Lo recorro hacia arriba por su tronco erguido y veo el desarrollo de sus ramas. Admiro sus ramas que se despliegan hacia todos lados con movimientos elegantes, acompañando al viento cuando sopla. Su elegancia me recuerda a un bailarín.

Lo recorro con la mirada hasta que encuentro algo que llama mi atención. Me impactan los contrastes de luces y sombras. Observo que la sombra cubre un lado; del otro lado el sol lo ilumina revelando nuevas formas y colores. Veo la proyección de su sombra en el piso. Trato de entrar en sintonía con mi árbol y escuchar qué cosas resuenan en mi interior.

Qué majestuoso es mi árbol, cuánta presencia tiene. Lo miro tan intensamente que empiezo a sentir como el aire nos conecta, nos acerca hasta que somos uno, en ese momento yo soy el árbol.

Ahora yo desde mi lugar de árbol veo mi persona sentada en el banco mirándome. Qué maravilla, he logrado cambiar de lugar, ahora ¡yo soy el árbol!

Siento mi tallo erguido hacia arriba. Con mis pies percibo que estoy bien arraigado en la tierra; son mis raíces las que me sostienen en la tierra. Qué sensación de solidez, de permanencia. Siento cómo mis raíces absorben el agua. La tierra húmeda que me rodea me brinda sus nutrientes que se transforman en savia. Percibo cómo la savia recorre mi interior y se distribuye a todas mis ramas y ramitas, hasta las últimas puntas. Siento que la vida late en cada centímetro de mi cuerpo. ¡La tierra me nutre y a la vez me da piso!

Siento la majestuosidad de mi árbol, percibo una nueva altura. Tengo mucha presencia. Me siento seguro y calmo. Veo a mi persona chiquita, allá lejos, observándome desde el banco.

Percibo que la corteza me protege del frío. ¿Es áspera, lisa, rugosa, consistente? ¿Cómo es mi corteza? Por dentro soy muy sensible y vulnerable. Siento pasar la savia húmeda por mi médula. El sol me cuida, me abriga, me da calor. Disfruto sus rayos tibios que despiertan una vitalidad profunda que me hace crecer. Donde no llegan los rayos se hace sombra, allí siento más frío. Veo cómo mi sombra se proyecta en el piso.

Siento el cosquilleo de unas patitas de pájaros que se aferran a mis ramas, disfruto la melodía que me regalan. Siento la brisa pasar por mis brazos, mis ramas. Es como una caricia de la vida. Ramas y hojas danzan en el viento. En este juego de movimientos me balanceo suavemente. Cuando el viento se detiene, quedo como suspendido, todo es quietud y disfruto la calma hasta la siguiente brisa. ¡Qué hermosa libertad siento hacia arriba!, ¡y qué arraigo siento hacia abajo!

Mis ramas crecen en distintas direcciones, son fuertes y resistentes pero hacia las puntas se hacen más finas y livianas, casi efímeras. Mi vestimenta es de diferentes tonalidades; mis hojas se despliegan en verdes intensos, pero donde brotan nuevos retoños, son de un verde más clarito.

¡Qué maravilla es sentirme árbol! ¡Qué increíble es mi aroma! Proyecto una fragancia suave y fresca. Detecto aspectos que nunca me hubiese imaginado. Es toda una experiencia nueva sentir la majestuosidad, la potencia, la fortaleza, la presencia de ser árbol. Es una vivencia nueva que disfruto.

Ahora miro a mi personita, allí en el banco. Con la mirada me acerco cada vez más, la miro intensamente, sé que esa persona soy yo. ¡Decido volver! Le doy las gracias al árbol por la experiencia y entro plenamente en mí, en mi cuerpo trayendo conmigo la riqueza de todo lo vivido. En un instante hago el cambio y vuelvo a ser mi persona. Ahora puedo mirar mi árbol con otros ojos, lo siento, lo conozco desde otro lugar.

Me levanto del banco y regreso por el mismo camino por donde llegué. Ya estoy de vuelta en mi asiento. Con la respiración cada vez más intensa voy tomando conciencia de cada parte de mi cuerpo. Abro y cierro las manos, respiro profundamente, hago fuerza en las piernas, me froto los muslos, abro mis ojos. Y estoy de vuelta, aquí y ahora, en este lugar, en este momento.

16. "Yo soy la nube" *(capítulo 10)*

Realizar previamente una relajación. (Texto en femenino)

Me encuentro en el piso más alto de un imponente edificio, mirando por la ventana. Como la vista es espléndida, decido salir al balcón. Elijo un lugar cómodo y me siento a contemplar el cielo. Veo muchas nubecitas, algunas más grandes, otras más chicas. Me asombra cómo contrasta el azul del cielo con el blanco de las nubes. Observo el pasar de las nubes. No hay una igual a la otra, cada nube tiene su propia forma y se va transformando con el soplo del viento. Juego a detectar las diversas formas que se despliegan en blancos y azules; juego a que el cielo es a veces "fondo" y otras veces "figura".

Me detengo a observar las nubes, el brillo del sol las ilumina. Cuando los rayos las atraviesan se dibujan volúmenes más claros que se funden con otros más densos y opacos.

Sigo detenidamente el desplazamiento de las diferentes nubes. Elijo una que pueda sentir como "mi nube", la que más me atrae. Ésta será mi nube. Ya la veo, ya la elegí. La contemplo detenidamente con mis cinco sentidos. Me encanta observar como se mueve en la amplitud del cielo. Me atrae la libertad y la idea de flotar en el espacio como ella lo hace. Conscientemente entro en sintonía con mi nube.

Dejo mi mente flotar y subir hasta que me siento en la nube, me gusta esta sensación de liviandad. Me gusta tanto que quiero experimentar todo lo que es "ser una nube". Y en este preciso momento hago el cambio "Yo soy mi nube", y desde mi lugar de nube, veo a mi cuerpo sentado en el balcón, contemplándome. Qué lejos estoy, qué chiquito veo mi cuerpo.

Soy una nube esponjosa y mullida; no tengo partes duras, todo es blando, sutil y suave en mí. Me siento liviana, soy suave, húmeda, efímera. Juego a cambiar de forma. Siento el calorcito del sol como abriga. Siento como el viento me empuja y suavemente me voy deslizando por el aire. Me armo y me desarmo, en un momento soy un cordero, en otras un león, soy como alas de un ángel o una montaña nevada. Por ser tan efímera y liviana a veces se borran mis límites. Tengo la libertad de transformarme de momento a momento. Nada me encasilla, qué sensación de libertad y alegría. Me siento nube, soy la nube.

Miro hacia la tierra. Cómo cambia la visión desde aquí arriba, todo se vuelve más chico. La distancia aporta una nueva perspectiva. Siento plena libertad, grandeza, alegría, todo el cielo está a mi disposición. Siento una enorme sensación de amplitud.

El viento me puede llevar adonde quiera. Lo convierto en mi cómplice y su compañía me permite viajar por la inmensidad del cielo. ¡Me entrego! Alrededor mío las demás nubes se deslizan con la misma ligereza. A veces nos juntamos, formamos nubes más grandes, otras veces me desprendo y me convierto en un pequeño trozo húmedo que se desliza. Hay una comunicación total entre nosotras, que nos permite crear un espectáculo lleno de movimiento. No hay limitaciones. ¡Qué hermosa sensación!, qué generosidad siento en todo mí ser. La grandeza del cielo es mi hábitat. Disfruto del calorcito que me brinda el sol, olfateo la humedad, el oxígeno, los diferentes perfumes que flotan en el aire, escucho el silbido del viento regalándome sus melodías.

Siento con todo mi ser, esta maravilla de ser nube. Miro a mi alrededor, la inmensa lejanía me conmueve. Paseo la vista por la tierra, me detengo en el balcón donde está sentado mi cuerpo, mi persona. Me acerco suavemente sintiéndome cada vez más yo. Antes de volver a mi cuerpo reviso detenidamente con los cinco sentidos qué sensación tengo al ser nube y la guardo en la memoria. ¡Qué experiencia única! Agradezco lo vivido y decido volver. En este instante hago el cambio, retomo mi cuerpo y vuelvo a ser mi persona. Traigo conmigo la riqueza de todo lo vivido. Me siento feliz de ser nuevamente yo.

Dejo el edificio y vuelvo a este lugar, al lugar desde donde partí. Respiro profundamente. Con cada respiración voy tomando conciencia de cada parte de mi cuerpo. Hago fuerza en mis manos, extiendo con ímpetu los dedos de mis manos. Froto los muslos con mis manos. Respiro conscientemente y repaso las sensaciones vividas. Abro los ojos y tomo conciencia de todo lo vivenciado. ¡Qué increíble haber podido ser nube! ¡Cuántas sensaciones nuevas!

"Yo soy el sol" *(capítulo 10) sólo texto*

Realizar previamente una relajación.

Estoy caminando por un campo y veo que pronto se pondrá el sol. Me detengo para contemplar este hermoso espectáculo en el cielo. Encuentro un tronco caído y decido sentarme. ¡Qué hermoso sol! ¡Qué intenso es su brillo! Su luz se proyecta en diferentes colores. Brilla irradiando con generosidad colores cálidos hacia todas las direcciones. Disfruto los rayos que iluminan mi cara; me dejo impregnar por sus rayos que me miman y entibian mi frente. Mi espalda está en la sombra. De la misma manera todos los frentes de la vegetación quedan bañados de luz. Luces y sombras se combinan armónicamente. ¡Qué fuerza tiene el sol!, ¡qué alcance tienen sus rayos!, ¡cuánta magnanimidad! ¡Cuánto calor irradia todavía! siento que me abriga, que me protege.

Esta cercanía despierta una gran empatía con el sol, permito que resuene en mí. Lo miro casi sin parpadear, me inunda su fuerza y siento como si me elevara al mismo tiempo que me convierto en sol. ¡Ahora, en este preciso momento elijo ser sol! ¡Yo soy el sol! Desde el lugar del sol veo mi cuerpo sentado en el tronco mirándome a mí. ¡Yo soy el sol! un sol que se acerca lentamente al horizonte.

Desde este lugar irradio con fuerza toda mi luz. Estoy protagonizando mi propia puesta de sol. Son magníficos los amarillos, naranjas, rojizos y magenta con que tiño el cielo y las nubes; los colores son increíbles. Soy potente, mis rayos llegan lejos; soy el astro rey; soy el sol; siento esta enorme potencia, esa majestuosidad. Dentro mío rebalsan mi luz y mi color. Me siento el dueño del cielo.

Proyecto mis rayos luminosos hasta los rincones más lejanos. Siento cómo mis rayos al entrar a la atmósfera componen tonalidades con infinidad de variaciones. En el cielo se desparraman los naranjas profundos, arden los rojos incandescentes salpicados por trozos de cielo, que lo vuelven verdoso o rosa violáceo. Algún rayo todavía amarillo brillante se filtra para pintar el borde de algunas nubes o entibiar el banco de una plaza. La puesta de sol es un momento mágico, cuanto más me acerco al horizonte más naranja-rojizo me vuelvo. Todo el mundo se queda atrapado y enmudece frente al colorido que despliego en la inmensidad del cielo cuando toco el horizonte.

Qué placer sentirme sol, sentir en mi cuerpo esta energía vital, la alegría, la grandeza, el éxtasis. A medida que la tierra va rotando, alumbro nuevas geografías con la promesa de un nuevo día. ¡Estoy pleno! Siento que mi esencia está hecha de ímpetu, generosidad, libertad, magnanimidad. ¡Qué maravilla sentirme sol!

Dirijo mi atención hacia la tierra. Poco a poco me desprendo del núcleo del sol, viajo por los rayos hasta el lugar donde quedé sentado. Ahora miro a mi personita, allí en el tronco, la baño en luz, le mando mis rayos cálidos. Me acerco cada vez más, la miro intensamente, sé que esa persona soy yo. ¡Decido volver! En ese instante hago el cambio y vuelvo a ser "yo" en mi propio cuerpo, Entro en mi persona y la habito. Le doy las gracias al sol por la experiencia fabulosa y la riqueza de lo vivido.

Ahora comprendo mejor lo que es ser sol. Lo he sentido en mi cuerpo, he sido sol, sé como se siente y se percibe ser sol. ¡Qué hermosa experiencia viví! La guardo en mi memoria. Repaso otra vez todo lo que acabo de vivenciar. Desde esta emoción me levanto del tronco, camino por el campo y vuelvo aquí, al lugar del que partí, a este ámbito, a este entorno.

Soy plenamente yo, ya estoy de vuelta en mi lugar, en mi asiento. Hago fuerza en mis manos, extiendo mis brazos y mis dedos, abro y cierro las manos con fuerza. Golpeo mis muslos, abro los ojos y aquí estoy, en este lugar, en este espacio, estoy sentada plenamente consciente; estoy aquí y ahora.

***17. "Yo soy la rosa"** (capítulo 10)*

Realizar previamente una relajación.(Texto en femenino)

Con la imaginación me traslado a un lugar cómodo y me ubico frente a una mesa. En ella hay un florero con una hermosa rosa roja. La observo minuciosamente; me conmueve esta hazaña, esta maravilla de la naturaleza. Sus pétalos suaves, aterciopelados, están ordenados con un cierto ritmo alrededor de su centro. Su color rojo es intenso, con pequeños matices dentro de esa tonalidad. Veo que el tallo es verde claro. En contraste con su suavidad es rígido y espinoso. De él brotan gajos de cinco hojas, teñidos de un verde más profundo, que se asoman con independencia y picardía.

Observo la rosa roja. ¡Qué placer dedicarle toda mi atención! La contemplo detenidamente, me acerco a la flor y siento su fragancia. Con mis dedos acaricio sus pétalos aterciopelados y siento en las yemas esta suavidad. Esta sensación y su perfume se va adueñando de mis sentidos. Me dejo invadir por ellos; su color profundo se hace parte mía, y su forma va moldeando mi ser. Entro poco a poco en sintonía con la rosa y decido convertirme en "la rosa". En este instante cambio de lugar y ¡ yo soy la rosa!

Me veo a mi mismo sentado en una silla, observándome, ahora transformado en rosa. Me asombra que ahora yo sea esta rosa roja. Percibo mi tallo apoyado en el florero y me siento sostenida. Siento cómo absorbo el agua y cómo sube por mi tallo. Esto me satisface la sed. El agua me hace bien, me da frescura. Siento que vivifica mis pétalos aún cerrados y me impulsa a desplegarme en flor plena. Detecto cómo desde el tallo, mis hojas buscan la libertad. Siento su armonía al extenderse.

Dentro de mí arde un enorme caudal de emociones. Me eligen como símbolo del amor y de la gratitud. Soy musa de poetas y ofrenda para los enamorados. Soy la reina de las flores. Desde mi centro, rico en consciencia, percibo la armonía de mis pétalos, que componen una ronda armoniosa a mi alrededor. Me asombra la sabiduría de la naturaleza, siento mi esencia pura. Qué hermoso es sentir la suavidad de mis pétalos livianos, flexibles y aterciopelados. Me siento suave y al mismo tiempo frágil, vulnerable a las emociones intensas. Esta mezcla de belleza y fragilidad es posiblemente lo que me vuelve atractiva e inolvidable. Ahora percibo mi tallo que tiene espinas. Me gusta poseer espinas, me identifico con su agresividad. Ellas me ayudan a crear una distancia que me protege de los curiosos. Cada cual tiene sus armas, ¡así me protejo!

Percibo cómo lleno el ambiente con mi fragancia de rosa. Mi fragancia evoca sensualidad y misterio. Mi rojo profundo e intenso se despliega, según la luz, en una paleta generosa que brilla en múltiples tonos. Las perlas del rocío sobre mis pétalos, me hacen cosquillas. Me siento plenamente una rosa. Tengo presencia y disfruto de la sensación de ser admirada. Soy una rosa, soy bella, soy una valiosa mensajera.

Ahora, tomo conciencia de mi estado de rosa que combina belleza, ternura y suavidad con la fuerza y una agresividad latente. ¡Ésta es la rosa que yo soy!

Desde este lugar observo a mi persona que permanece sentada, mirándome absorta. Feliz y plena, con un profundo sentimiento de agradecimiento decido volver. Antes de despedirme revivo todo con mis cinco sentidos y guardo lo vivenciado en mi memoria. En este instante hago el cambio y vuelvo a ser mi persona. Entro plenamente en mí, en mi cuerpo trayendo conmigo la riqueza de todo lo vivido.

Nuevamente estoy dentro de mi persona, sentada en mi asiento observando la rosa. Con la respiración cada vez más intensa voy tomando conciencia de cada parte de mi cuerpo y decido volver al lugar desde donde partí.

Ahora estoy aquí, de vuelta en este lugar, hago fuerza en mis manos, extiendo con ímpetu los dedos. Froto mis manos en los muslos. Muevo las piernas, tenso los músculos y los aflojo. Respiro conscientemente y repaso los recuerdos que guardo en mi memoria. Abro los ojos y tomo conciencia de todo lo que he aprendido. Ahora sé como se siente ser una rosa, lo he vivenciado.

18. "El placard de mi vida" *(capítulo 12)*

Realizar previamente una relajación.

Guiado por mi imaginación me dirijo hacia donde está mi placard. Me paro frente a mi placard, lo abro, abro mi placard y veo sus diferentes divisiones. Reveo el espacio dedicado a la ropa de abrigo, a la ropa interior; veo donde están ubicados los vestidos y la ropa de fiesta, los trajes. Cuánto espacio abarcan los pantalones, las camisas, el calzado, todos mis zapatos. Y ahora miro el espacio de la ropa para actividades físicas o al aire libre. Recorro con la vista cada espacio, identifico de esta manera los diferentes espacios en mi placard, tal como yo ordeno mis cosas.

Ahora voy a canjear en mi imaginación este placard por el placard de mi vida. En esta nueva situación voy a ver cuánto espacio le doy a mis diferentes temas. Cuánto espacio le doy en el placard de mi vida a mis vínculos, a mis vínculos amorosos, mi vida amorosa con mi pareja. Qué espacio le doy al amor, o a la búsqueda de amor. Cuánto espacio les doy a mi familia, a mis hijos, en este placard de mi vida, al amor a mis hijos. Cuánto espacio les asigno a mis padres, mis amigos, mi vida social; cuánto espacio en el placard de mi vida abarcan mis amigos y mi vida social. Yo reveo en el placard de mi vida, el espacio que le dedico a mi vínculo amoroso con mi pareja, mis hijos, mis padres, mis amigos y mi vida social.

Ahora miro en el placard de mi vida cuánto espacio abarcan mis obligaciones, cuánto lugar le dedico a mi trabajo o a mis estudios. ¿Cuánto espacio abarcan mis obligaciones? cuánto espacio ocupan los temas pendientes, lo que debería hacer pero suelo postergar, ¿cuánto espacio abarcan mis temas pendientes?

Y ahora miro si hay algún cajón cerrado, quizás está cerrado con llave, con algunos temas que no me gusta ver. Lo identifico, ¿existe ese espacio cerrado en mi placard? ¿Es grande? ¿Es pequeño? Soy consciente de que están a la espera de ser atendidos pero no tengo ganas, ni fuerza para enfrentarlos, por eso los escondo bajo llave en el placard de mi vida. ¿Cuánto espacio abarcan las cosas de las que no deseo ocuparme?

Miro en el placard de mi vida cuánto lugar dedico a mis placeres, ¿cuánto espacio abarca mi libertad interna?, esa libertad que siento para ser quien soy ¿Cuánto espacio le doy a mi creatividad? Con esta libertad interna me permito ser creativo. ¿Cuánto espacio abarca mi creatividad? ¿Hay lugar para mis fantasías, mis imaginaciones, mis sueños, en ese placard de mi vida? ¿Es suficientemente amplio? ¿Cuánto espacio abarca el placer de mi silencio interno? El placer del ocio creativo ¿tiene espacio en mi placard? ¿Cuánto espacio abarcan mis proyectos futuros en este placard de mi vida?

Mis actividades, el deporte, mis viajes, ¿tienen un lugar? ¿Cuánto espacio abarcan mis actividades físicas, mis actividades deportivas? ¿Cuánto espacio abarcan mis viajes?

Cuánto espacio abarcan mis enfermedades, deficiencias físicas o molestias y sus tratamientos? ¿Es mucho el tiempo que me exigen?

¿Cuánto espacio en el placard de mi vida abarcan mis deseos?, los deseos incumplidos, ¿cuánto espacio abarcan los deseos cumplidos? ¿Y cuánto, esos deseos que abandoné? ¿Cuánto espacio dedico a mis deseos vigentes, los actuales? ¿Y cuánto espacio me permito para mis lujos, para mis pequeños y grandes lujos? ¿Cuánto espacio en mi placard abarcan mis lujos?

Sigo observando detenidamente el placard de mi vida. Ahora lo reviso otra vez y tomo conciencia de si realmente cada espacio tiene el volumen que yo le quisiera dar. Yo soy la dueña del placard de mi vida, y sólo yo puedo achicar o agrandar los espacios. De esta manera voy a retomar cada tema que considero importante: mi pareja, mi vida amorosa; cuánto espacio le otorgo a mi familia, mis hijos, mis padres, mis amigos, mi vida social. Cuánto espacio quiero que abarquen en el placard de mi vida mis obligaciones, mi trabajo, el estudio, todas las cosas pendientes. Miro si hay un cajón cerrado, si hay alguno con los temas que no quiero ver; observo cuán grande es, si lo quiero achicar o si lo quiero agrandar. Yo puedo ordenarlo. Reveo si el placard de mi vida contiene los espacios tal como yo los quiero hoy. ¿Cuánto espacio deseo que abarquen mis placeres, mi libertad interna, mi creatividad, mis fantasías, mis sueños y mi silencio? ¿Cuánto espacio le quiero dedicar a mis actividades físicas y mis viajes? ¿Y cuánto espacio quiero que ocupen mis enfermedades, mis deseos y mis lujos?

Ahora reordeno mi placard, lo reacomodo conscientemente a mi manera, tal como yo lo deseo hoy. Me tomo todo el tiempo necesario para reubicar los espacios en el placard de mi vida. Reviso si estoy conforme con mi nueva distribución. Cuando confirmo que he logrado el orden deseado, lo grabo en mi memoria.

Comienzo a trabajar con la respiración y el movimiento para volver al lugar desde donde partí. Respiro profundamente, inhalo y exhalo lentamente. Cuando estoy listo, abro los ojos, estoy acá, aquí y ahora. Regreso con un nuevo orden interno para mi vida.